P9-AOY-263

# LES DAUPHINS
# ET
# LA LIBERTÉ

JACQUES-YVES COUSTEAU
ET
PHILIPPE DIOLÉ

# LES DAUPHINS ET LA LIBERTÉ

FLAMMARION

*ÉDITEUR ORIGINAL : Doubleday & Co., Inc.*
*ouvrage paru sous le titre :*
*Dolphins*


ISBN 2-08-200427-9
*Printed in the Federal Republic of Germany*

# table des matières

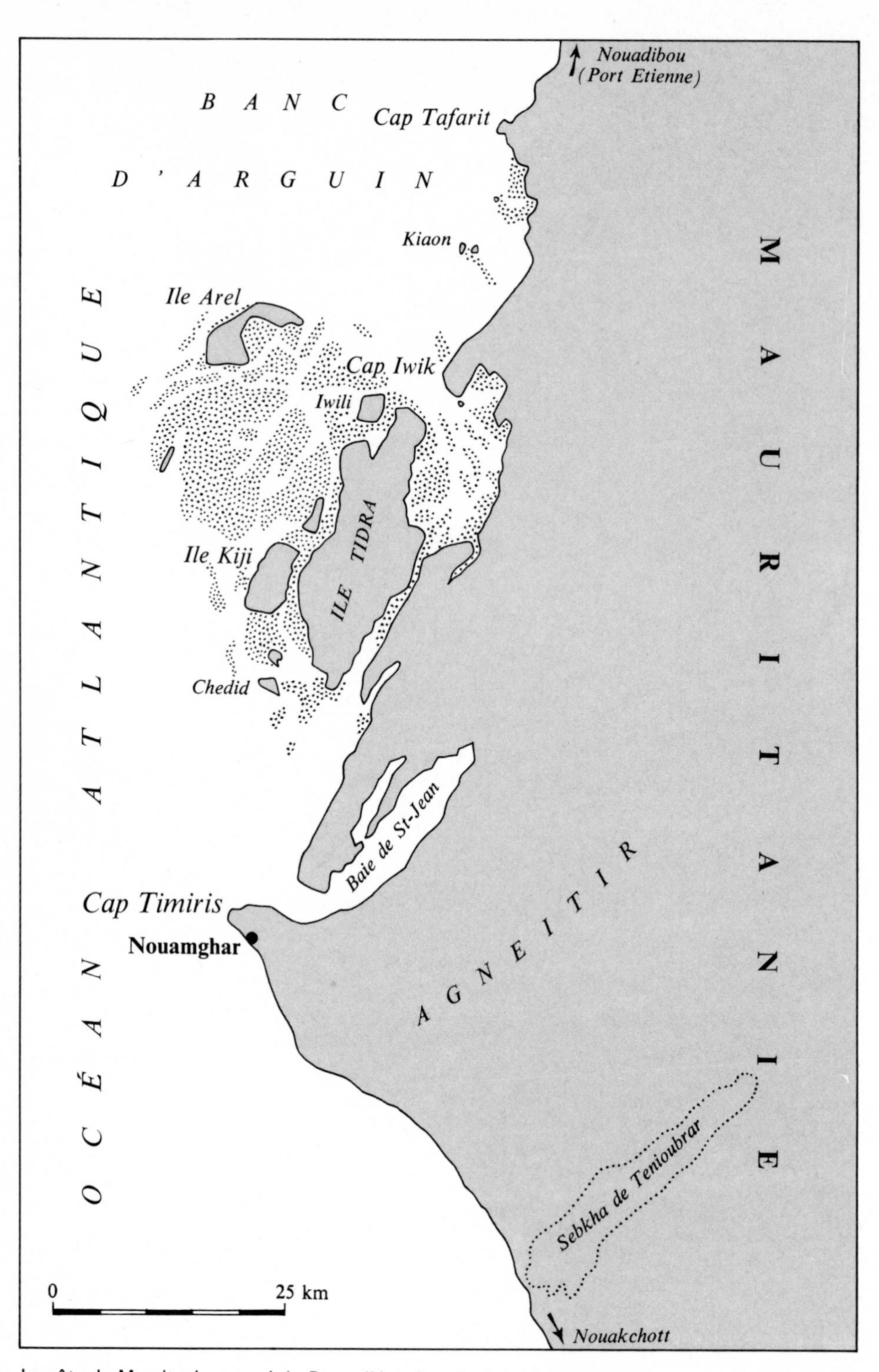


La côte de Mauritanie au sud du Banc d'Arguin, où pêchent les Imragen.

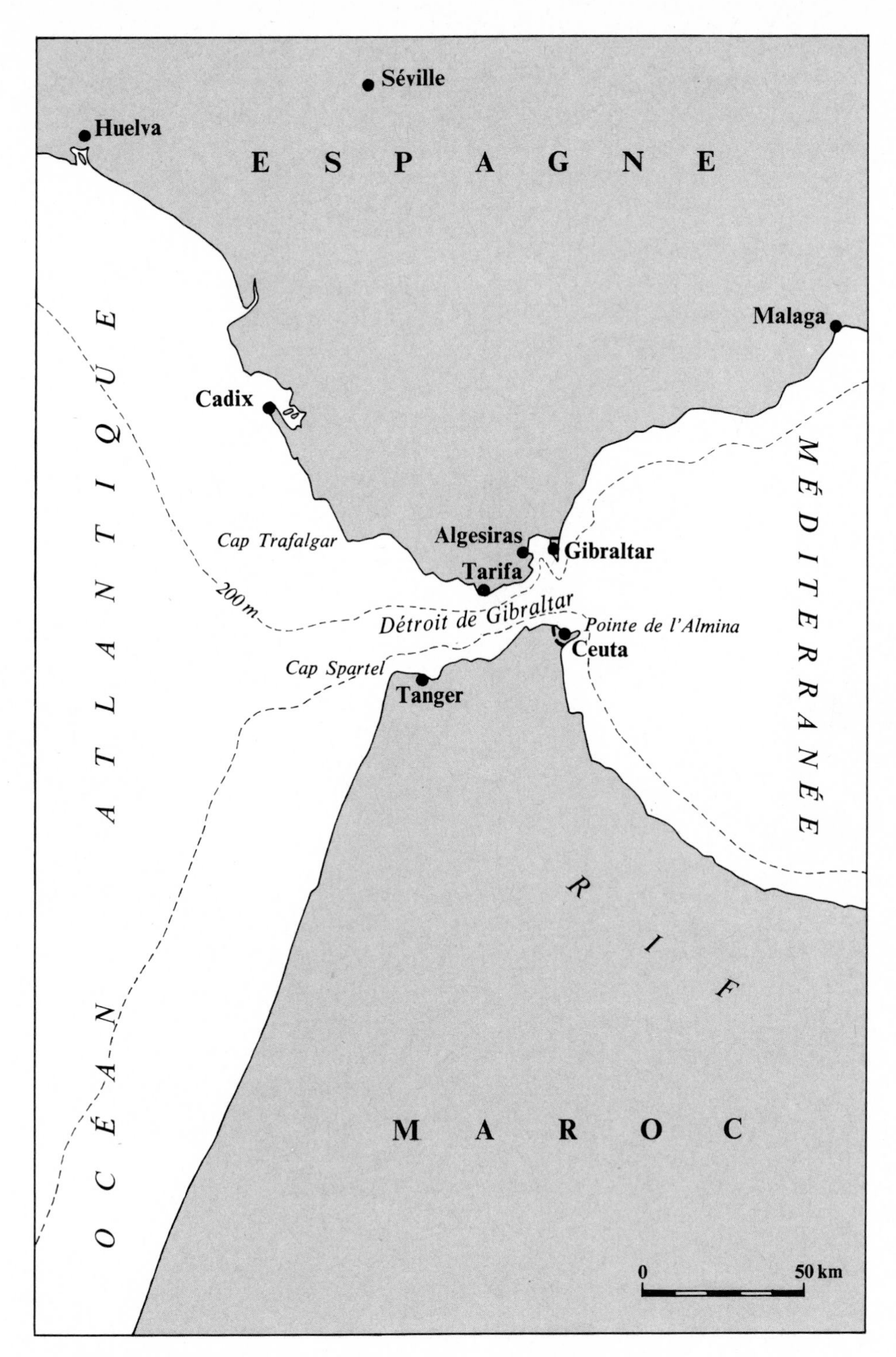


Le Détroit de Gibraltar, où les cétacés sont presque toujours nombreux.

Le commandant Cousteau, Jacques Renoir, cinéaste, et l'ingénieur du son s'approchent d'un banc de dauphins.

# 1

# premières rencontres

L'ORIENTATION — MÉFIANCE — UN CARROUSEL SUR LA MER
CONCILIABULE — OSTRACISME — UNE ÉNIGME
REGARDS — SUR LA FRONTIÈRE

Le croiseur, lancé à pleine puissance, se cabrait, l'étrave soulevée par la résistance de l'eau. Vibrant, luttant contre ce mur liquide qu'il éventrait, le bateau poussait devant lui une vague énorme. C'était impressionnant. Cela se passait en Extrême-Orient sur le croiseur *Primauguet.* Le bateau venait de sortir de carénage et il devait faire ses essais de vitesse. Les machines sont montées en allure jusqu'à leur possibilité maximum. Le *Primauguet,* à cet instant, marchait à 33 nœuds 5.

Pendant cette course qui soulevait une gerbe d'écume et fendait la mer avec une incroyable violence, j'ai vu soudain à tribord arrière un banc de dauphins. Leurs ailerons apparaissaient et disparaissaient. Leurs dos se courbaient souplement. Je me suis rendu compte avec stupeur qu'ils nous rattrapaient. Ils nous remontaient irrésistiblement, à quelque dix ou quinze mètres de notre coque. Brusquement celui qui était en tête a piqué droit sur notre avant et s'est installé en planant au sommet de la vague que le croiseur soulevait devant lui. Les autres dauphins se disputaient la place et successivement tous se mirent à jouer au milieu des gerbes d'eau. Chacun restait deux ou trois minutes, juste devant l'étrave, puis se laissait glisser sur le côté. Le spectacle était merveilleux, mais il m'a surtout permis de faire une constatation indiscutable : en rattrapant le *Primauguet* marchant à sa vitesse maximum, les dauphins ont montré qu'ils étaient capables d'atteindre au moins les 80 km à l'heure. C'était en 1934. Depuis lors j'ai rencontré beaucoup de dauphins, mais je n'ai jamais oublié cette première vision des animaux apparaissant devant l'étrave du *Primauguet,* plus rapides, plus souples que les mécanismes humains les plus perfectionnés.

Tous les marins, de toutes les marines du monde, connaissent les dauphins. Depuis des siècles ils sont leurs amis. Ils les ont vus accompagner leurs bateaux, comme s'ils étaient attirés par les navires et... par les hommes. Mais surtout les dauphins ont l'habitude de venir se placer juste à l'avant de l'étrave. On a tenté de trouver les raisons qui les poussaient à agir ainsi. On en a beaucoup discuté. Certains ont voulu voir là un comportement utilitaire : en se faisant pousser par la vague d'étrave, les dauphins économiseraient leurs forces et pourraient se faire transporter à une vitesse appréciable bien que sur une assez courte distance. Mais les dauphins, on l'a vu, n'ont pas besoin de l'aide d'un bateau pour atteindre de grandes vitesses. En outre, ils ne restent jamais très longtemps à l'avant d'un navire en marche. Ce n'est donc pas pour se propulser qu'ils se placent là, c'est pour « jouer », dit-on. Mais sommes-nous capables de concevoir ce que peut être le « jeu » pour un dauphin ?

Il ne semble pas que la vitesse des bateaux soit pour les dauphins un élément déterminant qui les incite à se faire « pousser » pendant un moment. En effet nous savons par des textes, qu'ils évoluaient aussi à l'avant des bateaux antiques qui étaient cependant très lents. Aujourd'hui encore ils se conduisent de la même manière avec les petits voiliers pourvu que la vitesse de ceux-ci soit au moins de trois nœuds.

Il est possible que le contact des filets d'eau soulevés par l'avant des bateaux leur soit agréable, les chatouille, les masse, les caresse ou tout simplement nettoie leur peau. Cette peau est très sensible et la caresse de l'eau leur cause peut-être un plaisir presque sensuel. Mais si cette explication était la bonne, ils pourraient tout aussi bien, pour éprouver de telles sensations, se placer dans le sillage du navire, dans les remous de l'arrière, or ils ne le font jamais.

On voit que la raison de ce comportement des dauphins est loin d'être bien connue. On peut admettre qu'ils ont l'habitude de venir spontanément au contact de tout ce qui flotte à la surface. Il leur arrive de se coller contre la coque d'une embarcation. Ils se mettent parfois à deux, un de chaque côté, comme s'ils voulaient la soutenir, la faire flotter. Toutes les espèces de dauphins ne s'approchent pas des bateaux. Seuls les plus « grégaires » le font.

## *L'orientation*

J'ai eu bien d'autres occasions de constater combien la vie des dauphins est mystérieuse.

En 1948, nous sommes partis de Toulon, à bord de l'*Elie Monnier,* bâtiment de la Marine nationale, pour faire plonger le bathyscaphe* *FNRS II* du professeur Piccard au large des îles du Cap Vert. En route, aux abords de Gibraltar, nous avons pu faire avec les dauphins une expérience assez extraordinaire. Dans ces parages, les mammifères marins sont particulièrement nombreux. Ils entrent ou ils sortent de Méditerranée. On voit souvent là une grande quantité de cétacés : cachalots, baleines, globicéphales. Ce jour-là, il faisait très beau et nous avons vu beaucoup de dauphins. Nous ne nous sommes pas attardés et nous avons mis cap au large pour faire un sondage dans l'Atlantique, à l'embouchure du détroit. Ce sondage terminé nous étions au moins à 50 milles des côtes, quand nous avons croisé un grand banc de dauphins qui faisaient route vers Gibraltar. Nous avons fait demi-tour pour nous amuser un peu avec eux. Ils se sont placés devant notre étrave et ils se sont mis à sauter, à évoluer...

Il me semblait étrange que si loin de terre, ils puissent repérer la direction exacte du détroit de Gibraltar, telle que nous pouvions la connaître nous-mêmes avec nos instruments de navigation. Ne s'agissait-il pas d'une coïncidence ? J'ai fait insidieusement changer le cap de l'*Elie Monnier.* Pendant un certain temps les dauphins sont restés autour du bateau, mais brusquement ils nous ont quittés pour reprendre la direction initiale. Nous les avons rejoints et à trois reprises nous avons recommencé la même manœuvre. Toujours les dauphins s'éloignaient de nous pour reprendre la bonne route. Ainsi, à 50 milles des côtes, ils connaissaient l'azimut* exact de Gibraltar et se dirigeaient en ligne droite vers le but qu'ils avaient manifestement choisi. Qu'est-ce qui les guidait ? Les courants ? La topographie du fond ? La composition des eaux de la Méditerranée se déversant dans l'Atlantique ? Je n'en sais rien.

## *Méfiance*

Au cours de ce même voyage, nous avons stoppé le long des côtes du Maroc, au milieu d'un banc de dauphins qui faisaient route au sud tout en jouant. La mer était très belle.

Pour la première fois nous nous sommes mis à l'eau en pleine mer avec des dauphins. Grâce à nos scaphandres autonomes*, nous espérions les

La *Calypso* au mouillage.

approcher, les filmer, peut-être les toucher. Il faut penser que cela se passait en 1948. C'était pour nous une expérience merveilleuse et passionnante. Hélas, nous n'avons pu que tourner quelques plans, très brefs, des dauphins nageant en désordre, gagnant le fond ou fuyant devant nous.

Nous avons pu constater ce jour-là que dans la mer les dauphins s'écartaient des plongeurs. Ce fait a été bien souvent confirmé par la suite : les dauphins libres ne viennent jamais voir un homme qui se déplace ou même qui se tient immobile à l'intérieur de l'eau. Ils semblent redouter beaucoup moins l'homme qui reste à la surface. Dès que celui-ci s'enfonce, ils s'éloignent. Peut-être représente-t-il une menace : un homme en plongée est sans doute pour eux un animal marin qu'ils assimilent à un requin, leur ennemi.

Il leur arrive cependant de s'approcher un peu, de venir voir, mais ils s'éloignent presque aussitôt. Jamais, en pleine eau, nous n'avons encore vu de dauphins rester un certain temps au milieu des plongeurs. Même dans une région marine encore vierge, même pour des dauphins à qui on n'a fait aucun mal, l'homme dans l'eau est un être dangereux qu'ils évitent.

Dauphins en pleine mer.

Pendant plusieurs années, au cours des campagnes océanographiques de la *Calypso**, à partir de 1951-1952, nous avons rencontré assez fréquemment des bancs de dauphins en mer Rouge et dans l'océan Indien. Il s'agissait parfois de rassemblements considérables de plusieurs centaines d'animaux. Nous avions appris à les repérer et à les reconnaître de loin grâce aux gerbes d'eau qu'ils soulevaient en faisant des bonds au-dessus de la surface.

Dès que nous apercevions cette agitation sur la mer, nous nous mettions à l'eau. Mais jamais nous ne réussissions à approcher vraiment des dauphins, à nous mêler à eux, ou à participer à leurs jeux comme nous le souhaitions. Nous rêvions d'eux, nous imaginions que nous pourrions partager leur vie dans la mer. Nous nous avancions dans l'eau le plus lentement possible. Nous faisions tout ce que nous pouvions pour nous présenter en amis. Mais comment le leur faire comprendre ? Nous cherchions vainement ce qui pouvait les rassurer et les convaincre de nos bons sentiments. Jamais ils ne se laissaient prendre à nos offrandes. Ils ne semblaient même pas voir les poissons que nous leur tendions et dont se serait emparé un mérou*... ou un requin.

A cette époque-là nous savions encore bien peu de choses sur les dauphins et même sur la vie dans les profondeurs de la mer.

Les dauphins étaient surtout pour nous des animaux légendaires, nous connaissions les textes antiques qui subsistent. Beaucoup ont disparu. Nous n'ajoutions pas foi à tout, mais les dauphins nous apparaissaient comme les plus attirants des animaux marins. Et cependant chaque fois qu'en plongée nous nous dirigions vers eux, ils se dispersaient, fuyant de leur nage souveraine.

Bien souvent, au cours de nos croisières, nous avons vu un groupe de dauphins nager parallèlement à la *Calypso*. Comme je l'avais constaté, quelque quinze ans plus tôt à bord du *Primauguet,* le plus grand, le plus fort d'entre eux s'installait juste devant l'étrave. Il semblait prendre un grand plaisir à se faire pousser par la lame. Autour de lui d'autres dauphins glissaient, passaient sous la coque, et surtout criaient comme s'ils réclamaient la bonne place, celle où la poussée est la plus forte et le jeu le plus amusant (1).

Nous avons vu des dauphins rester ainsi un quart d'heure ou vingt minutes. D'autres ne faisaient qu'y passer quelques secondes.

(1) Le Dr Kenneth Norris a vu des dauphins faire du « surf » devant une grande baleine comme ils le font devant la proue d'un navire.

Un banc de nombreux dauphins faisant route au large.

Double page suivante : Trois dauphins évoluent au voisinage de la *Calypso*.

Leur peau soyeuse d'un gris très doux nous donnait envie de les caresser.

Nous étions surtout émerveillés par leur souplesse et la grâce de leurs évolutions. Comme plongeurs, ils nous surclassaient et nous leur enviions cette aisance à laquelle nous ne pourrons jamais parvenir.

S'ils « jouaient », ils ne jouaient pas n'importe quand ni n'importe comment... Ils semblaient organiser des jeux collectifs qui commençaient au même moment, comme par enchantement, à un signal. Il nous est arrivé de voir ainsi d'immenses bancs de dauphins se livrer à des bonds, à des cabrioles, à des sauts. Ils soulevaient des gerbes d'eau en retombant sur le côté ou sur le dos. En plongée nous pouvions voir leur ventre blanc. Parfois ils se frôlaient l'un l'autre avec leur aileron ou de tout leur corps. C'était la fête.

## *Un carrousel sur la mer*

En 1954, après avoir travaillé en mer Rouge, nous nous sommes dirigés vers le golfe Persique pour effectuer des travaux de prospection sous-marine concernant le pétrole. En sortant d'Aden, nous avons rencontré un banc de dauphins comme nous n'en avions jamais vu et comme nous ne devions plus en retrouver de toute notre vie.

Ce sont ceux qui ont figuré dans « Le monde du silence ». Mais même dans le film ils ne donnent pas une idée exacte de cet extraordinaire rassemblement à l'instant où nous l'avons aperçu. Quand nous les avons repérés au loin, ils soulevaient en surface une masse d'eau bouillonnante. Notre capitaine, François Saout, qui était à la passerelle, m'a fait appeler et m'a dit :

— Commandant, je ne comprends rien, il y a un récif droit devant qui n'est pas porté sur la carte.

Lorsque nous nous sommes approchés nous nous sommes rendu compte que c'était une masse invraisemblable de dauphins : 10 000 ou 20 000, qui jouaient, qui sautaient en l'air. Ils faisaient des bonds fantastiques, ils se livraient à un prodigieux carrousel qui couvrait la mer tout autour de la *Calypso*. Nous sommes restés avec eux pendant trois ou quatre heures. La nuit est tombée, nous nous sommes séparés. Nous avons essayé par la suite de retrouver des concentrations analogues, mais elles ont toujours été beaucoup moins gigantesques.

Notre ami, le professeur R.G. Busnel (1) a eu l'occasion de voir à

(1) René-Guy Busnel, qui a participé à plusieurs croisières de la *Calypso*, est directeur du laboratoire de physiologie acoustique de l'I.N.R.A.

de nombreuses reprises des rassemblements de dauphins qui s'étendaient sur 60 km de long. En Méditerranée, le bateau sur lequel il se trouvait, a été dépassé par des troupes arrivant de très loin, sans un bruit, sans un remous et fonçant à toute vitesse les unes derrière les autres. En faisant route vers Dakar il a été entouré sur 360° par ces animaux à raison d'un individu tous les vingt mètres carrés. Il évalue quelques-uns de ces rassemblements à plusieurs millions de têtes.

### *Conciliabule*

En 1955, quand nous avons tourné « Le monde du silence », nous nous sommes dirigés vers les îles Amirantes après avoir visité les Seychelles. La *Calypso* a mouillé sous le vent d'un récif et elle est restée là deux jours pendant lesquels nous avons plongé. Nous étions intrigués en voyant passer chaque matin vers 10 heures une bande de dauphins qui semblaient faire le tour de l'île. Je n'ai pas voulu faire appareiller la *Calypso,* j'ai pris un chaland avec Frédéric Dumas. Je ne me pardonnerai jamais de ne pas avoir emporté une caméra. De l'autre côté de l'île nous avons aperçu un dauphin que venait respirer et qui se laissait couler sans avoir l'air de nager. Nous nous sommes approchés sans bruit et nous nous sommes mis à l'eau.

Ce que nous avons vu, nous ne l'avons jamais revu depuis. Il y avait une quinzaine de dauphins, c'était probablement le banc que nous voyions passer régulièrement. Ces dauphins se trouvaient dans 10 à 12 mètres d'eau cristalline, sur le flanc du récif. Ils paraissaient assis par terre, en groupe, comme s'ils tenaient un conciliabule. Ils étaient littéralement posés sur leur queue. Ils ne se sont pas éloignés. Nous les avons vus tourner la tête vers nous. Nous étions en surface, nous n'avions pas de scaphandre. Ils sont restés là, ils bougeaient un petit peu, ils allaient de l'un à l'autre. Ils continuaient à tenir leur meeting et c'était impressionnant. Quand nous avons essayé de les approcher davantage ils sont partis. C'était une vision unique, prodigieuse.

On voit par ces exemples que la plus grande partie de la vie des dauphins, celle qui se déroule en liberté dans la mer, reste mystérieuse. La seule qu'on connaisse un peu c'est celle qui se déroule en surface, quand ils font route, quand ils se placent devant un bateau. Ce qu'ils font le reste du temps, en dehors de la vie des hommes, nous l'ignorons.

Comment expliquer ce petit congrès des îles Amirantes ? Je n'en sais rien. Il ne s'agissait certainement pas d'une activité amoureuse. Je raconte cette scène parce que je crois que nous sommes les seuls à avoir été témoins d'un pareil comportement.

Le zodiac a réussi à se maintenir très près des dauphins qui jouent dans la mer.

## *Ostracisme*

Une autre rencontre bien différente a eu lieu, par un jour de calme absolu et de temps magnifique, en Méditerranée en 1953. Nous faisions le tour de la Corse. Nous nous sommes engagés dans la mer Tyrrhénienne, entre la Corse et l'Italie. J'ai pu voir pour la première fois de ma vie, depuis la chambre d'observation, un rorqual qui nageait le ventre en l'air. Il est resté 15 à 20 secondes dans mon champ de vision. J'ai cru que c'était une baleine blanche. La baleine a fini par se retourner, elle était noire comme les autres. Je pense que bien des récits de baleiniers et de navigateurs où il est question de baleines blanches concernent tout simplement des baleines qui, ayant quitté la surface, nagent quelques instants sur le dos, montrant ainsi leur ventre blanc. Il doit y avoir beaucoup moins d'albinos qu'on ne croit, mais les baleines se livrent dans l'eau à des évolutions suffisamment acrobatiques pour qu'on aperçoive leur ventre. Dans certains cas il peut s'agir

Un dauphin peut sauter à trois mètres de la surface et franchir trois mètres en largeur.

d'une confusion avec le béluga *(Delphinus leucas)* qui est un delphinidé de très grande taille.

Le même jour, nous sommes arrivés dans la région des îles Lipari, mais nous ne voyions pas encore les côtes. A cause du beau temps, d'un fort courant et d'une éruption récente, la mer était couverte de pierre ponce, nous naviguions dans un champ de cailloux flottant qui faisaient un bruissement continuel en raclant la coque du bateau. Une clameur semblait monter de la mer. Nous avons mis une heure à traverser cette pierraille. Quand la mer a été dégagée nous avons aperçu au loin un point noir qui était un dauphin, seul et se maintenant à la verticale, le bec hors de l'eau. Il donnait un petit coup de queue de temps en temps, pour sortir son évent* et respirer, mais il ne nageait pas. Lorsque le bateau s'est approché, il n'a pas bougé. Nous avons cru qu'il était mort. J'ai fait stopper la *Calypso,* à ce moment-là l'arrière n'était pas à plus de 5 ou 6 mètres de lui. Nous étions déjà équipés et nous nous sommes aussitôt laissés glisser dans l'eau.

L'attitude du dauphin était toujours aussi étrange : il nous regardait venir et lorsque nous avons été tout près, il s'est borné à enfoncer sa tête dans l'eau et a fait surface à quelques mètres de là. Il ne s'éloignait pas tandis que nous tournions autour de lui. Il semblait parfaitement calme et il ne disparaissait qu'un instant pour revenir régulièrement respirer.

Finalement après trois quarts d'heure de ce manège, le médecin du bord, le Dr Nivelleau, a déclaré :

— Ce dauphin doit être malade, je vais le soigner.

Canoé est allé chercher un filet et il a capturé le dauphin qui s'est laissé faire. Nous l'avons hissé à bord et placé dans un canot rempli d'eau. Il flottait et semblait à l'aise. Il respirait toujours normalement, il n'avait aucune trace de blessure sur le corps. Le docteur a déclaré qu'il avait besoin d'un stimulant et il lui a fait une piqûre d'huile camphrée. Pas d'effet immédiat sur le dauphin, mais une heure après il était mort. Nous étions navrés. Le docteur a fait une autopsie et n'a rien trouvé : aucun organe malade, aucune congestion, rien. Sa température, qu'on avait prise avant sa mort, était normale : 38°.

Cet incident m'a beaucoup fait réfléchir. Je suis arrivé à une conclusion qui semble passablement audacieuse. Je ne l'ai formulée que longtemps après, en rapprochant cet incident de nombreuses observations ultérieures. Ce dauphin avait peut-être été frappé d'ostracisme par son groupe. Ce sont des êtres grégaires qui ne peuvent pas supporter la solitude. Ils sont désespérés quand ils sont chassés, exclus de la communauté. Ils cherchent alors à se raccrocher à n'importe qui, à n'importe quoi. Nous l'avons bien vu lorsque nous avons fait des expériences au laboratoire de Monaco, les dauphins se laissent mourir. Ce sont probablement des êtres encore plus nerveux, encore plus sensibles, encore plus vulnérables que nous.

Il est probable que dans les bancs il doit régner une discipline hiérarchique que nous ne connaissons pas. Il doit y avoir des règles qu'il ne faut pas transgresser.

C'était une femelle jeune, ce n'était donc pas un vieil animal qui avait été expulsé en raison de son âge. Peut-être était-ce un animal qui avait commis une faute. Ce cas très dramatique m'a beaucoup frappé.

## *Une énigme*

Un autre aspect mystérieux du comportement des dauphins réside dans leur attachement pour les autres êtres. Nous savons bien tout ce que les esprits critiques peuvent objecter à cette attitude que nous prêtons aux

Falco a réussi à saisir un dauphin dans la mer et à nager avec lui.

dauphins. Disons du moins que certains faits qui ne sont pas niables ne peuvent guère s'expliquer si l'on ne prête pas aux dauphins certains élans affectifs. Que ces mammifères marins soutiennent un nageur en danger, on peut admettre que cela tient en grande partie à leur tendance à pousser ou soulever tous les objets flottants. Mais que penser du dauphin qui pendant des jours soutient obstinément le cadavre de son compagnon de captivité ou de cet autre qui pendant huit jours a remonté le cadavre d'un requin-tigre sans qu'on puisse le lui enlever ? Il ne l'a abandonné que lorsqu'il est entré en décomposition.

Il y a bien là une incompréhension devant la mort, un refus de l'accepter qui, s'ils ne prouvent rien, nous font tout de même rêver.

## *Regards*

Pourquoi dans notre souvenir nos rencontres avec les dauphins ressemblent-elles tellement à des rencontres avec des êtres humains ? Peut-être parce que chaque dauphin semble avoir sa personnalité. Les uns paraissent prêts à plaisanter. D'autres s'affairent, acrobatiques, agités, soucieux uniquement de leurs performances. Beaucoup, malgré leur aisance dans la mer, apparaissent comme des mécanismes fragiles, des merveilles d'élégance et de précision, mais vulnérables, un peu comme le sont les chevaux de course.

En pleine mer la vitesse des dauphins dépasse 70 km/heure.

Sur l'étrave de la *Calypso*, une partie de l'équipe suit des yeux l'évolution d'un dauphin.

En tout cas, les dauphins sont souvent poussés par la curiosité, surtout une curiosité pour l'homme. Cela se lit dans leur regard. Seuls peuvent en douter ceux qui n'ont pas croisé le regard d'un dauphin. L'éclat de leur œil, l'étincelle qui brille, semblent venir d'un autre univers. Ce trait de lumière, à la fois perspicace, un peu mélancolique et malin, beaucoup moins effronté et cynique que celui des singes, paraît plein d'indulgence pour l'incertaine condition humaine. Il y a chez les primates une apparente tristesse de n'être pas des hommes. Les dauphins semblent étrangers à ce sentiment.

Lorsque j'ai fait transformer la *Calypso* pour l'adapter à son rôle de navire océanographique, j'ai fait établir autour de l'étrave un « faux-nez* ». C'est un puits métallique au bas duquel est installée une chambre d'observation munie de cinq hublots. Couché là, on se trouve à 2,50 mètres de la surface et, même lorsque la *Calypso* se déplace, on peut voir ce qui se passe dans la mer. Non seulement il est possible de suivre de ce poste d'observation les ébats des dauphins, mais on peut échanger des regards avec eux. On ne le peut que parce qu'ils s'y prêtent. Ce sont eux qui

découvrent l'homme derrière son hublot et qui viennent mettre leur gros nez contre la glace. Le pli qui traverse leur joue et dessine une courbe qui va de l'œil au bec donne l'illusion qu'ils sourient toujours. Leur regard malin, compréhensif, curieux, est un regard de mammifère et n'a pas la fixité glacée du regard des requins.

Deux fois, trois fois, nous nous contemplons. Les yeux brillent d'une connivence inattendue, comme si le plus intelligent des dauphins allait livrer le grand secret qui permettrait à l'homme de franchir le mur qui le sépare de l'animalité, comme si la vie allait retrouver son unité.

## *Sur la frontière*

Le dauphin est sans doute l'être vivant qui nous contraint le plus directement à réfléchir sur nous-mêmes, sur notre situation dans le monde. Peut-être est-ce avec les primates le mammifère le plus proche de nous et nous nous efforçons obstinément de franchir la barrière qui nous sépare de lui.

Problèmes physiologiques, problèmes moraux, problèmes de l'environnement, le dauphin par sa seule vie, par sa seule présence met en cause la plupart de nos habitudes de pensée et de nos concepts. Cela tient au fait que le dauphin se tient à la frontière incertaine qui distingue l'homme de l'animal.

Dans ce livre nous ne prétendons pas répondre à des questions si nombreuses et si difficiles. Nous nous bornerons à raconter ce que nous avons fait et ce que nous avons vu.

Nous sera-t-il permis d'insister sur le fait que notre équipe est peut-être celle qui a accumulé en vingt-cinq ans le plus d'expériences directes sur la vie des dauphins. Nous les avons connus en totale liberté dans la pleine mer, nous les avons connus en semi-liberté, prêts à venir au rendez-vous avec l'homme autant pour être caressés que pour être nourris. Nous avons aussi pris des dauphins dans la mer et nous les avons relâchés presque aussitôt, ne les gardant que le temps nécessaire pour faire une expérience. Enfin hélas, nous avons connu les dauphins captifs, les « dauphins tristes » et nous ne souhaitons plus faire de prisonniers.

On a déjà écrit beaucoup de livres sur les dauphins. Les uns étaient des livres de fiction, les autres des livres de science. Celui-ci ne veut être qu'un témoignage, mais un témoignage qui s'étend sur vingt-cinq ans de vie marine. A ce titre, il peut sans doute fournir quelques éléments qui permettent à l'homme de se faire une opinion sur le plus populaire et le plus énigmatique des mammifères marins.

Au seuil de ce livre l'honnêteté nous oblige à avouer que nos expériences personnelles, aussi bien que les recherches de la centaine de savants qui cherchent à percer les secrets de la vie des dauphins, ne permettent pas encore d'apporter de certitudes sur des questions aussi importantes que la signification des signaux sonores émis par les dauphins ou bien sur la hiérarchie qui règne à l'intérieur de leurs groupes ou encore sur le degré d'attachement dont ils sont capables envers les hommes. Il faut s'y résigner et continuer d'observer, d'expérimenter et de travailler dans l'espoir de parvenir à des vérités indiscutables.

Bien des fois au cours de ce livre nous nous garderons d'affirmations trop péremptoires et nous resterons en deçà du merveilleux, au risque peut-être de décevoir le lecteur.

En effet, le dauphin présente cette particularité d'être l'animal qui à la fois suscite la plus vive admiration des profanes et la plus grande défiance des scientifiques.

Cette situation paradoxale vient du fait qu'il constitue pour le public une découverte relativement récente. Il n'y a guère plus de vingt ou vingt-cinq ans qu'il est devenu une vedette, vedette de cirque et de la télévision. Tout de suite on lui a prêté beaucoup : un « langage », une « intelligence », un « cœur ». Les chercheurs scientifiques n'ont suivi cette vague d'enthousiasme et d'admiration qu'avec retard et réticence.

Est-ce à dire, comme le voudraient certains esprits rigoureux, que tout soit faux ou exagéré dans les qualités exceptionnelles que l'on a prêtées au dauphin ? Nous ne le croyons pas.

Nous approuvons et dans une certaine mesure nous partageons l'attachement du public à son égard, d'autant plus que nous connaissons le comportement du dauphin libre, nous l'avons vu vivre, jouer en pleine mer.

Il n'est pas question pour nous de démystifier « la légende du dauphin », mais nous ne saurions non plus ignorer les critiques de tous les zoologistes, neurophysiologistes, acousticiens qui sont sceptiques par profession. Ceux-là réclament des preuves, des expériences. Ils ont raison.

Nous ne croyons pas que pour autant l'aventure des dauphins perde son merveilleux, bien au contraire. Elle sera d'autant plus belle que sa vérité sera plus solide et mieux démontrée.

De plus l'aventure des dauphins n'est pas finie. Elle continue, elle évolue chaque jour. Et la vie dans son élan finit toujours par avoir raison des limites étroites dans lesquelles l'homme raisonnable croit pouvoir l'enfermer.

Un des plongeurs de la *Calypso,* Ivan Giacoletto, a réussi à photographier dans la mer ce groupe de dauphins.

Falco tente devant l'étrave de la *Calypso* de capturer un des dauphins qui évoluent devant le bateau.

# 2

# les dauphins de monaco

DAUPHINS ET REQUINS — “ LA PINCE A SUCRE ”
CROISIÈRE EN CORSE — L’ARME ABSOLUE — APPRENTISSAGE
DEMI-SUCCÈS — PREMIÈRE CAPTURE — ACCLIMATATION DIFFICILE
CHOC NERVEUX — AU PALM BEACH — UN DRAME

Pour nous, les rencontres avec les dauphins furent d’abord des entractes exceptionnels dans notre travail, des divertissements souvent merveilleux au cours des croisières de la *Calypso*. Nous nous gardions en réserve des amis un peu mystérieux, un peu facétieux, comme seuls pouvaient en avoir des plongeurs engagés dans une aventure telle que la nôtre.

Nous pensions qu’il fallait une certaine chance pour tomber sur un banc de dauphins. Je le répète : nous ne savions pas ce qu’il y avait dans la mer, dans toute la mer, ni comment la vie des animaux s’y déroulait. Le savons-nous même vraiment aujourd’hui ? La mer est si vaste que les observations faites au cours d’une vie d’homme ne concernent jamais que certaines régions océaniques.

Un jour nous avons décidé de nous intéresser particulièrement aux dauphins de Méditerranée. C’était en 1957. J’avais visité les Marinelands américains où les dauphins sont entraînés à faire des numéros extraordinaires. J’ai rêvé d’obtenir les mêmes résultats au Musée océanographique de Monaco.

J’ai demandé à Albert Falco, notre chef plongeur, le plus ancien de l’équipe, et qui est aussi un remarquable connaisseur des animaux marins, de tenter de capturer des dauphins, en s'efforçant de ne jamais les blesser.

— Les capturer ? a dit Falco, mais comment ?

— En Amérique on les attrape au lasso.

— C'est le pays des cow-boys. Ils doivent avoir des cow-boys marins.

— La *Calypso* est pour huit jours à Monaco. Elle peut être entièrement consacrée à une opération « dauphins ».

C'est ce qui fut fait. Sur l'étrave nous avons fixé une étroite plateforme, sur laquelle Bébert s'est installé. Il était armé d'un lasso attaché au bout d'une perche.

Le temps était très beau. Dès le premier jour, devant Villefranche, un banc de dauphins a été repéré. La *Calypso* a navigué parallèlement à eux. Comme nous l'avions constaté bien souvent, ils sont venus se placer à l'avant du bateau, l'un d'eux se faisant pousser par la vague d'étrave.

C'était l'heure de Bébert.

Brandissant sa perche, lançant le lasso, il frappe l'eau avec la corde. Le dauphin s'enfuit, entraînant avec lui tous les autres. La mer est vide.

Il est clair qu'à une vitesse de 5 ou 6 nœuds, si on lance un cordage à la mer, il ne s'enfonce pas, il reste à la surface et il n'a aucune chance dc ceinturer le dauphin.

Pendant huit jours Falco a continué les essais dans l'espoir de découvrir l'astuce qui permettrait d'attraper un dauphin. En vain.

La *Calypso* est partie en croisière dans l'Atlantique, mais Falco nous a quittés à Lisbonne avec mission de revenir à Monaco pour continuer la chasse aux dauphins à bord d'un ancien chalutier dont nous disposions et qui n'avait pas encore été transformé en navire de plongée et de recherches océanographiques comme il l'a été depuis : *l'Espadon*.

### *Dauphins et requins*

— A cette époque, dit Falco, qu'est-ce que je savais sur les dauphins ? Pour ainsi dire rien. J'avais passé des heures à les regarder faire du surf à l'avant de la *Calypso,* nous avions fait depuis cinq ou six ans beaucoup de tentatives pour plonger au milieu d'eux, mais le résultat avait toujours été le même. Ils venaient nous repérer à 10 ou 15 mètres et presque tout de suite ils s'écartaient de nous.

« Il n'y eut qu'une seule exception.

« Au cours des croisières dans l'océan Indien, chaque fois que nous approchions d'une île, nous mettions un chaland ou un zodiac à l'eau pour une prospection des fonds et des récifs, pour voir qui vivait là. C'est ce

L'*Espadon*, ancien chalutier avec lequel Albert Falco a fait ses premières tentatives de capture de dauphins.

que nous avons fait un matin de 1954 au large des îles Farquhar, dans le nord-est de Madagascar.

« Il y avait dans la mer plusieurs dauphins qui tout de suite se sont intéressés au chaland. Nous nous sommes glissés dans l'eau le plus doucement possible. Ils n'ont pas fui. Ils sont restés à 5 ou 6 mètres de nous. Ils étaient à faible profondeur. La plupart se tenaient la tête en bas et montraient leur ventre clair bien rebondi. Ils nous regardaient de leur air malicieux. Ils sont restés au moins dix minutes à nous contempler en bougeant à peine.

« Je me rappelle très bien que plus bas, en dessous d'eux, tournaient des requins. Nous ne savions pas trop ce qui allait se passer. Nous nous demandions si les requins ne se décideraient pas tout à coup à passer à l'attaque. On disait beaucoup que les dauphins ne craignaient pas les requins et qu'ils étaient plus malins qu'eux.

« C'est la première fois que j'ai vu des dauphins à moins de 6 mètres de moi. »

Double page suivante :
La photo a été prise au moment où le dauphin, au cours de sa nage très caractéristique, franchit la surface après avoir décrit une courbe dans l'air.

## « *La pince à sucre* »

Lorsqu'il est revenu à Monaco, Bébert était certain qu'il lui fallait concevoir un engin spécial pour mener à bien cette chasse très difficile dans laquelle je l'avais lancé. Il était déjà convaincu que le dauphin devait être saisi au-dessus de la queue. C'était la partie de l'animal qui restait visible le plus longtemps lorsqu'il émergeait à l'avant d'un navire. Le problème était donc de lui lancer un engin qui se refermerait sur la partie effilée de la queue, juste avant la puissante nageoire caudale.

L'Office français de recherches sous-marines — notre bureau d'études de Marseille — fabriqua une sorte de « pince à sucre » géante avec deux linguets qui s'ouvraient au choc et se refermaient ensuite.

Le lasso ne fut cependant pas abandonné. On lui ajouta un cerceau rigide pour tenir la boucle ouverte. Il fut modifié pour pouvoir être lancé par un harpon* à main propulsé par une arbalète à sandows. Il s'agissait d'en coiffer le nez du dauphin, mais il fallait aller vite.

Inventer un instrument capable de saisir un animal pesant 70 ou 80 kg et qui peut s'élancer tout à coup en un bond prodigieux à 50 ou 60 km à l'heure, ce n'était pas une tâche facile. D'autant plus que nous voulions éviter à tout prix de le blesser. Sa peau est extrêmement fragile. Il est très méfiant. Nous ne savions pas du tout comment il réagirait lorsqu'il serait pris. Nous avions pu constater souvent que son bec est armé de dents nombreuses. Un dauphin mordait-il ?

## *Croisière en Corse*

C'est au large de la Corse que l'*Espadon* alla faire les premiers essais de capture. Dans ces parages, en effet, nous avions à plusieurs reprises rencontré des bancs de dauphins. Nous ne savions pas encore qu'ils étaient au moins aussi nombreux au large même du Musée, entre Monaco et Nice.

Dans l'ensemble, cette mission en Corse fut décevante. A cette époque de l'année, l'hiver 1957, il y avait peu de dauphins. Suffisamment cependant pour essayer la pince. Elle n'était pas assez grosse, à peine plus grosse que la queue d'un dauphin de taille moyenne. Le dauphin, très sensible et intuitif, pressentait l'attaque. Il se dérobait et la pince passait à côté.

« Autant essayer d'enfiler une aiguille au vol », disait Falco.

Les tentatives avec le lasso ne furent pas plus heureuses. Grâce au cerceau de fer et à l'arbalète, les chances de succès étaient plus grandes. Malheureusement la plate-forme fixée sur l'étrave de l'*Espadon* n'avançait pas suffisamment au-dessus de l'eau. Elle ne permettait pas de se placer juste à la verticale du dauphin. Falco était obligé de tirer obliquement. Dès que le lasso touchait l'eau, il se mettait à plat et le dauphin passait dessous.

Voici ce que Falco écrivait à cette époque dans son journal :

« Au lever du jour rencontre de trois bancs de dauphins, tous fuyards.

« J'ai l'impression qu'ils me voient sur la plate-forme de harponnage et qu'ils se méfient.

« Je tire, mais le dauphin n'est pas pris. La pince est trop étroite.

« Route vers Calvi. Rencontré trois orques et un cachalot au large de Cargèse. Objectif trop gros pour nous. Nous faisons route vers Ajaccio.

« Le 15 et le 16 octobre. Mauvais temps. Peu de dauphins. Ceux que nous apercevons ne viennent pas sur l'étrave. L'*Espadon* tangue affreusement.

« Le 17. Pour mes trente ans j'espère attraper aujourd'hui un dauphin. Le temps est devenu magnifique et il y a calme plat, la visibilité est exceptionnelle. Nous faisons route vers le Sud, à dix milles de la côte.

« Cachalot à l'horizon, mais aucun dauphin.

« Nous rentrons à Ajaccio pour la nuit. Nous commençons à être la risée de tous les pêcheurs.

« Le 18 octobre nous quittons la Corse pour regagner le continent. Pendant le trajet je dessine un autre projet de pince. »

## *L'arme absolue*

L'*Espadon* revint donc à Monaco bredouille, mais Falco était riche d'une nouvelle expérience.

Une autre plate-forme plus longue fut fixée à l'avant du chalutier et il fut décidé d'essayer un nouvel engin de capture, une pointe au curare* : si la dose était bien calculée, l'animal devait être immobilisé pendant le temps nécessaire pour le monter à bord et le mettre dans une cuve.

Falco était sceptique, mais les « spécialistes » étaient si affirmatifs qu'il ne voulut pas négliger la moindre chance. Il lui parut inutile d'aller jusqu'en Corse pour essayer la nouvelle arme. Il décida que l'*Espadon* croiserait au large de Monaco. Il savait qu'il y trouverait bien assez de dauphins, même à faible distance des côtes.

L'expérience fut catastrophique. Le premier dauphin piqué au curare, au lieu de s'immobiliser, se mit à faire des bonds désordonnés et fila à toute vitesse. Il est à peu près certain qu'il ne fut paralysé à aucun moment : la pointe du harpon était de petite dimension et elle s'est détachée tout de suite. En outre, grâce au sang coulant de la blessure, le poison a dû être éliminé aussitôt.

Extrait du journal de Falco : « Vers 13 heures, à 16 milles de la côte, nous rencontrons plusieurs groupes de dauphins. Je tire ma fameuse pointe au curare sur l'un d'eux qui disparaît dans un saut fabuleux emportant ma pointe et mes espoirs. Aussitôt, dans le voisinage, tous les groupes de dauphins partent vers la Corse à 80 à l'heure. C'est la panique.

« Préparation d'une nouvelle pointe au curare avec un piston perfectionné.

« Le 29, le dauphin emporte encore la pointe. »

Après plusieurs jours d'essai, Falco, dégoûté, renonça à « l'arme absolue ».

## *Apprentissage*

Les sorties de l'*Espadon* au large du Musée nous avaient apporté une confirmation intéressante : les dauphins étaient beaucoup plus nombreux que nous ne l'imaginions et de mœurs bien plus régulières que nous n'aurions pu croire. Ils étaient vraiment à notre portée.

Falco connaît admirablement la mer. Il sut bientôt que les dauphins étaient là, à 2 ou 3 milles des côtes, au large même du Musée, devant Villefranche, devant Nice et la baie des Anges, au large du Var. Il apprit bien vite à connaître leurs heures et leurs habitudes. Des vérités inconnues des terriens commençaient à devenir des vérités d'évidence, des vérités simples, utiles.

Et cependant il fallut six mois avant que Falco réussisse à capturer le premier dauphin.

L'espèce qui fait des numéros dans les Marinelands américains est une espèce répandue sur les côtes de Floride : *Tursiops truncatus*. Elle supporte assez bien la captivité. Elle est d'une santé robuste. Elle existe également en Méditerranée, mais elle y est bien moins nombreuse que le *Delphinus delphis*, animal plus petit, moins lourd et surtout plus fragile, comme nous devions l'apprendre bientôt.

A bord de l'*Espadon*, l'équipage armé de jumelles s'efforçait de repérer au large des bancs de dauphins qui jouaient. Le capitaine Jean Toscano découvrit peu à peu l'art de se placer parallèlement à eux, ni trop loin, ni

Un banc de dauphins se déplaçant à vive allure au large de la Corse.

Au moment de l'approche du zodiac, un dauphin vire brusquement et s'immerge.

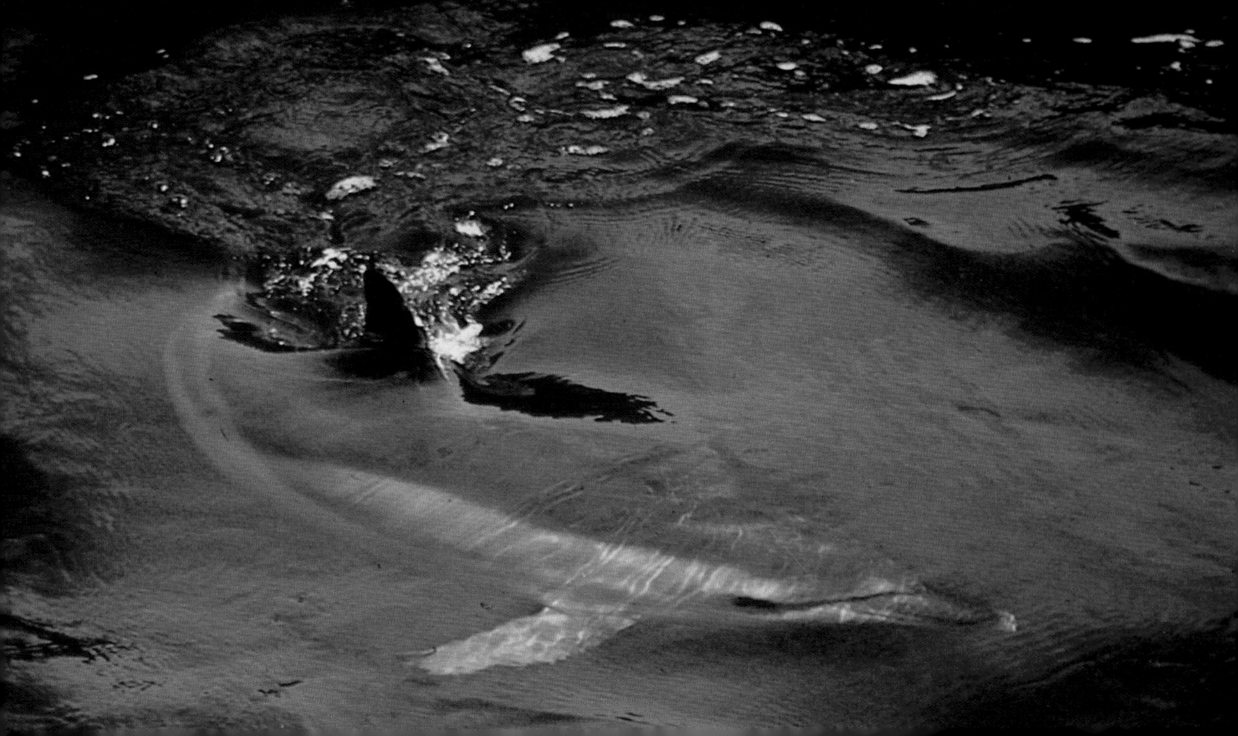

trop près, afin d'éveiller leur curiosité et de les inciter à venir glisser devant l'étrave.

Comme dit Falco : « Il fallait qu'ils accrochent. » Accrocher, cela consistait à éprouver le désir de venir évoluer autour du bateau. Selon l'heure, le temps, l'état de la mer, on pouvait deviner s'ils allaient ou non « accrocher ».

La plupart du temps, le dauphin qui vient faire du surf à l'avant de l'étrave, regarde le bateau. Il est méfiant et si quelqu'un bouge à bord, il renonce à jouer. Parfois il disparaît, entraînant les autres avec lui. Lorsque, comme Falco, on se tient sur une plate-forme au-dessus de l'eau, il faut faire corps avec le navire et rester rigoureusement immobile. Dès que les dauphins apparaissent il ne faut faire absolument aucun geste — comme si l'on était une figure de proue en bois — et choisir son moment pour frapper... comme la foudre.

### *Demi-succès*

Pendant ce temps-là, au Musée de Monaco, des ouvriers s'activaient pour construire un bassin. Je m'étais rendu aux arguments de Falco qui affirmait que nous n'avions aucun aquarium assez grand pour recevoir un dauphin. Malgré le peu de crédits dont nous disposions, j'avais fait construire une piscine relativement large et profonde pour recevoir nos futurs pensionnaires.

Falco était revenu à son premier projet de « pince à sucre » et il l'avait perfectionné.

L'engin que réussit à fabriquer le mécanicien du Musée sur les indications de Falco ressemblait à d'énormes ciseaux. Les bras en forme de U étaient recouverts de caoutchouc mousse pour ne pas blesser la peau des dauphins. Pour armer la pince, il fallait comprimer un ressort et maintenir les ciseaux ouverts en y engageant une tige de plastique. Ce piège était monté sur une flèche d'arbalète qui permettait de la projeter sur le dauphin. La tige de plastique sautait sous l'effet du choc, les bras se refermaient et la queue du dauphin restait prise. A l'instrument était rattaché un filin qui se terminait par une bouée jaune. Aux premiers essais, un dauphin fut pris, mais il réussit à se dégager. Il fallut doubler l'une des branches de la pince.

Cette fois le coup réussit mais le dauphin, affolé, se débattait, s'arrachant la peau. Mieux valait le laisser fuir que de ramener un animal blessé et terrorisé. Le *Delphinus delphis* se révélait particulièrement émotif.

Même saisi par le milieu du corps, il n'était pas encore capturé. Il fallait l'immobiliser et le hisser à bord de l'*Espadon*.

Albert Falco, Canoé Kientzy et Armand Davso placent sur deux matelas pneumatiques le dauphin qui vient d'être capturé.

Falco s'était aperçu que les dauphins avaient un horaire à peu près régulier. Dans la région qui va de Monaco à l'embouchure du Var, les dauphins arrivaient du sud-est, se dirigeant approximativement vers Nice. Ils restaient à 2 ou 3 milles de la côte. Dans la journée il y en avait très peu. C'était surtout en fin d'après-midi, vers 4 ou 5 heures, qu'ils arrivaient du large. Jamais ils ne pénétraient dans les eaux vertes déversées par le Var, mais ils s'installaient à leur lisière, mettant à profit l'abondance des poissons à cet endroit. Le soir, ils disparaissaient à toute vitesse vers le sud-ouest en faisant des bonds. Il est probable que dans la nuit ils devaient décrire un grand arc de cercle au large pour revenir par le sud-est.

*Première capture*

Je reproduis ici le passage décisif du journal de Falco :

« *31 octobre 1957*. Tout paraît au point. Je crois que la pince doit fonctionner parfaitement. Toute l'équipe connaît désormais la tactique. Il fait très beau. L'*Espadon* ne tangue pas. Et soudain le coup de chance. Des ailerons sur tout l'horizon. Ce n'est pas un rêve. 200 ou 300 dauphins au large de Monaco. Mais nous sommes mal placés. Le capitaine manœuvre pour contourner le banc d'assez loin, afin de ne pas effrayer les animaux, qui semblent très occupés à... chasser le poisson ou à jouer. Nous savons qu'il ne faut jamais leur couper la route, mais passer derrière eux et les remonter parallèlement en leur offrant la tentation de venir jusqu'au bateau. Cette savante manœuvre n'est même pas nécessaire. Tout à coup, tandis que nous nous glissons derrière le banc, trois retardataires nous rattrapent

Dauphins sautant à l'entrée de la baie de Villefranche.

et se lancent à toute vitesse devant l'étrave. Heureusement j'étais sur la plate-forme, l'arbalète armée à la main. Je tire. La pince est bien placée et se referme sur la queue. Maurice jette la bouée à la mer. Le capitaine Toscano a déjà stoppé l'*Espadon*. Canoé saute à l'eau avec ses matelas. Je me précipite dans le zodiac avec le commandant Alinat. Nous rejoignons la bouée. Le dauphin est devant nous ; en trois minutes, il semble avoir faibli : il reste en surface et ne bouge plus.

« Il y a trois mois que nous attendons ce moment. Je me jette à l'eau devant la bouée et je fais les derniers mètres en tirant sur le nylon. Enfin je mets la main sur le corps soyeux du dauphin, qui plonge aussitôt et me flanque un coup de queue. Je suis projeté au-dessus de la surface. Je me retrouve les quatre fers en l'air, ahuri. Je nage pour aller l'attendre et le saisir quand il remontera. Cette fois-ci je le tiens bien. Ses aspirations sont courtes et saccadées. L'effort qu'il vient de faire semble l'avoir définitivement

« sonné ». Aidé dans l'eau par Canoé et par Alinat, dans le zodiac, je débarrasse l'animal de sa pince. Je lui glisse un lasso autour de la queue et nous le hâlons.

« Dès qu'il est à bord, nous l'arrosons doucement avec la manche à eau. Le contact de l'eau semble faciliter sa respiration qui était très oppressée. Il suit de son œil marron, un œil de mammifère, les mouvements des hommes autour de lui. Il ne se débat plus. Je caresse sa peau d'une douceur satinée. C'est un merveilleux fuseau gris qui frissonne de temps en temps. Il semble avoir renoncé à se révolter ou à s'échapper. Nous enveloppons l'animal dans une couverture que nous maintiendrons constamment humide. Nous nous taisons, contents mais gênés.

« A 1 600 tours, l'*Espadon* fonce vers Monaco. Il faut remettre de l'ordre sur le bateau où les cordages, les bouées, le zodiac, les filets encombrent la plage arrière. En passant devant le Musée océanographique, un signal est lancé.

« A quai, le dauphin est aussitôt débarqué sur son matelas pneumatique et installé dans la camionnette du Musée qui l'attend. »

L'expérience m'apparut très importante et sa réussite était pour moi d'un très grand prix. Jusque-là, c'étaient des *Tursiops* qui avaient été capturés et acclimatés avec succès par les Américains. Le dauphin de Méditerranée, *Delphinus delphis,* plus fin, plus petit, me semblait aussi plus indépendant et plus fier. Je me disais qu'il serait merveilleux d'en faire un ami.

## *Acclimatation difficile*

Il fut tout de suite évident que pour un dauphin, la présence humaine, le contact humain n'étaient plus une source de terreur dès l'instant où il était en proie à la solitude et à l'angoisse d'être enlevé à son milieu naturel.

Le dauphin qui avait été pris à 12 heures 30 se trouvait à 14 heures 15 dans le nouveau bassin du Musée.

Falco se glisse à l'eau en même temps que lui et le soutient pour qu'il ne se noie pas. Pendant les premières minutes le dauphin se laisse couler. Il tremble. Il est pris de convulsions. En le voyant faiblir nous présentons au-dessus de son évent une bouteille d'oxygène. Dès les premières aspirations il semble revenir à lui.

Bébert, toujours en le soutenant, le fait tourner très lentement autour de son bassin. Il faut qu'il reconnaisse son nouveau domaine et repère les murs. Nous savons que c'est très important.

Les dauphins ont une peur panique de heurter un obstacle. De plus ils ne peuvent pas faire marche arrière. S'ils ont le nez contre un mur et qu'ils se sentent coincés, ils s'affolent, en proie à une terreur incoercible.

Notre premier pensionnaire était évidemment très ému par sa capture, mais il se laissait faire. Il nous était bien difficile d'imaginer ce qu'il ressentait. Angoisse ? Panique ? Que devait éprouver dans ce petit espace un animal qui disposait, si peu de temps auparavant, de l'immensité marine ?

Livré à lui-même, il semblait peu à peu se résigner à son sort. Il tournait lentement dans un cercle étroit et « soufflait* » assez régulièrement. Falco et Canoé le surveillaient au bord du bassin. Le soir venu, ils pensaient qu'ils pourraient le laisser seul. Tout permettait d'espérer maintenant qu'il passerait la nuit tranquillement. Par prudence ils restèrent encore un moment à le surveiller... Tout à coup ils le virent couler au fond. L'animal s'était évanoui. Il allait étouffer : il se noyait. Aussitôt Falco et Canoé sautèrent à l'eau. Ils le remontèrent en surface et tout en le soutenant, ils lui firent très lentement faire le tour du bassin pour qu'il retrouve sa respiration.

La nuit fut épuisante comme celles que l'on passe auprès d'un grand malade.

Canoé, Falco, Boissy se succèdent dans l'eau pour lui venir en aide et l'empêcher d'étouffer.

« Il semble avoir très peur du moindre choc et il évite avec horreur de toucher les murs », écrit Falco. « Non seulement il ne semble pas avoir peur des hommes qui viennent l'un après l'autre le soutenir dans son bassin, mais on dirait qu'il s'abandonne à eux et réclame leur aide. »

Entre 20 et 23 heures il est possible de le laisser nager seul. Puis il faut de nouveau l'aider à se maintenir en surface. Il a les yeux presque complètement fermés. On lui fait de nouveau respirer de l'oxygène. Sa queue est raide et semble paralysée.

Vers 10 heures du matin, il donne l'impression d'aller beaucoup mieux. Il essaie de faire quelques plongées, mais le bassin est trop peu profond.

Le Dr Beck, alerté, vient l'examiner. Falco avait pris deux fois la température de notre dauphin, 38° 6 la veille au soir, 38° 2 le matin. Il avait aussi observé sa respiration. Dans la nuit il soufflait deux à quatre fois par minute. Le matin le rythme s'était ralenti.

Selon les indications du médecin, Canoé apprend à compter les pulsations cardiaques.

Il faut bien reconnaître qu'il n'est pas facile de prendre le pouls d'un dauphin. Canoé se met à l'eau, saisit l'animal à bras-le-corps, pose la main sur son cœur et compte.

— Et le résultat ? demande le Dr Beck.

— 60 hier au soir, mais depuis quelques heures 48 seulement.

— C'est assez logique. Au moment de sa capture, il était affolé, traumatisé. Depuis, le rythme cardiaque s'est apaisé. Son état n'a pas l'air mauvais. Evidemment c'est un animal qui est encore en état de choc. Sa capture d'abord a été pour lui une terrible épreuve, mais la captivité dans ce bassin a dû également provoquer un grand trouble chez un animal aussi émotif. Il faut lui administrer des vitamines et des éléments minéraux.

Quant à moi, je craignais que des médicaments ne suffisent pas à rendre la santé à notre dauphin.

— Il s'est passé cette nuit un incident extraordinaire, me dit Falco. Canoé et moi étions montés dans le Musée pour prendre un café. Tout à coup nous avons entendu des cris perçants qui venaient du bassin, des petits cris, mais aigus comme les cris d'un enfant qui appelle. Nous sommes tout de suite redescendus. Nous nous sommes approchés de lui. Nous lui avons parlé. Et il s'est tu !... Je suis convaincu que notre seule présence a suffi à le calmer, à le rassurer.

Cette histoire m'a semblé merveilleuse. Il y avait donc un contact possible entre le dauphin et l'homme. Un lien indéfinissable les unissait. De l'un à l'autre un sentiment pouvait se communiquer. J'ai dit à Falco :

— Il ne faut plus le laisser seul. Essayons de lui donner une compagne. Il faut capturer d'autres dauphins.

## *Choc nerveux*

Nous découvrions que le plus grand danger qui menaçait les dauphins ne venait pas seulement des blessures que la pince pouvait leur faire, mais du choc moral, nerveux, que provoquait la capture elle-même.

Au moment de la prise du premier dauphin et des essais qui avaient été faits auparavant sur d'autres, Bébert avait remarqué que l'animal, au moment où il est touché par quoi que ce soit — lasso, harpon, pince — semble être pendant quelques secondes paralysé par une émotion trop intense. Que ce soit dans la mer, sur un matelas pneumatique ou dans un bassin, il reste là, stupéfait, à vibrer, à trembler. Il ne se remet pas d'avoir été stoppé en plein élan, en pleine liberté. Le choc nerveux chez une bête dont la sensibilité est si riche, doit être terrible.

C'est de ce choc que notre dauphin, qui est d'ailleurs une dauphine, surnommée Kiki, a beaucoup de mal à se remettre. Bien entendu, le public

C'est en vain que Falco offre un poisson au dauphin.

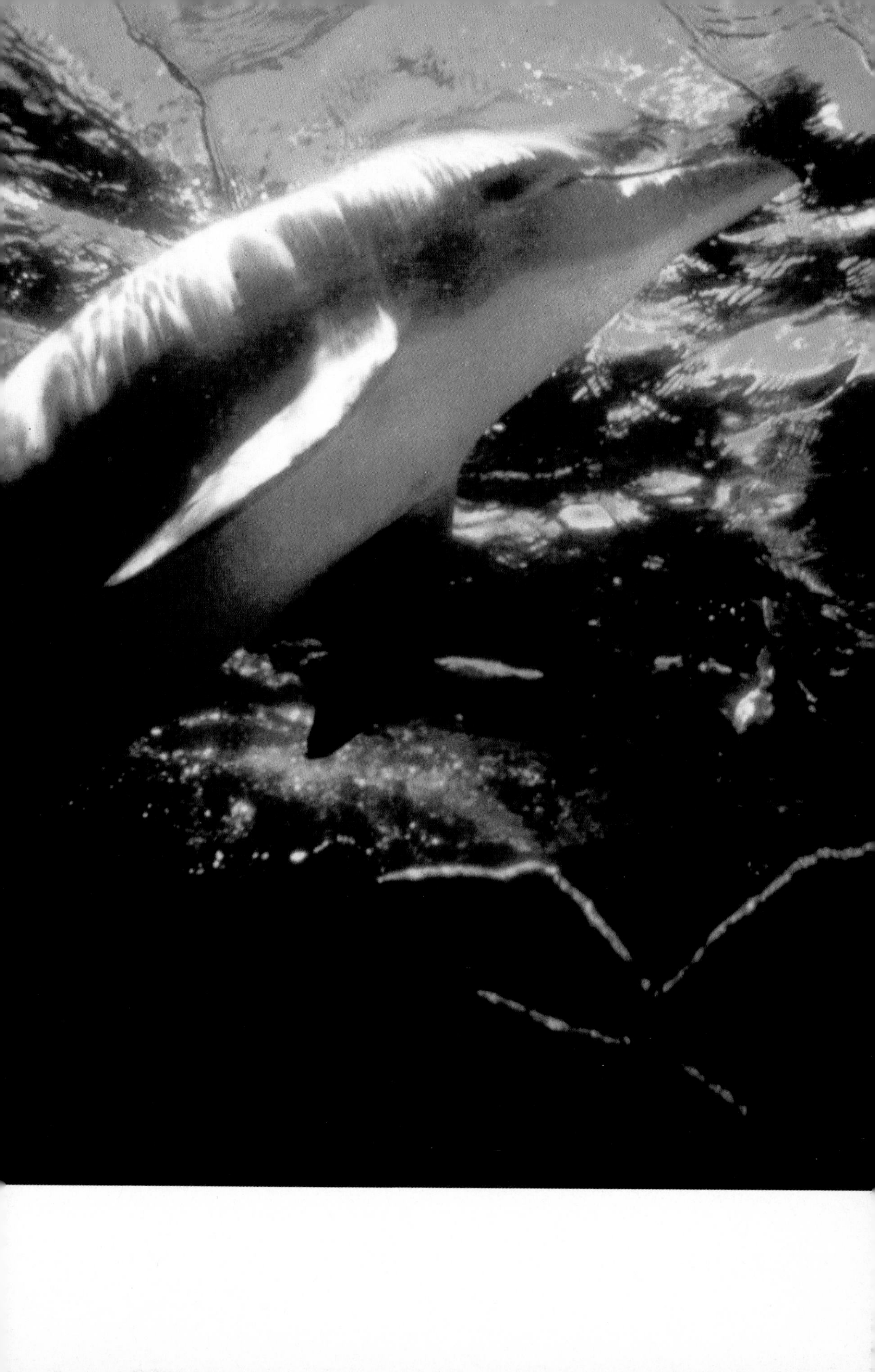

du Musée n'est pas admis à défiler devant son bassin. Mais il vient tout de même beaucoup de monde que nous ne pouvons pas évincer : des journalistes, la radio, la télévision. Kiki est une vedette, mais une vedette bien malade.

L'équipe de l'*Espadon* s'était installée dans une petite chambre voisine du bassin. Falco veillait sur Kiki nuit et jour et dormait à peine. Il guettait sans cesse le souffle du dauphin. Pour que l'animal ne risque pas de couler brusquement, il avait placé sous chacun des ailerons un ballon de plastique qui le maintenait en surface. Mais un ballon glissait. Le dauphin étouffait. Falco devinait tout cela et il se précipitait.

— La brave bête s'est attachée à moi, raconte Falco. Elle me recherchait. Elle sentait bien que quand j'étais avec elle, je l'aidais, je lui apportais un peu de soulagement. Parfois elle se débattait, nageait un peu et si elle se cognait, elle était tout à coup terrorisée. Il lui arrivait d'aspirer de l'eau par son évent, aussitôt elle venait vers moi pour que je la prenne dans les bras. Elle ne pouvait plus respirer.

*Le 2 novembre 1957*. Pas d'amélioration. Sur les indications du Dr Chazalonitis nous lui mettons un suppositoire de morphine.

Nous pensons que Kiki souffre beaucoup. A certains moments elle est parcourue de frissons comme si on la piquait avec un couteau. On prend sa température. Le pauvre animal se laisse faire. Il ne bouge pas.

*3 novembre*. La nuit a été calme. Kiki a été veillée sans arrêt. Visite du vétérinaire qui reste optimiste. Température 37°. Quatre respirations à la minute.

Première injection de pénicilline.

Depuis qu'elle est au Musée elle n'a absorbé aucune nourriture. On essaie de l'alimenter de force. Mais elle rejette ce qu'on lui donne. Malgré tout ce qu'on lui fait, elle ne tente jamais de mordre. Pourtant ses dents sont impressionnantes.

On lui injecte de la théramycine à 15 h, à 21 h et à 4 h du matin.

La nuit est pénible car il faut tout le temps se mettre à l'eau pour lui venir en aide. On lui administre deux suppositoires de camphre.

*Le 6 novembre* seulement, au cours d'une visite médicale à 18 h 30, nous constatons que le souffle et le cœur ont repris une cadence normale. Température : 36° 3.

Falco lui lance trois rougets* vivants en les faisant claquer sur la surface. Kiki les avale aussitôt. C'est évidemment le contact du rouget vivant, l'agitation du poisson qui l'ont décidé à se nourrir. C'est une leçon que nous n'oublierons pas.

Kiki absorbe encore douze filets de « bogues* ». C'est bien peu de chose pour un animal de cette taille, mais l'équipe est tout heureuse, car c'est un progrès rassurant.

On laisse à la dauphine ses ballons de plastique pour la nuit bien qu'elle donne maintenant l'impression de flotter normalement. Ces ballons ont pourtant un inconvénient : ils ne lui permettent pas de plonger la tête dans l'eau et la peau de son crâne devient brûlante et se plisse. Il faudra pendant la nuit lui passer de temps et temps un linge mouillé sur la tête.

La queue se met à bouger.

*7 novembre.* Kiki mange encore des rougets et des bogues. Température 36° 6. Cœur : 68 pulsations minute. Falco lui retire ses ballons. Le dauphin flotte normalement, plonge sa tête dans l'eau et vient se frotter doucement contre Falco. Plus aucun signe de paralysie.

L'équipe pleine d'espoir a le sourire. La journée se termine dans la gaieté.

## *Au Palm Beach*

Nous disposons enfin d'un grand bassin. J'ai obtenu la permission d'utiliser la piscine du Palm Beach, un plan d'eau de 50 mètres sur 20. Un si grand espace nous semble merveilleux.

Falco à bord de l'*Espadon* est reparti à la chasse au dauphin dans l'espoir de donner un compagnon ou une compagne à Kiki. Au large de Nice, il attrape un dauphin de 50 kg qui rejoint notre pensionnaire déjà transféré au Palm Beach.

Rencontre inoubliable des deux dauphins dans le bassin. Le mâle pousse son museau sur la région génitale de Kiki. Il tourne en souplesse autour d'elle. Les deux longs fuseaux de satin gris se croisent, s'effleurent, se quittent, se rejoignent. Ils se frottent ventre contre ventre pendant plus de vingt minutes, puis avec un synchronisme parfait ils se mettent à nager côte à côte. Mais ils ne s'accouplent pas.

Falco lance au nouveau venu des sardines qu'il avale sans se faire prier. Nous avons tous l'impression que le deuxième pensionnaire — nommé Dufduf — s'est laissé convaincre par Kiki de manger presque tout de suite.

C'est la première fois que nous voyons un dauphin s'alimenter le premier jour de sa captivité. Il mange 3 kg de poisson dans sa journée. Est-ce assez ? Nous n'en savons rien.

Afin de distraire nos amis, Falco profite des dimensions de la piscine du Palm Beach pour les faire nager à toute vitesse d'un bout à l'autre des

Double page suivante : Un certain sourire rend les dauphins sympathiques.

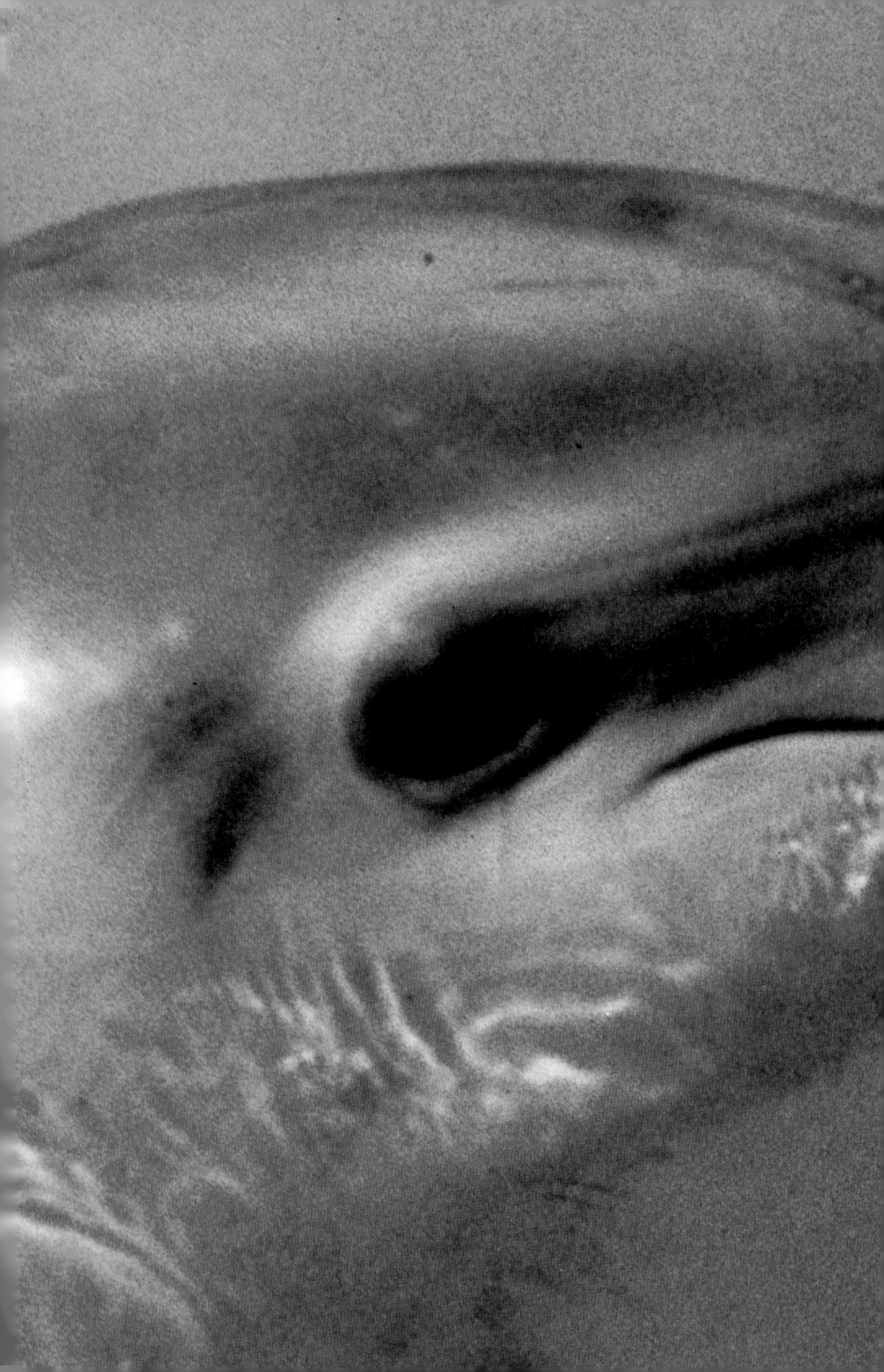

50 mètres du bassin. Les deux dauphins semblent prendre goût à ce jeu. On leur lance aussi un ballon et des anneaux. Mais il ne s'agit pas de les dresser, seulement de leur procurer un peu d'exercice. Cependant ils maigrissent et on commence à apercevoir sur leur corps, à côté des ailerons, un creux caractéristique.

Le 1er mars 1958, au matin, Dufduf est mort. Il a coulé au fond. En faisant son autopsie le docteur trouve dans son estomac un morceau de bois et un morceau de chiffon. La maladie qui frappe le dauphin et qui est fatale, les incite à avaler n'importe quoi, voracement. A plusieurs reprises, en effet, Falco a pu observer ce comportement extraordinaire des dauphins malades. Personne n'en a donné d'explication satisfaisante.

Kiki est bourrée de Vitascorbol et d'huile de foie de morue. Elle tourne sans arrêt en criant. Nous pensons qu'elle cherche son amoureux. Il faut lui amener au plus vite un autre compagnon.

C'est une des constatations les plus évidentes que nous avons faites au cours de ces premières expériences : les dauphins, animaux de groupe, sont tout à fait incapables de supporter la solitude. Sans compagnons, ils sont très malheureux et ne résistent pas à la captivité. Ils sombrent dans l'inaction, mais si un camarade survient, ils reprennent goût à la vie et se mettent à jouer.

Falco part donc avec l'*Espadon*. Il ne rencontre dans la baie des Anges que des centaines de femelles avec leurs petits... A l'approche du bateau, elles filent au large dans toutes les directions.

*16 mars*. Nous ne pouvons pas occuper plus longtemps la piscine du Palm Beach, la clientèle arrive. Il faut transférer Kiki dans le bassin du Musée.

## *Un drame*

Le même jour Falco capture un dauphin qui semble très gros et lourd. Il le met dans le bassin où se trouve déjà Kiki et le promène doucement en le guidant. Mais la nouvelle venue — c'est encore une femelle — lui échappe et se jette la tête la première contre la paroi du bassin. C'est horrible. Falco la rattrape, la soulève, lui parle, s'efforce de la calmer, mais elle s'élance de nouveau et s'assomme contre la paroi avec le même bruit affreux. A 13 h 30 elle réussit à se tuer en se jetant à quelque 50 à l'heure d'un bord à l'autre du bassin. L'agonie est terrible. La bête part sur le côté. Elle tremble de tout son corps. Elle se raidit. Les poumons se remplissent d'eau en glougloutant comme une outre.

Bernard Delemotte et Jean-Pierre Genest mettent à bord du zodiac un dauphin capturé.

Falco était seul pour assister à ce drame et c'est le cœur retourné qu'il appelle le Dr Beck. Tous deux ouvrent le ventre de l'animal et en retirent un très beau petit dauphin d'un kilo et demi, tout formé, mais malheureusement mort.

Peu de temps après, un mâle est enfin capturé. Il est surnommé Beps. Mais il connaît la même mort que la femelle pleine : lui aussi se jette de toutes ses forces contre le mur du bassin et il se tue à la troisième tentative.

En revanche Kiki est en pleine forme. Elle est maintenant complètement apprivoisée.

Elle a vécu finalement six mois en captivité. Elle est peut-être tout simplement morte de solitude. Elle n'avait plus de compagnon de son espèce et Falco, qu'elle semblait reconnaître et à qui elle paraissait très attachée, n'était plus là, il était parti avec la *Calypso* pour la mer Rouge.

Qui saura jamais si les dauphins éprouvent un véritable attachement sentimental pour celui qui les aime ? Tout ce que l'on peut dire, je crois, c'est que leur comportement n'est pas le même avec certaines personnes qu'avec d'autres. Est-ce cela de l'affection ? Ici, comme dans bien d'autres cas, le langage humain appliqué aux animaux nous trahit.

# 3

# les lois du clan

UNE PEAU TRÈS SENSIBLE — AMOUR MATERNEL — LA CHASSE
ANIMAUX DOMINANTS — MICRO-TERRITOIRES
GROUPES EN DÉPLACEMENT

Cette chasse aux dauphins de 1957-1958, pour maladroite qu'elle soit, nous a quand même appris beaucoup de choses. Nos tentatives d'acclimatation après plus de huit mois d'efforts se sont soldées par un échec parce qu'à l'époque nous étions loin de savoir sur les mammifères marins ce que nous savons maintenant, seize ans après.

La longue mission de Falco et de l'équipe de la *Calypso* nous a valu des indications précieuses sur les réactions des dauphins pendant et après la capture, mais aussi, par un curieux paradoxe, sur les dauphins en liberté.

Nous savions désormais que la capture elle-même était pour les dauphins un choc dans tous les sens du mot. Falco avait mis au point l'instrument qui, sans être parfait, s'est montré très efficace. Il avait constaté que le seul « tir » possible devait se faire à la verticale et que pendant quelques instants, sous l'effet du choc, le dauphin s'immobilisait comme frappé de stupeur. Il fallait profiter de cet instant pour éviter qu'il se débatte et risque de se blesser.

Un plongeur de la *Calypso*, Jean-Pierre Genest, nage au côté d'un dauphin.

Nous avions surtout découvert que jamais, en aucun cas, les dauphins ne s'en prenaient aux hommes. On pouvait les saisir à bras-le-corps, panser leurs plaies qui étaient certainement douloureuses sans qu'ils manifestent la moindre réaction hostile. Ils se laissaient faire sans se débattre.

Même lorsqu'on les obligeait à ouvrir la gueule et qu'on leur enfonçait de force un poisson, ils ne nous mordaient pas, bien qu'ils soient très énervés.

Un des premiers problèmes de la captivité était en effet de réussir à les alimenter. Falco y est parvenu grâce à sa patience et à son ingéniosité. A force de lancer le poisson à la volée, même cent fois, il arrive un moment où le dauphin consent à l'attraper. Il y goûte, quitte à le rejeter ensuite. Il peut se faire aussi que l'animal, intéressé par le bruit du poisson frappant l'eau, se déplace pour venir le frôler, le soulever du bec et jouer avec, mais dès que le poisson est tombé au fond, il ne paraît plus offrir d'intérêt pour lui. Mais réussir à faire avaler à un dauphin qui ne veut pas s'alimenter 5 à 10 kg de poissons par jour n'est pas une mince besogne.

Nous l'avons vu, la présence dans le bassin d'un dauphin déjà acclimaté et qui mange incite un dauphin nouveau venu à se nourrir.

### *Une peau très sensible*

Les problèmes majeurs auxquels nous nous sommes heurtés avec le *Delphinus delphis* tenaient à la fragilité de la peau. Au moment de la capture la moindre éraflure, la moindre égratignure occasionnait une plaie qui s'envenimait tout de suite. Rien qu'à l'aspect, à la couleur blanchâtre qu'elle prenait, l'équipe de l'*Espadon* avait appris à juger de la gravité de la blessure. Il fallait aux *Delphinus delphis* une eau extrêmement saine. Toute impureté non seulement aggravait leurs blessures, mais compromettait leur santé. Ils étaient sur ce point beaucoup plus vulnérables que les *Tursiops*.

A la faveur de ces expériences de Monaco, il nous est apparu que tout le comportement des dauphins en captivité était déterminé par l'extrême fragilité de leur peau : dès qu'elle restait quelques instants hors de l'eau et n'était plus mouillée, elle se desséchait, se plissait et semblait atteinte de véritables brûlures.

Eviter un contact étranger semble être, d'après nos observations, l'un des principaux soucis des mammifères marins. C'est ainsi que lorsque nous filmions les baleines à bosse et que nous plongions au milieu d'elles, elles soulevaient leurs grandes nageoires blanches pour éviter de nous heurter (1).

(1) Voir J.-Y. Cousteau et Philippe Diolé, *Nos amies les baleines*. Flammarion, éd.

Nous avions cru d'abord un peu naïvement qu'elles avaient le souci de ne pas nous blesser, mais je pense maintenant qu'elles redoutaient surtout le choc sur leur peau.

Les recherches scientifiques, depuis quelque vingt ans, ont abouti à présenter le dauphin comme un animal vivant dans un univers de sons et dont les possibilités acoustiques sont extrêmement développées. C'est incontestable. Mais ce point de vue a fait peut-être trop négliger la peur panique qu'éprouve le dauphin entouré par les murs d'un bassin qu'il vient de heurter malgré le fonctionnement et la perfection de son sonar*.

La vie dans un bassin entraîne chez le dauphin un bouleversement de toutes les perceptions sensorielles. Chez cet être sensible il en résulte un déséquilibre psychique, une déformation du comportement qui entraîne dans le cas du *Delphinus delphis* le dépérissement et la mort. Dans le cas du *Tursiops* plus robuste, plus rustique, l'adaptation se fait plus ou moins aisément, mais elle a pour résultat de modifier profondément l'animal comme nous le verrons dans le courant de ce livre. Enfin il se passe avec les *Delphinus* et les *Tursiops* ce qui se passe pour tous les animaux capturés : certains supportent mieux que d'autres l'épreuve de la captivité. Quelques-uns s'adaptent. Certains n'y arrivent jamais.

Un autre fait capital a été mis en lumière par les expériences de Monaco : le caractère éminemment social du dauphin. En liberté dans la mer, il vit entouré par ses congénères ; en captivité, il lui faut un ou plusieurs compagnons. Le contraste était frappant entre le comportement d'un dauphin seul dans son bassin et les démonstrations auxquelles il se livrait lorsque nous lui amenions un autre dauphin. Et cela quel que soit le sexe de l'un et de l'autre.

Mais pour un dauphin malade ou qui s'ennuie, l'homme représente un compagnon possible sur lequel il reporte son attention. La nourriture est loin de représenter la cause principale de l'attachement du dauphin pour l'homme, puisque la plupart du temps il refuse d'abord de s'alimenter. En revanche, la seule présence humaine, les caresses, les soins lui inspirent des sentiments de confiance. On en trouve bien des témoignages dans le journal de Falco : « Le dauphin vient tout contre moi pour que je le soutienne à la surface... En me voyant entrer dans l'eau le dauphin s'avance vers moi et me frôle lentement... Quand j'approche du bassin le dauphin pousse de petits cris, je m'imagine que ce sont des cris de joie... »

Je l'ai dit, les observations les plus précieuses de Falco ont peut-être

Double page suivante : Par une mer idéalement calme, rencontre d'un banc de dauphins dans l'océan Indien.

été celles qu'il a pu faire en pleine mer, lorsqu'avec l'*Espadon* il croisait devant Monaco, la baie des Anges et l'embouchure du Var.

En février, les mères avec leurs petits venaient là par bandes de 50 à 60. Parfois, le soir, l'*Espadon* découvrait quelques dauphins plus gros, isolés — espacés de 150 à 200 mètres. A l'approche de l'*Espadon*, ceux-là faisaient un bond en l'air. Un dauphin peut sauter à 3 ou 4 mètres de distance et à 3 mètres de haut. Ces grands dauphins regardaient le bateau et tout à coup ils piquaient vers le fond et disparaissaient pendant plusieurs minutes.

Les animaux ne passaient pas leur journée à bondir hors de l'eau et à jouer : ils avaient un horaire. Pendant une partie de la journée, ils ne franchissaient la surface que pour venir respirer. Puis tout à coup, on voyait sauter un beau corps d'un gris satiné. C'était comme un signal : les gerbes d'eau jaillissaient de tous les côtés. Le spectacle commençait. C'était le bon moment pour passer le long du groupe avec l'*Espadon* dans l'espoir de les attirer devant l'étrave. Mais les femelles qui avaient des petits ne venaient pas jouer à l'avant. Pourtant, une fois, Falco en a vu une qui n'a pas résisté à la tentation. Elle a coupé la route de l'*Espadon* et elle s'est installée dans le remous, son petit l'a quittée et il est allé se placer à côté d'une autre femelle qui avait déjà un petit. Sa mère, au bout de deux ou trois minutes, a renoncé à jouer et elle est venue rejoindre son enfant.

Cette année-là il y avait un grand nombre de petits dans les parages. Ils étaient de tous les âges. A la naissance ils pèsent 2 ou 3 kilos. A un an, ils peuvent atteindre une trentaine de kilos. La plupart du temps, les jeunes ne viennent pas sur l'avant du bateau et ils semblent même en avoir peur. Si le bateau s'approche, ils plongent sous la coque, et ils vont se cacher vers 15 ou 20 mètres de fond. On peut les voir quand l'eau est claire. Dès que le bateau est passé, ils font surface à droite, à gauche ou sur l'arrière.

## *Amour maternel*

Le 10 février 1958, Bébert capture une femelle de 80 kg. Elle a un petit et sans hésiter, celui-ci, ne recherchant même pas sa mère, va rejoindre une autre femelle du même banc. Au bout d'un instant le groupe, voyant qu'il n'y a plus rien à faire pour la femelle captive, s'éloigne.

Si par extraordinaire un petit s'installe à l'avant du bateau, la mère arrive aussitôt et elle le pousse pour le déloger et le contraindre à rejoindre le banc.

Falco raconte :

« Il m'est arrivé, alors que j'étais sur la plate-forme avant, de voir arriver un petit qui s'est mis à jouer juste à mes pieds. Sa mère ne se préoccupait pas de lui. Peut-être chassait-elle pour se nourrir. Le petit était déjà là depuis un moment. C'était tentant... J'ai déclenché la pince et le jeune dauphin a été pris. Il a entraîné la bouée. Aussitôt je me suis jeté à l'eau pour le saisir et éviter de le blesser, car la peau des petits est particulièrement fragile. Je l'ai pris dans mes bras. C'était un tout petit dauphin qui pouvait peser 10 ou 15 kg.

« A ce moment-là j'ai vu arriver du fond la mère qui fonçait à toute vitesse sur moi. Une bête de cette force et de cette taille aurait pu me déchirer à pleines dents, mais elle s'est mise à tourner en poussant des cris. Elle passait au-dessus de moi, me frôlait, m'encerclait. Elle semblait être partout en même temps. Cette dauphine paraissait beaucoup plus grande que moi et elle était autrement agile dans l'eau. C'était vraiment un animal redoutable qui devait atteindre 100 ou 120 kg. J'ai eu très peur. Mais je me suis vite aperçu qu'elle ne cherchait pas à m'attaquer. Elle criait, elle appelait, essayait de reprendre son enfant, mais ne me voulait pas de mal. Je ne savais plus que faire. J'aurais bien voulu ramener ce petit à Monaco. Il aurait été très intéressant de l'avoir dans le bassin et il aurait pu, à son âge, s'apprivoiser mieux qu'un autre. Mais finalement... Ah ! ça a été plus fort que moi. J'avais cette mère qui criait autour de moi, j'étais complètement déconcerté, presque bouleversé. Dans l'eau j'ai ouvert la pince pour dégager son petit. Il s'est précipité vers sa mère et tous deux ont disparu aussitôt dans le bleu des profondeurs. »

Falco a trouvé des dauphins même devant la Promenade des Anglais. Il notait tous les indices qui pouvaient permettre de les repérer.

### *La chasse*

Des mouettes tournoyant sur place dénoncent souvent leur présence. Un banc est occupé à chasser à cet endroit. Les dauphins attrapent des poissons bleus, des sardines, des maquereaux, des anchois. Les mouettes aux aguets au-dessus d'eux profitent de leurs restes.

— Il est très difficile, dit Bébert, de voir comment ils chassent parce que tout se passe très vite. J'ai remarqué qu'ils distinguaient mal ce qui se trouve juste en face d'eux. Quoi qu'on dise sur leur vision bilatérale, je les ai vus tourner la tête successivement d'un côté puis de l'autre... Ils ne le font sans doute pas en captivité mais seulement dans l'excitation de la chasse et ce mouvement de tête est peut-être destiné à donner plutôt un

coup de dents qu'un coup d'œil. Ils s'élancent dans les bancs de poissons et les saisissent n'importe où, n'importe comment. Mais pour les avaler ils sont obligés de les faire tourner dans leur bec et de les engloutir la tête la première pour que les nageoires et les arêtes ne leur piquent pas la gorge. Il est probable qu'à ce moment-là ils en laissent échapper et les mouettes en profitent. »

Les dauphins ont un très grand nombre de dents : entre 88 et 200, ce qui constitue un record chez les mammifères marins ou terrestres. Mais ce sont des dents coniques toutes semblables. Elles ont pour seule fonction de retenir les proies et non de les couper ou de les broyer. Pourtant, les mâchoires des dauphins, lorsqu'ils se repaissent en liberté, écrasent le poisson et lui donnent une forme cylindrique. Cette bouchée en forme de boudin peut aisément franchir le larynx et pénétrer dans l'œsophage. En captivité ils avalent goulûment ce qu'on leur donne et on peut leur lâcher sans arrêt dans la gueule des morceaux de poisson qui disparaissent comme dans une boîte aux lettres.

Le repas, qui a lieu à peu près au même moment de la journée, dure environ une heure. Lorsque les dauphins sont rassasiés ils se rassemblent tous pendant un court moment puis par groupes ils regagnent le large. Leur vitesse de nage normale est à peu près de 10 nœuds.

Comment ces groupes sont-ils composés ?

Il nous a semblé qu'ils variaient suivant les saisons. En automne et en hiver le groupe principal rassemble les mères et leurs petits. Les mères très certainement s'entraident pour la surveillance de leurs enfants, comme elles s'entraident au moment de la mise bas, ainsi qu'on a pu l'observer dans les Marinelands. Nous en reparlerons.

Les mâles mènent pendant une partie de l'année une vie à part, tout en restant à proximité plus ou moins grande de l'ensemble du troupeau. La base sociale semble être composée de trois ou quatre adultes dont des femelles, qui, sous l'autorité et la protection du mâle, conservent auprès d'elles leurs petits ainsi que des jeunes de 6 à 9 mois. C'est sans doute là le noyau familial assez large, dont le rapprochement forme un banc, qui s'élargit ou décroît selon les circonstances pour former des groupes de cinquante à cent individus.

Très souvent, lorsqu'une troupe importante est pourchassée, elle se

Concentration de dauphins à l'embouchure du Var.

L'*Espadon* fait route au large d'Agay dans l'espoir d'une rencontre avec les dauphins.

Au Marineland de Floride, deux dauphins attrapent des poissons. Photo Marineland of Florida.

fragmente en groupes de trois ou quatre dauphins qui certainement constituent autant de cellules sociales.

Peut-on parler de « harems », comme il s'en trouve par exemple chez les otaries ou les éléphants de mer (1) ? A vrai dire nous n'en savons rien. Les harems des otaries qui réunissent jusqu'à quatre-vingts femelles sous l'autorité d'un seul mâle ont été observés pendant les séjours que ces animaux font à terre. Mais les dauphins ne prennent jamais terre. Tout ce que nous savons de leurs habitudes amoureuses a été observé en aquarium, dans les Marinelands, où ils ne se comportent peut-être pas comme ils le font dans la nature. En captivité, il ne semble pas que le mâle s'attache jalousement et exclusivement à une femelle.

Nous savons qu'il existe des groupes sexués : des groupes de mâles et des groupes de femelles. En général ce sont des immatures.

A l'époque de la puberté, mâles et femelles se rejoignent pour former un seul groupe.

Ce sont les Japonais qui ont fait sur ce sujet les observations les plus précises parce qu'ils ont capturé des troupeaux entiers et ont pu étudier à

(1) Voir J.-Y. Cousteau et Philippe Diolé, *Compagnons de plongée*. Flammarion, éd.

l'intérieur d'un groupe assez vaste la répartition des sexes en fonction de l'âge.

## *Animaux dominants*

Nous savons d'autre part qu'il existe parmi les dauphins une hiérarchie, probablement tout aussi précise que chez les éléphants, mais nous ne savons pas exactement laquelle ni en fonction de quels critères. Il y a sans doute un leader et des animaux dominants (1).

Nous sommes mieux renseignés à ce propos sur les cachalots qui sont, eux aussi, des odontocètes*, que sur les dauphins. Chez les cachalots, un troupeau peut être conduit par un vieux mâle, bien que la plupart du temps les vieux mâles soient des solitaires, mais d'autres troupeaux ont pour chef une femelle. Pourquoi tel individu, mâle ou femelle, occupe-t-il la place de leader ? Nous n'en savons rien.

Il semble que dans la nature ce soient les mâles dans la force de l'âge

(1) Il est possible que la place de leader soit temporaire. Le Dr Kenneth Norris estime que parmi les dauphins en liberté il n'y a pas vraiment de leader permanent.

Falco tenant dans ses bras un dauphin qui se laisse caresser par lui.

qui fécondent les femelles. C'est également ce qui se produit chez des mammifères terrestres qui vivent en groupe comme les lions.

Au cours de certaines captures, on a pu remarquer que ce n'était pas le leader qui se dévouait pour sauver le groupe en fonçant, par exemple, pour forcer un obstacle ou déchirer un filet, permettant ainsi aux autres de s'échapper. Ce rôle est dévolu à un mâle de second rang comme s'il importait pour l'avenir, pour la fécondité et la structure du groupe que la vie du chef fût sauvegardée.

Il y a non seulement des animaux dominants mais des espèces dominantes. Car nous avons pu constater que dans certains grands troupeaux de cétacés, des espèces sont mêlées. Il nous a été donné de voir des globicéphales mêlés aux *Tursiops*. Au cours de notre expédition sur les côtes de Mauritanie, il a été constaté qu'un *Sousa Teuszii* faisait partie de la même bande que deux autres espèces dont probablement un *Tursiops*. Nous en reparlerons.

En captivité, d'après Caldwell (1), certaines espèces semblent établir leur autorité sur les autres. Mais est-ce vraiment dû à l'espèce ou à l'individu ?

Il est beaucoup plus difficile d'observer des animaux marins qui vivent en société que des animaux terrestres. Nous savons à peu près ce qui se passe dans les groupes de cervidés, d'antilopes ou d'éléphants. Mais jusqu'à présent il a été impossible de se faire une idée de la structure sociale des dauphins au cours de leur vie en pleine mer. Nous pressentons seulement qu'elle existe et nous pensons qu'elle doit être très stricte. Mais notre ignorance a de grandes conséquences sur la vie en captivité. Mieux vaudrait savoir le rang qu'occupait l'animal capturé. Etait-il un dominant ? Appartenait-il à un groupe privilégié ou à un groupe inférieur ? Tout cela importe à son équilibre, à sa santé psychique et joue un grand rôle dans le dressage.

Il faut considérer aussi que l'animal emprisonné dans un Marineland recommence sa vie : il doit faire ses preuves auprès de nouveaux compagnons, revendiquer et faire respecter son rang. Au traumatisme psychique s'ajoute un heurt social, une crise psychologique.

Les rapports — entièrement nouveaux — avec le dresseur, avec les soigneurs relèvent aussi d'une hiérarchie qui exige beaucoup d'attention et de discernement, aussi bien de la part de l'homme que de l'animal.

## *Micro-territoires*

Il semble d'ailleurs que les prééminences soient plus accusées dans les Marinelands qu'en pleine mer. Il est possible de s'en rendre compte, car dans certains de ces établissements il existe des bassins assez vastes pour abriter vingt ou vingt-cinq individus. C'est le cas notamment à Saint-Augustin, à Miami, à San Diego et à Los Angeles aux Etats-Unis.

Dans ce genre de piscine, chaque animal occupe un territoire en fonction de son rang dans la hiérarchie. C'est ce qui arrive dans les zoos pour tous les mammifères terrestres enfermés dans le même enclos. Les bonnes et les mauvaises places sont assez différentes dans l'eau et sur terre. Dans un bassin, c'est le centre qui serait la place de l'animal dominant ou encore la proximité de l'arrivée d'eau. Chacun en tout cas semble bien avoir son « micro-territoire » qu'il défend parfois avec acharnement.

Les observations faites au Marine Studios de Floride (2) ont montré

(1) David K. Caldwell et Melba C. Caldwell, *The World of the Bottlenosed Dolphin.*

(2) Voir Margaret C. Tavolga, *Behavior of the Bottlenosed Dolphin* dans *Whales, Dolphins and Porpoises.* University of California Press, K. Norris editor, 1963.

qu'en dehors du moment des amours, l'adulte mâle dominant faisait le plus souvent seul le tour du bassin. Il était parfois accompagné pendant un court moment d'une femelle ou d'un mâle plus jeune. Quoique généralement pacifique, il lui arrivait de se montrer agressif, la plupart du temps pour une raison qui nous échappe. Mais parfois la cause était évidente : un autre animal lui prenait la nourriture sous le nez ou un mâle plus jeune s'approchait d'une femelle en compagnie de laquelle il nageait. Il faisait entendre alors un bruyant claquement de mâchoires et même il pourchassait l'audacieux ou il lui assenait un bon coup de queue. Il en résultait pour la victime des éraflures, des morsures et des ecchymoses. Mais lorsqu'il s'agissait de bagarre avec une femelle, un animal très jeune ou des petits, le leader ne leur faisait aucun mal.

Le second personnage, aussitôt après le mâle dominant, était une femelle, Pudgy, qui avait déjà eu plusieurs petits. Elle était loin de vivre dans un glorieux isolement comme le chef. Elle représentait au contraire un centre constant d'intérêt et elle était la première à se mêler à toute activité nouvelle, qu'il s'agisse de jouer avec une balle ou d'accueillir un nouveau venu. Si quelque fait inquiétant survenait, elle s'en préoccupait aussitôt, sifflant pour rassembler les autres et les éloigner du danger. Elle-même prenait des risques et n'hésitait pas à chercher à identifier l'élément étranger qui venait d'apparaître dans le bassin. Après plusieurs investigations de plus en plus poussées, elle venait rassurer le gros de la troupe qui osait alors braver le danger.

Si l'intrus était un plongeur inconnu, il provoquait la même réaction, bien que son équipement fût le même que celui des plongeurs habituels.

Ce témoignage tendrait à montrer que contrairement à ce que beaucoup de spécialistes prétendent, une dauphine est capable de distinguer en plongée un homme d'un autre.

Pudgy était la seule femelle dont le mâle dominant acceptait la compagnie en dehors de la saison des amours.

Directement au-dessous du grand mâle et de Pudgy, la hiérarchie plaçait à peu près sur le même rang un certain nombre d'animaux : des vieilles femelles autres que Pudgy, d'autres plus jeunes qui portaient leur premier petit.

Un deuxième groupe comprenait trois mâles, dont l'un l'emportait sur les deux autres.

Le troisième groupe rassemblait les animaux les plus jeunes, tous nés la même année : ils n'étaient pas encore sevrés.

Toutes les activités sociales étaient centrées autour du premier groupe qu'animait Pudgy.

Dans cette population, une dauphine au moins affirmait sa personnalité. Elle appartenait, bien que jeune, au groupe des anciens et se faisait remarquer par son caractère aimable et « serviable ». Elle secondait Pudgy et s'occupait des enfants.

## *Groupes en déplacement*

Cette esquisse de la vie sociale dans un bassin de Marineland nous donne à penser que les relations entre les dauphins libres sont d'une extrême complexité et que nous avons encore beaucoup à découvrir à ce sujet.

Car nous en revenons toujours à la même question : que se passe-t-il dans la mer ? Si nous ne faisons que soupçonner l'existence d'une hiérarchie, nous avons de bonnes raisons de penser qu'il existe des « territoires », mais occupés par toute une troupe. Kenneth S. Norris a observé à Hawaï un banc qui a séjourné plusieurs semaines, peut-être plusieurs mois au même endroit.

En Floride, l'habitat des *Tursiops* est de faible étendue, 50 à 100 milles, souvent bien moins et en eau peu profonde. Beaucoup séjournent à l'embouchure du Mississippi. Un dauphin albinos aisément repérable et qui a finalement été capturé avait permis de faire des remarques intéressantes sur ces déplacements des *Tursiops*.

On cite des dauphins qui sont restés dans la même région pendant trois ans (Caldwell). Il est bien possible qu'en Floride notamment, les déplacements des *Tursiops* soient de faible ampleur et qu'ils se produisent dans les mêmes directions au cours de la journée. C'est ce qu'avait remarqué Falco. Les animaux arrivaient du sud-est le matin et repartaient au sud-ouest le soir. Sans doute accompagnaient-ils les poissons qui eux-mêmes suivent la marche du soleil.

C'est encore ce qui s'est produit lors de nos recherches dans le golfe de Malaga. Le matin nous étions à peu près sûrs de trouver les *Delphinus delphis* à gauche du golfe et le soir, à droite. Cela représentait bien un déplacement d'une cinquantaine de milles. C'est en effet ce que mesure le golfe dans sa plus grande largeur.

Il faudra bien du temps sans doute pour que nous connaissions la vie sociale des dauphins dans la mer. Seules des observations minutieuses et répétées, faites par des plongeurs, pourront nous révéler ce qui se passe dans les groupes de mammifères marins qui obéissent à l'autorité d'un ou plusieurs chefs.

# 4

# l'histoire de dolly

DANS LES KEYS — CONVERSATION — SERVICE MILITAIRE
PRISONNIERS VOLONTAIRES — " SAUVÉS " DE FORCE
LA PEUR DE L'OCÉAN — VIE COMMUNE — L'AVIRON — EXIGENCES
TOUJOURS CÉLIBATAIRE — UN CERTAIN SOURIRE

Dans cette enquête sur les dauphins, le cas le plus intéressant nous a paru être celui des dauphins qui se sont rapprochés des hommes sans pour autant perdre leur liberté.

Ces cas sont nombreux tant aux Etats-Unis qu'en Australie, en Nouvelle-Zélande ou en Angleterre.

L'attirance que les dauphins manifestent pour les humains est connue depuis longtemps. L'Antiquité en a rapporté bon nombre d'exemples qui ont passé pendant longtemps pour autant de légendes.

La plus célèbre de ces légendes est peut-être celle d'Arion, poète né à Lesbos et qui, jeté à la mer par l'équipage du navire où il se trouvait, fut sauvé par un dauphin.

Plutarque a raconté l'histoire de Korianos, un Byzantin qui obtint que des pêcheurs relâchent des dauphins pris dans leurs filets. Peu après, Korianos, victime d'un naufrage, fut sauvé, lui aussi, par un dauphin.

Ce que nous savons aujourd'hui nous permet de penser que toutes ces anecdotes et bien d'autres, relatées par des écrivains antiques, ne sont pas

Dolly saute devant le ponton des Asbury en Floride.

des fables. Il est exact que certains dauphins libres recherchent la compagnie des hommes, s'attachent à eux et s'obstinent à revenir aux endroits où ils ont fait connaissance avec les nageurs et surtout s'il s'agit d'enfants. Ils se montrent souvent facétieux et parfois secourables, jouant à l'occasion le rôle de sauveteurs.

## *Dans les Keys*

Nous avons connu la plus touchante et la moins discutable de ces aventures. C'est l'histoire d'une amitié entre une dauphine et une famille américaine.

Les Asbury habitent, en Floride, une maison située au bord d'un des canaux qui forment le labyrinthe aquatique des Keys. C'est une petite maison avec un appontement. Elle est située assez loin de la mer : il y a huit bons kilomètres à parcourir à travers les canaux avant de parvenir à l'océan.

La famille Asbury se compose du père, qui est le pilote de l'hélicoptère du président des Etats-Unis, de Jean (1) Asbury, de leurs deux filles, Kelly (8 ans), Tina (10 ans), et du chien Puggy.

Un beau matin, un dauphin, un *Tursiops,* est apparu devant l'appontement des Asbury. La tête dressée au-dessus de l'eau, « souriant » de toutes ses dents, il s'est mis à crier et à appeler. C'était en mai 1971.

Toute la famille alignée sur son ponton contemple cet animal qui les regarde, puis s'approche d'eux. Jean va chercher du poisson : elle vide son frigidaire. Le dauphin avale tout, mange dans la main et se laisse même caresser. Les deux petites filles croient vivre une scène de la télévision américaine.

Le chien Puggy est méfiant.

A partir de ce moment, les Asbury ont pris la dauphine non seulement en affection, mais aussi en charge et ils lui donnent régulièrement à manger. Ils l'ont appelée Dolly, et Dolly est devenue l'animal de la famille, un animal domestique.

Les deux petites filles se baignent avec Dolly, elles se font remorquer par elle en s'accrochant à sa nageoire dorsale. Puggy lui-même est sorti de sa réserve.

On a l'impression que l'animal s'amuse vraiment à accomplir tout un

(1) Aux Etats-Unis, Jean est un prénom féminin.

Dolly sort de l'eau à l'appel de Jean Asbury.

Jean offre dans sa bouche un poisson à Dolly.

numéro de cirque. En tout cas, Dolly semble avoir adopté les Asbury au moins autant qu'ils l'ont adoptée.

Dolly est une belle femelle de quatre ou cinq ans qui pèse environ 200 kilos et mesure 2,10 mètres.

Le personnage principal est Jean Asbury. C'est « la mère ». Et ce rôle elle le tient aussi bien à l'égard de Dolly que de ses filles. Il y a là un problème affectif extrêmement important et difficile à formuler. Il semblerait que les animaux, spécialement les dauphins, reconnaissent les qualités de cœur de certains êtres humains. Il y a chez Jean Asbury un amour maternel, un rayonnement qui n'ont certainement pas laissé Dolly insensible et c'est là un bien grand mystère. On eût dit que la douceur, la patience, l'extrême bienveillance de Jean agissaient sur Dolly. Leur aventure était avant tout sentimentale et maternelle. Bien entendu, il faut tenir compte aussi du fait que c'était Jean qui nourrissait Dolly, qui le plus souvent la faisait jouer et lui avait appris les numéros qu'elle exécutait. M. Asbury s'absentait souvent pour plusieurs jours et les deux petites filles allaient à l'école.

## *Conversation*

C'était avec Jean que Dolly avait les plus longues conversations. La tête hors de l'eau, le regard vif, pleine de bonne volonté et manifestement désireuse de communiquer avec les humains, Dolly écoutait passionnément ce que Jean lui disait de sa voix douce.

A vrai dire, elle saisissait le sens de quelques mots. Oui et non. Elle comprenait lorsqu'on lui disait que ce qu'elle faisait était bien ou mal. Elle savait même distinguer certains objets et les apportait au commandement. Il n'y avait encore dans tout cela rien de bien exceptionnel. Après tout un chien n'en fait-il pas autant ?

A côté de l'appontement des Asbury, Dolly avait son abri personnel où elle se réfugiait quand elle voulait avoir la paix. Y pénétrer était d'ailleurs un de ses meilleurs numéros : elle savait ouvrir et fermer la porte de son enclos.

Elle se livrait à de nombreux exercices assez étonnants : elle attrapait des anneaux, elle transportait une balle et la mettait dans un panier, elle sautait à une grande hauteur. Elle remorquait un petit bateau en plastique dans lequel prenait place le chien Puggy qui ne semblait pas très rassuré. Elle emmenait à toute vitesse les deux filles Tina et Kelly accrochées à sa nageoire dorsale.

Jean lui lançait une poignée de pièces de monnaie et Dolly ne devait rapporter que les plus petites, les dimes. Elle le faisait sans jamais se tromper. Ce n'était pas très facile pour la dauphine de repêcher dans la vase ces pièces de 10 cents trop petites pour son bec. Elle était aidée dans cette recherche par son « sonar », assez puissant pour traverser la couche de vase dans laquelle les pièces s'enfonçaient aussitôt.

Dolly ne passait d'ailleurs pas sa journée devant la demeure des Asbury, elle commençait à être connue. Elle parcourait d'autres canaux et elle allait parfois faire un tour chez d'autres gens, mais elle marquait une préférence pour les Asbury et pour leur appontement. Dolly connaissait d'ailleurs très bien les canaux, mais revenait chaque fois à « sa maison ».

## *Service militaire*

Les Asbury, en faisant une enquête dans le voisinage, ont appris l'histoire de Dolly. La dauphine avait appartenu à une section de l'U.S. Navy. Elle était attachée à une base d'entraînement pour dauphins située à Key West, ce que les Américains appellent pudiquement « un centre d'études », car ils n'avouent pas volontiers que ces animaux marins sont employés à des activités militaires.

Un ancien entraîneur de Dolly a raconté à Jean comment, « le centre d'études » de Floride ayant été transféré en Californie, il avait été décidé, au moment de ce déménagement, de ne pas emmener la jeune dauphine considérée comme un sujet indiscipliné, trop fantaisiste, en somme une mauvaise recrue. Elle était, paraît-il, un peu cabocharde. Ainsi, lorsqu'on lui demandait de porter un objet quelque part, elle le faisait, mais il lui arrivait aussi de le rapporter. Sur le plan militaire, ce comportement peut avoir des inconvénients.

Dolly, mauvais soldat, avait donc été libérée au large de la Floride. Mais elle avait connu les hommes et ne pouvait plus se passer d'eux. Elle était revenue vers la côte, puis dans les canaux des Keys. Elle avait eu la chance de rencontrer les Asbury qui répondaient à son besoin de contact.

## *Prisonniers volontaires*

Il faut bien admettre en tout cas qu'un dauphin est profondément modifié dans son psychisme lorsqu'il a vécu un certain temps parmi les hommes.

Dolly n'est pas le seul exemple qu'on en peut citer. A plusieurs reprises, des dauphins se sont retrouvés en liberté soit par accident, soit parce qu'on les avait volontairement relâchés.

L'aventure la plus cocasse est arrivée au célèbre *Tursiops* Tuffy qui, au cours du projet américain *Sealab** de « maison sous la mer »*, a été utilisé comme messager entre la surface et le fond.

Tuffy se trouvait dans une piscine flottante sur la côte de Californie lorsque par hasard un pêcheur ouvrit la porte de son enclos et le remit ainsi en liberté. Tuffy fut probablement tout à fait décontenancé par cette situation qui n'avait été ni précédée ni accompagnée du cérémonial habituel : coups de sifflet, ordre, mission précise. Il était irremplaçable. Il valait cher. On le rechercha en avion et en bateau. On le retrouva sans mal et il revint avec une satisfaction non dissimulée entre les mains de son entraîneur (1).

Un cas analogue s'est produit au laboratoire Lerner, à Bimini, dans les Bahamas. La porte du bassin fut ouverte par erreur. Mais cette fois-là le dauphin refusa de partir.

(1) Voir David K. Caldwell and Melba C. Caldwell, *The World of the Bottlenosed Dolphin*. J.B. Lippincott Company, Philadelphie, 1973.

Le Commandant Cousteau et Jean observent les évolutions de Dolly.

Au Marineland de Floride, un dauphin fut relâché volontairement comme l'a été Dolly. Il resta aux abords de l'établissement, mais il ne pouvait pas y revenir faute de canal ou de passage faisant communiquer les bassins avec la mer. Il finit par s'en aller.

Quelques mois plus tard une équipe de capture du Marineland se saisissait un peu trop facilement d'un dauphin. C'était l'expulsé qui avait réussi à se faire reprendre.

L'Aquarium de Saint Petersbourg Beach sur la côte du golfe de Floride, relâcha un dauphin qui souffrait d'une disgrâce physique trop apparente. Il fut bientôt repris, non pas une, mais plusieurs fois. Il avait trouvé un truc pour se faire capturer : il se jetait exprès à l'intérieur des filets des pêcheurs. L'Aquarium, cédant à tant d'insistance, l'a finalement repris.

### *« Sauvés » de force*

L'équipe de la *Calypso,* sous la direction de mon fils Philippe, s'est rendue en Floride pour faire la connaissance de Dolly. La famille Asbury lui a réservé un accueil amical et compréhensif. Dolly aussi. En deux ou trois jours, elle a appris à connaître les plongeurs et elle les a adoptés. Ce débordement d'intérêt était même parfois lassant. Il était impossible de se mettre à l'eau sans que Dolly vienne vous relancer. Il fallait plonger avec

Différentes expressions de Dolly au cours de sa vie commune avec les Asbury : elle joue avec une balle, un anneau de caoutchouc, elle vient aussi poser sa tête sur les genoux de Jean.

elle, s'accrocher à sa nageoire ou lui lancer sa balle. C'était la corvée d'amusement.

Elle sortait fréquemment la tête de l'eau pour appeler la famille Asbury, si bien qu'elle a fini par attraper un coup de soleil ; étant toujours dehors en train de parler, de jouer, ou de regarder, sa peau fragile s'est abîmée. C'était surtout le dessus de son crâne qui était blessé, et il fallait lui mettre de la pommade pour calmer la brûlure.

Dolly ne manifestait jamais aucune agressivité, mais il fallait pourtant se méfier un peu d'elle. Dans l'eau elle représentait une force considérable. Equipés du scaphandre autonome, nous avons plongé avec elle. Comme elle avait l'habitude de remonter les objets du fond avec son bec, elle saisissait les plongeurs par les sangles des bouteilles et les ramenait de force en surface. Ils avaient beau se débattre, il fallait qu'ils lui cèdent. Imaginait-elle que ses amis étaient en train de se noyer ? Ce n'était peut-être qu'un jeu.

En surface elle avait adopté une autre tactique : elle passait son bec et sa tête entre les bras et le corps du plongeur et elle l'entraînait au fond.

Notre problème pendant six semaines a été de voir exactement ce qui se passait entre Dolly et ses parents adoptifs.

### *La peur de l'océan*

Le plus surprenant dans l'histoire de Dolly, était son refus de retrouver la liberté. Malgré tous les efforts que nous avons faits pour la ramener dans l'océan, au large, dans l'eau libre, elle n'y a jamais consenti. Pourtant nous aurions aimé lui consacrer une partie de notre film, tourner avec cet animal déjà apprivoisé des séquences en pleine mer, d'autant que l'eau des canaux était très trouble et que nous aurions été bien contents de la filmer dans une eau plus claire.

Nous avons pensé que Dolly était peut-être perdue, qu'elle ne retrouvait plus la sortie des Keys, bien que les dauphins soient doués d'une grande mémoire spatiale. Comme nous disposions d'un zodiac autour duquel Dolly aimait beaucoup jouer, nous nous sommes dirigés vers la passe en essayant de l'entraîner, en l'appelant ou en lui offrant du poisson. Les petites filles nous aidaient en parlant à Dolly qui paraissait beaucoup les aimer. Mais toujours à un ou deux kilomètres du point de départ, Dolly stoppait et revenait à son appontement.

Les tentatives se sont succédé pour entraîner Dolly vers la mer. Chaque fois nous parvenions à l'emmener de plus en plus loin, mais elle refusait de quitter les Keys.

Elle n'est même jamais venue sur le platier* qui borde le récif, encore bien moins à l'accore* du récif.

## *Vie commune*

La voir nager était un extraordinaire spectacle de souplesse et de grâce. Dolly n'avait peut-être pas fait preuve de toute la discipline militaire que la marine américaine attendait d'elle, mais elle s'est révélée à nos yeux comme une incomparable actrice de cinéma.

Certes, nous avions vu bien souvent les « shows » des Marinelands et nous n'avons pas filmé de numéros beaucoup plus sensationnels que ceux qu'on y présente, mais aucun d'entre nous n'avait eu la possibilité de vivre quotidiennement pendant cinq ou six semaines avec un animal qui se montrait de plus en plus coopératif.

C'était une véritable étape que nous franchissions dans les rapports de l'homme et de l'animal. Il est très rare, ce n'est peut-être jamais arrivé, que des hommes séjournent dans l'eau avec un dauphin qui reste totalement libre. La plupart des études et des observations sur les dauphins ont été faites sur des animaux enfermés dans des bassins.

Nous menions avec Dolly une véritable vie en commun. Un seul regret : l'eau de ces canaux était très trouble. Les prises de vues se sont révélées à peu près impossibles. Si l'eau avait été plus claire nous aurions pu filmer Dolly nageant vers nous, de face, ce qui n'arrive à peu près jamais en pleine mer. Ce n'est possible qu'avec un dauphin apprivoisé, mais il est rare de disposer d'un animal à la fois obéissant et libre.

Evidemment les séquences que nous avons tournées montraient surtout les numéros que Dolly avait appris avec Jean et qui étaient assez analogues à ceux qu'on peut voir dans un Marineland. Mais l'ambiance était totalement différente de celle d'un zoo marin. Dolly ne vivait pas dans un bassin, elle pouvait aller et venir dans les canaux des Keys. Elle aurait même pu disparaître complètement si elle avait voulu. Mais elle revenait toujours vers les Asbury et vers nous. Tous les matins nous la retrouvions fidèle au rendez-vous, ne souhaitant rien d'autre que nager avec tout le monde, jouer ou inventer des facéties comme de s'emparer du zodiac et de tenter de le retourner. Nous craignions qu'elle ne soit heurtée par un canot automobile et qu'une hélice lui fasse de terribles blessures. Mais le canal qui passait devant la maison des Asbury ne mène nulle part. C'est un cul-de-sac et il y a bien peu de passage. En outre, tous les voisins avaient appris à la connaître et ils l'aimaient bien. Dolly savait d'ailleurs que certains bateaux rapides étaient dangereux et elle avait appris à se garer.

Il était impossible de savoir si Dolly attrapait des poissons pour se nourrir ou si elle n'avait pas d'autre ressource alimentaire que ce que lui donnaient les Asbury. Il est probable qu'elle n'attrapait pas grand-chose car les eaux n'étaient pas très poissonneuses.

Tous les jours, nous essayions d'emmener Dolly en promenade. Nous prenions le zodiac, nous l'appelions et nous partions à petite allure sur les canaux. Elle nous suivait d'autant plus volontiers qu'elle aimait bien le bateau pneumatique, sa forme ronde, son contact. C'était un plaisir de la voir nager à hauteur du zodiac ou passer brusquement devant nous en nous lançant un regard malicieux.

Malheureusement la maison des Asbury était située à une assez grande distance de la pleine mer. Dès qu'elle était trop loin de la maison sur le chemin de la liberté, Dolly semblait paradoxalement prise de peur. Elle ralentissait et elle finissait par nous quitter pour revenir « chez elle ».

### *L'aviron*

Il est étrange que Dolly n'ait même pas eu la tentation de sortir des canaux des Keys pour trouver en mer un époux.

Il était clair cependant que la chasteté lui pesait. Un jour où par hasard un aviron tomba à l'eau, elle se coucha dessus et essaya de le chevaucher, de se frotter. Ce n'était pas facile. Elle n'arrivait à rien. L'aviron lui échappait, se dérobait. Dolly frétillait, très énervée, et poussait des petits cris.

La scène s'est répétée plusieurs fois.

La pauvre Dolly était certainement en proie à l'obsession sexuelle et elle restait insatisfaite. Chaque fois que nous nous mettions à l'eau, elle frôlait les plongeurs, les poussait du nez, se collait à eux. Elle semblait aimer beaucoup le contact des combinaisons de vinyle qui devaient lui paraître souples et douces. Mais la forme des plongeurs avait certainement pour elle quelque chose d'insolite qui semblait souvent la déconcerter.

Le désir sexuel n'était pas la seule impulsion qui incitait Dolly à promener tout son corps contre la combinaison des plongeurs. En agissant ainsi elle obéissait à une loi de son espèce, à un besoin profond. En effet les dauphins sont des animaux grégaires dont l'activité sociale est associée à des contacts, des frottements. En liberté ou dans les Marinelands, ils se frottent, ils se frôlent, ils se touchent avec leur bec, avec leurs ailerons ou

Jean engage un dialogue véhément avec Dolly sous les yeux de Philippe Cousteau.

Le commandant Cousteau nourrit à la main Dolly.

bien leurs corps glissent l'un sur l'autre. Tous ces gestes ont certainement une grande importance et ils sont fonction de la structure du groupe ainsi que de la place de chaque animal dans la hiérarchie. Dolly, toute seule dans les canaux des Keys, était privée de contacts avec ses semblables. Elle s'accommodait des contacts humains. Elle les recherchait même. Elle aimait se faire caresser parce qu'elle était privée de ces frottements que se prodiguent entre eux les dauphins et qui font partie de leurs rites.

Il faut toujours songer que les dauphins, à la différence des mammifères terrestres, n'ont pas d'odorat, donc pas de « flair ». Au lieu de se « sentir », ils se touchent, particulièrement la région génitale. C'est peut-être un moyen de se reconnaître et de manifester leur rang dans la hiérarchie. La moindre turbulence de l'eau leur permet de percevoir la proximité d'un de leurs compagnons ou d'un plongeur.

La peau du dauphin est si fine, si agréable à caresser que l'on peut très bien imaginer qu'un homme éprouve une grande attirance pour une femelle. Une telle peau est comparable aux plus merveilleuses peaux féminines.

Mais, comme disait Michel Deloire, « l'ennui c'est qu'on ignore quelles peuvent être au moment fatidique les réactions d'une amoureuse de 200 kg ».

### *Exigences*

Je suis persuadé que l'attachement de Dolly pour Jean n'avait absolument rien de sexuel. Dolly devait trouver auprès de Mme Asbury la chaleur maternelle et elle se montrait aussi exigeante à son égard qu'une enfant envers sa mère, tandis que Jean, de son côté, lui témoignait une patience et un dévouement sans borne. Pour la malheureuse mère de famille, la vie devenait intenable. S'occuper de Dolly était une tâche plus astreignante que s'il s'était agi d'un troisième enfant.

La dauphine ne voulait pas quitter le voisinage de la maison et, dès qu'elle s'ennuyait, elle appelait. Il fallait que Jean vienne lui parler. Elle lui disait des mots sans suite qui la calmaient : « Good girl, pretty girl. » Le caprice finissait par un baiser, un coup de bec mouillé dont Dolly gratifiait la joue de Jean.

Comme un enfant gâté, elle voulait toujours que sa mère adoptive s'occupe d'elle. Jean ne pouvait plus s'absenter. Elle ne pouvait jamais aller au cinéma. Elle avait tenté de trouver quelqu'un qui vienne la remplacer auprès de Dolly, une baby-sitter pour dauphins. Cette tentative avait échoué. Dolly avait fait une colère et refusé de manger.

Jean ne pouvait même pas aller chez des amis et encore moins partir en vacances.

Une histoire comme celle de Dolly est une merveilleuse aventure dans une vie, mais un tel lien entraîne une responsabilité qui finit par être paralysante.

### *Toujours célibataire*

Nous avons eu récemment des nouvelles de Dolly par Mme Asbury. Il paraît qu'après le départ de l'équipe de la *Calypso,* « elle s'est montrée très triste ». Elle regrettait les promenades au cours desquelles elle accompagnait le bateau des plongeurs et les jeux de toutes sortes auxquels elle se livrait avec eux.

Dolly aime le zodiac et lorsque les Asbury laissent passer un jour sans le mettre en route, elle essaye de s'en servir et de le faire marcher toute seule.

Dolly n'a pas encore réussi à se marier. Peut-être trouvera-t-elle un jour l'époux idéal, mais jusqu'à présent elle ne s'est pas laissée séduire.

Au moment de la Convention démocrate en juillet 1972, à Miami, les Asbury ont emmené Dolly en avion pour soutenir la campagne en faveur de la protection des mammifères marins.

Lorsque le moment est venu de rentrer chez eux, les Asbury sont revenus en zodiac, emmenant Dolly qui nageait le long du bord. C'était un trajet de 65 milles en pleine mer et par mauvais temps jusqu'à Key Largo.

En route ils ont fait la rencontre d'un banc de dauphins. Dolly s'est arrêtée et a joué un moment avec eux, mais quand il fallut repartir, elle reprit gentiment sa place auprès du zodiac.

Un peu plus loin, elle s'arrêta aussi un moment pour jouer avec des tortues marines. Mais elle ne voulait pas s'éloigner du bateau peut-être parce qu'elle devinait que toute la famille revenait à la maison.

Les Asbury s'arrêtèrent à l'Anglers Club de Key Largo pour y passer la nuit. Dolly était fatiguée d'avoir nagé trop longtemps. Elle n'avait pas l'entraînement d'un dauphin de haute mer. Il fallut passer une semaine à Key Largo pour qu'elle se repose. Elle était si affaiblie que sa peau était devenue toute blanche. Le 17 juillet, il fut décidé de la ramener sur un camion. Après cette longue absence elle fut très heureuse de se retrouver chez elle.

Dolly aimait beaucoup faire le soir des visites aux voisins, mais un jour elle est revenue avec une tige de fer enroulée autour du corps. Il n'y

Le Commandant Cousteau et Dolly se baignent ensemble.

Kelly, la fille de Jean, et Dolly sont deux grandes amies.

avait qu'une explication possible : elle s'était entortillée dans cette ferraille sur un chantier de construction qui se trouvait à proximité. On l'a dégagée et on a soigné ses blessures. Mais Jean était désespérée. Elle ne savait que faire. Dolly ne cessait de geindre et posait la tête sur les genoux de sa mère adoptive.

A la suite de cet incident et de quelques autres, les Asbury décidèrent de mettre Dolly en pension à Sugar Loaf Lodge où il y avait déjà un autre dauphin nommé Sugar : malgré la présence d'un mâle, la captivité a beaucoup affecté la dauphine et elle a commencé à perdre du poids.

« Je suis navrée que Dolly connaisse d'aussi tristes moments, dit Jean, si je peux je la reprendrai chez nous et je la remettrai dans son canal où il n'y a pas de clôture. Nos rapports sont aussi étroits qu'avant, sinon plus. »

Jean va tous les jours la nourrir et parler longuement avec elle. Ses deux filles, Kelly et Tina, vont nager avec elle aussi souvent que possible.

Dolly va mieux maintenant et pour l'aider à se remettre on lui amène souvent le zodiac qu'elle aime tellement. Elle a commencé à reprendre du poids et elle a appris à son compagnon Sugar quelques nouveaux numéros. Mais il est clair qu'elle déteste la captivité.

Telle est l'histoire de Dolly. Nous en avons été les témoins directs. Une équipe de la *Calypso* a passé plusieurs semaines avec la dauphine et a essayé de juger aussi objectivement que possible son comportement. Tout cela parce que le cas de Dolly soulève un problème. Les rapports des hommes et des mammifères marins peuvent-ils être d'ordre sentimental, empreints d'affection de part et d'autre ?

« Non », répondent les spécialistes, notamment nos amis Busnel et Albin Dziedzic (1) qui ont participé à plusieurs des croisières de la *Calypso*. L'attachement sentimental, « le coup de cœur », c'est l'homme qui l'éprouve, mais le dauphin ne s'attache pas à un individu en particulier. Ce qu'il recherche, c'est un contact humain, quel qu'il soit.

C'est aussi l'avis de la plupart des scientifiques américains et des dresseurs dans les Marinelands.

## *Un certain sourire*

Faut-il croire que le dauphin « n'a pas de cœur » ? Il serait moins attaché, moins fidèle qu'un chien ?

« Oui », répond Busnel.

Selon lui nous serions victimes d'un « certain sourire ». Ce rictus si nettement dessiné sur la tête du *Tursiops* nous le rend sympathique. Nous nous imaginons qu'il rit ou qu'il nous sourit.

L'orque, le globicéphale ou le *Steno** qui ont une tête ronde inexpressive, une boule anonyme, sans bec, sans rictus, n'éveillent pas la sympathie au même degré. Et pourtant, dans les Marinelands, ils se montrent au moins aussi doués que les *Tursiops*. Les dresseurs affirment même qu'ils apprennent plus vite.

Comme beaucoup de vedettes, le *Tursiops* a été lancé par la télévision. Le feuilleton de « Flipper » a popularisé le sourire photogénique d'un grand bénéficiaire du *star system,* contre lequel tous les arguments scientifiques ne sauraient prévaloir.

Konrad Lorenz a étudié longuement ces signes arborés par l'animal et que l'homme interprète comme favorables ou défavorables, ce qui l'incite à des jugements hâtifs ou tout à fait faux. Le « sourire » du dauphin ne serait donc qu'un leurre. On peut l'admettre. Mais comment nier l'absence d'agressivité de l'animal, le fait qu'il ne morde pas quand on lui inflige de véritables tortures comme de lui enfoncer dans le crâne, à l'aide d'un maillet,

(1) Au laboratoire de physiologie acoustique de l'I.N.R.A.

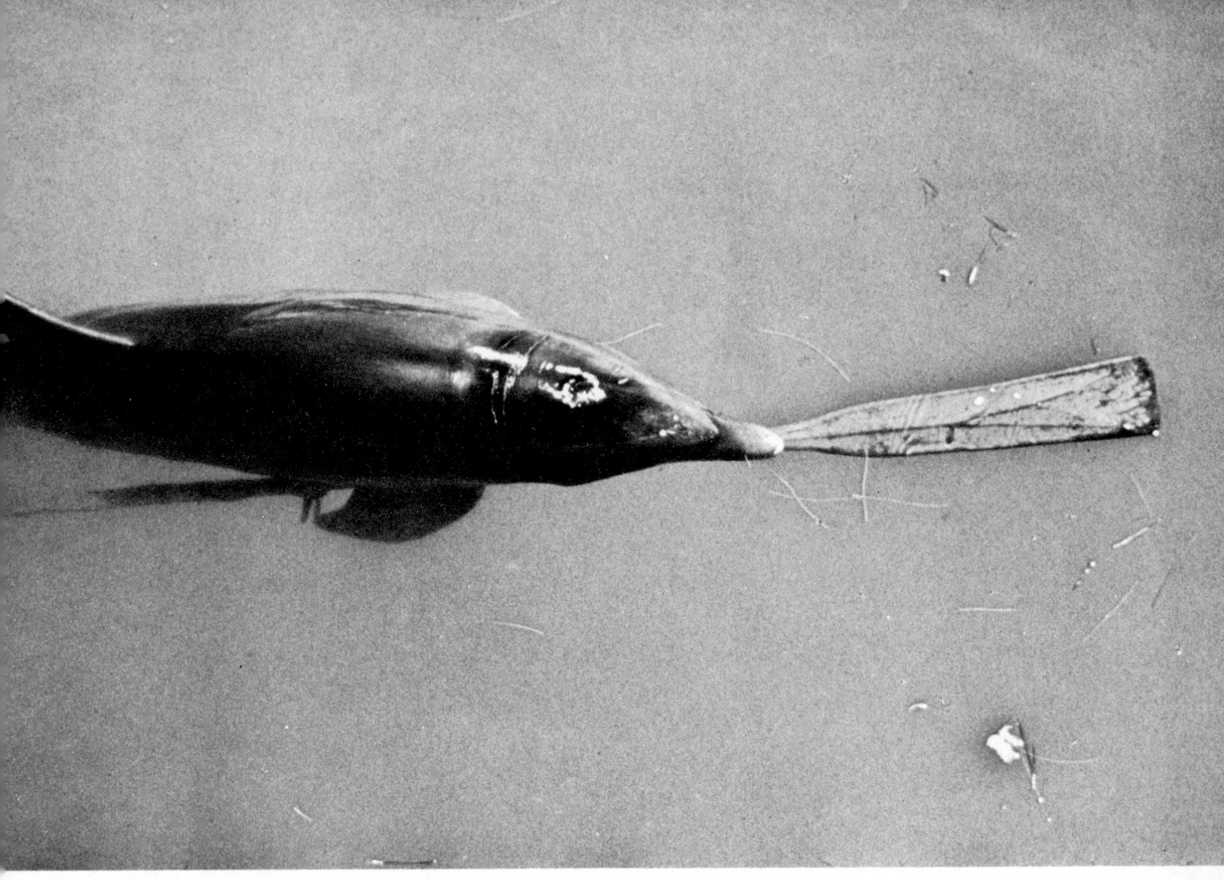

Dolly avec son aviron préféré.

une aiguille hypodermique servant de « manchon-guide » à une électrode (1). Une seule expérience menée aux Etats-Unis a provoqué la mort de 29 dauphins et pas une seule morsure !

Il faut voir la confiance avec laquelle un dauphin vient de lui-même mettre sa tête entre les mains de son expérimentateur afin qu'il lui applique les œillères qui vont l'aveugler. Nous verrons aussi au cours de ce livre que des dauphins ont témoigné leur attachement à des enfants et parfois à l'un d'eux en particulier.

Nous voulons bien admettre que l'affection ne s'inscrit pas sur un diagramme, qu'elle ne se mesure pas sur un cadran ou une bande enregistreuse. La dauphine des Keys n'a jamais dit ou écrit : « Dolly aime Jean », mais elle est venue se mettre sur les genoux de sa mère adoptive, et seulement sur les siens, lorsqu'elle souffrait. Dira-t-on que c'est un comportement conditionné ? Ou une illusion sentimentale ? En voulant exiger des certitudes et des preuves, la science court parfois le risque de passer à côté de la vérité pour avoir refusé le merveilleux.

(1) C'est ce qu'a fait un neuro-physiologiste, le Dr Lilly. Celui-ci a réussi, en enfonçant une électrode jusqu'au cerveau du dauphin, à atteindre « la zone du plaisir ». L'animal lui-même pouvait appuyer sur un bouton pour établir le courant et provoquer la stimulation de son cerveau. Au bout de plusieurs heures d'expérience, le dauphin qui agissait de plus en plus vite est mort « d'une stimulation trop intense de l'encéphale, près des aires motrices du cortex ».

# 5

# vivre avec les hommes

OPO ET LES ENFANTS — UNE VEDETTE LOCALE
LA DAUPHINE DE LA COROGNE — UN " SAUVETAGE "
UNE GLOIRE NATIONALE — UN MONUMENT A NINA — EN CAPTIVITÉ
JEUX AMOUREUX — UN SEUL PETIT — ÉDUCATION SEXUELLE
PETER ET MARGARET

Le cas de Dolly est loin d'être unique. Plusieurs dauphins se sont acquis une gloire plus ou moins durable en se rapprochant des hommes.

L'un des plus célèbres fut Pelorus Jack, qui se fit connaître en 1888. Il vivait dans le détroit de Cook qui sépare les deux îles principales de la Nouvelle-Zélande. Il évoluait entre la French Pass et le Pelorus Sound qui lui valut son nom.

C'était un *Grampus griseus* ou dauphin de Risso. On n'a jamais su s'il s'agissait d'un mâle ou d'une femelle. Pendant plus de vingt-quatre ans il a connu une célébrité mondiale. De nombreux écrivains ont parlé de lui, notamment Kipling et Mark Twain. Un grand journaliste, Frank T. Bullen, est venu spécialement en Nouvelle-Zélande pour lui consacrer un article.

Pourtant, à la différence de Dolly et de quelques autres, Pelorus Jack n'a jamais eu de contact direct avec les hommes. C'est par les navires qu'il était attiré. Il guettait tous ceux qui traversaient le détroit de Cook et il les accompagnait. Il se frottait contre leur coque, s'installait à l'étrave, plongeait et sautait hors de l'eau.

La nageoire caudale des dauphins est d'une grande puissance : ils peuvent se tenir debout sur leur queue.

En Nouvelle-Zélande, le dauphin d'Opononi permettait aux enfants de se tenir à califourchon sur son dos. Photo Auckland Star.

Il n'était pas toujours à l'entrée du détroit, mais il s'y trouvait si souvent que beaucoup de gens faisaient le voyage pour le voir.

Lorsque deux paquebots arrivaient au même moment, Pelorus Jack choisissait toujours d'accompagner le plus rapide. Il dédaignait les yachts et les embarcations de faible tonnage.

Il lui arriva d'être heurté par le paquebot *Penguin* et il fut assez sérieusement blessé. Dès lors il se garda bien de suivre ce bateau qui cependant empruntait fréquemment le détroit de Cook. On se demande comment il

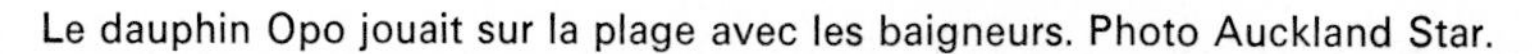

Le dauphin Opo jouait sur la plage avec les baigneurs. Photo Auckland Star.

parvenait à reconnaître ce bâtiment parmi tous ceux qui passaient dans les parages.

C'est en 1912 que Pelorus Jack disparut. Certains ont pensé qu'il était mort de vieillesse. Ce qui est probablement vrai, bien que les mauvaises langues aient prétendu qu'il avait été tué par un baleinier norvégien à l'entrée du Pelorus Sound.

## *Opo et les enfants*

C'est encore en Nouvelle-Zélande, dans la baie de Hokianga, qu'apparut en 1955 un autre dauphin ami des hommes. Il se mit d'abord à suivre les bateaux de plaisance et on le prit pour un requin. Sans doute était-ce un orphelin dont un vaniteux stupide se targuait d'avoir tué la mère d'un coup de fusil. En tout cas l'animal était très jeune. Il est probable qu'il n'avait pas plus d'un an. C'était une femelle. Elle aimait qu'on la frotte avec un aviron ou avec un balai, mais elle conservait encore ses distances.

L'été venant, elle se mêla aux baigneurs devant la plage d'Opononi. Qui osa la caresser pour la première fois ? Impossible de le dire. Ce fut peut-être un enfant, car la dauphine marquait une préférence pour les plus jeunes baigneurs qui la surnommèrent « Opo ».

Opo se tenait presque toujours devant la plage ou bien, si elle n'était pas là, elle s'empressait de venir au seul bruit d'un hors-bord. Bientôt des milliers de gens vinrent à Opononi pour voir la dauphine et dans l'espoir de la caresser. La fortune des hôteliers et des commerçants de cette modeste villégiature était faite. Les ice-creams et les bières se débitaient à une cadence inespérée. La population reconnaissante forma un comité pour la protection des dauphins et installa à l'entrée de la ville de grandes pancartes : « Bienvenue à Opononi, mais n'essayez pas de tuer notre joyeux dauphin. »

Opo évoluait au milieu d'un groupe d'enfants et semblait demander à être caressée. Elle savait choisir parmi ses admirateurs ceux qui se montraient affectueux et évitait tous ceux qui étaient bêtement brutaux. Sa préférée était une petite fille de treize ans, excellente nageuse, Jill Baker.

« Chaque fois qu'Opo me voyait entrer dans l'eau, a raconté Jill, elle quittait les autres baigneurs et venait me trouver. »

Souvent Opo passait entre les jambes de la petite fille, la soulevait et l'emmenait en promenade sur son dos. Au début la dauphine n'aimait pas beaucoup qu'on la touche ou qu'on saisisse sa nageoire avec les mains. Mais lorsqu'elle s'aperçut que les enfants ne lui faisaient pas de mal, elle se laissa faire.

Il est difficile de croire que Jill Baker s'est vantée d'une préférence imaginaire et que tous les témoins, touristes, journalistes, pêcheurs ont été victimes d'une illusion en croyant que cette dauphine éprouvait une attirance particulière pour cette petite fille. Il faut donc admettre qu'elle la reconnaissait parmi tous les autres baigneurs.

Les pêcheurs locaux lui offrirent à plusieurs reprises des poissons, notamment des mulets, mais elle ne les accepta jamais. Elle préférait pêcher pour son propre compte.

## *Une vedette locale*

Quelqu'un lui donna un ballon de plage de plusieurs couleurs. Elle inventa de le lancer très haut en l'air puis de nager à toute vitesse pour le recevoir quand il retombait à l'eau.

Elle allait aussi ramasser au fond les bouteilles de bière vides et avec son nez elle les lançait à une grande distance. Lorsqu'elle avait exécuté un numéro particulièrement réussi qui avait soulevé sur la plage un cri d'admiration, elle faisait au-dessus de l'eau un saut triomphal. Il semble donc bien qu'elle entendait les cris de la foule, en comprenait le sens et était flattée. Elle devint une grande vedette.

Quand il y avait trop de monde, elle risquait d'être importunée. Les gens avaient un tel désir de la toucher qu'ils entraient parfois dans l'eau tout habillés. Certains lui tiraient brutalement la queue, s'efforçaient de la mettre sur le dos ou l'empêchaient de passer. Elle ne cachait pas son mécontentement et se mettait hors d'atteinte, sans se presser. Elle se bornait à frapper l'eau avec sa queue. Jamais elle ne manifesta sa contrariété sous une forme plus brutale.

Opo connut son jour de gloire lorsque les élèves de l'école d'Opononi vinrent tous en pique-nique sur la plage. Ils se baignaient joyeusement, lorsque quelqu'un eut l'idée de les faire mettre en cercle en se tenant par la main. Opo, comme si elle avait compris ce qu'on attendait d'elle, « entra dans la ronde » et se mit à jouer au ballon.

En mars 1956, une loi décida que personne n'avait le droit de capturer ou de molester un dauphin dans la baie de Hokianga. Quelques jours plus tard, Opo ne parut pas au bord du rivage, parmi les baigneurs, comme elle le faisait tous les jours. Quatre bateaux partirent à sa recherche. En vain.

Un vieil homme qui ramassait des moules la trouva morte, coincée entre des rochers. Il est peu probable qu'elle se soit laissé prendre au piège. Dans la région il arrive que les gens pêchent à coups d'explosifs. Si Opo s'est trouvée dans le voisinage, elle a probablement été victime d'une déflagration mortelle.

Son corps fut transporté jusqu'à la plage et enterré. Les gens du pays couvrirent sa tombe de fleurs.

## *La dauphine de La Corogne*

Il nous a été donné de participer à une aventure analogue à celle d'Opo.

Voici environ un an et demi, nous avons reçu à Paris une lettre d'Espagne nous signalant qu'aux environs de La Corogne un dauphin accompagnait les pêcheurs et s'approchait des nageurs, Bref, il se montrait particulièrement sociable.

Jacques Renoir, qui tournait notre film sur les dauphins, partit pour La Corogne, où il reçut un accueil chaleureux. Il fut aussitôt emmené en auto à une vingtaine de kilomètres de la ville, au bord de la calanque de Lorbé où se trouvait généralement ce dauphin baptisé Nino.

Ayant revêtu une combinaison de plongée, Renoir se met à l'eau et, effectivement, au bout de 5 minutes, il voit arriver un dauphin, une belle bête, qui vient jouer autour de lui, évoluant, tournant, le frôlant. Et tout à coup, sans crainte, l'animal s'approche et en une longue et lente glissade, il se frotte contre lui de tout son corps. Renoir le caresse et soudain le dauphin se met sur le dos, laissant voir son ventre clair. C'est une attitude caractéristique des femelles en chaleur. Renoir la caresse d'une manière plus précise, puis il tend son bras et la dauphine vient d'elle-même s'y frotter. Les Espagnols, qui en surface assistaient à ce spectacle, étaient un peu choqués, mais ne disaient rien.

Le jeu se prolongea encore un moment. Lorsque Renoir voulut remonter dans la barque, la dauphine essaya de l'en empêcher. Elle voulait continuer à goûter les plaisirs dont elle était sans doute privée.

Jacques Renoir n'avait plus qu'à expliquer à ses hôtes espagnols que leur dauphin Nino devait être appelée Nina. C'était une belle femelle de *Tursiops truncatus* de 2,50 mètres de long et d'environ 180 kg. Elle était adulte et devait être âgée d'une dizaine ou d'une douzaine d'années.

Le jour suivant, Renoir s'est mis à l'eau en compagnie d'un plongeur local qui travaillait au carénage de plusieurs pontons. Il connaissait déjà Nina parce que chaque fois qu'il était au fond, elle venait rôder autour de lui.

## *Un « sauvetage »*

José Freire Vazquez, qui a vécu toute l'aventure de Nina, a bien voulu nous faire le récit de sa première rencontre avec elle :

« Le premier à faire la connaissance de notre dauphine fut un plongeur sous-marin, Luis Salleres, qui, travaillant dans le parc à moules de Lorbé, fut tout surpris lorsqu'un dauphin apparut à ses côtés et le regarda travailler au fond de l'eau pendant un moment. Il le revit encore le lendemain et l'animal s'approcha plus encore. Salleres tenta de le caresser : non seulement le dauphin ne se dérobait pas, mais il semblait se prêter à cette familiarité.

« Lorsque Salleres raconta cette histoire à La Corogne, naturellement, personne ne le crut. Il est venu me voir, car il connaissait ma passion pour la biologie marine et le comportement animal. Je dois avouer que moi non plus je n'ai pas été tout à fait convaincu par ce qu'il m'a dit.

« Le jour suivant, nous sommes allés à Lorbé dans un petit canot. Luis Salleres avait revêtu son équipement de plongée et il s'est mis à l'eau. Au bout d'un moment, j'ai vu un dauphin s'approcher de notre embarcation, puis descendre à l'endroit même où avait plongé Luis. Quelques instants plus tard, tous les deux firent surface et ils commencèrent à nager l'un à côté de l'autre.

« J'étais stupéfait par ce que je voyais. Je n'ai pas pu résister au désir de me mettre à l'eau, moi aussi. Le dauphin ne demandait pas mieux que de jouer avec moi. Mais il me témoignait moins d'intérêt qu'à son ami le plongeur.

« Et il arriva ceci : après avoir passé un moment avec le dauphin, Luis s'éloigna pour aller chercher dans la barque sa caméra sous-marine. L'eau était froide. Je ne suis pas un excellent nageur... J'ai eu soudain la sensation que mes jambes étaient paralysées. J'ai été pris de peur. J'ai agité la main pour appeler Luis à l'aide. A ce moment le dauphin, comme s'il comprenait ma situation, s'est mis tout près de moi et il s'est complètement immobilisé jusqu'à ce que je le prenne à bras-le-corps. J'ai aussitôt repris confiance et j'ai pu attendre le retour de Luis. »

Pendant une semaine Jacques Renoir a plongé avec Nina. La barque était mouillée par fond de 10 ou 15 mètres et Renoir, équipé d'un scaphandre autonome, descendait jusqu'à l'ancre. Au bout de cinq minutes, la dauphine arrivait à la surface et elle descendait en spirale tout le long du cordage parce que le frottement lui causait des sensations agréables.

Elle arrivait droit sur Renoir. Lorsque celui-ci étendait la main, c'est elle-même qui venait y frotter son sexe.

« Nous jouions ainsi pendant une demi-heure ou trois quarts d'heure,

Nina et le plongeur espagnol Luis Salleres.

raconte Renoir. Il arrivait un moment où Nina faisait des bonds dans la mer. Elle s'élançait puis revenait aussitôt. Elle était comme folle. C'était une situation extraordinaire. Les frontières semblaient abolies entre l'animal et l'homme. Une étrange sympathie naissait. La peau de Nina était merveilleusement douce et la chair de son sexe paraissait nacrée dans la mer. Je serais bien incapable de dire ce qui s'est passé entre nous et de quelle nature étaient les sentiments que nous éprouvions l'un pour l'autre. Mais il y a pourtant eu quelque chose d'indéfinissable. D'ailleurs le plongeur espagnol Luis Salleres lui aussi éprouvait pour Nina des sentiments difficiles à expliquer. Sa femme était très jalouse de la dauphine et elle lui faisait des scènes de ménage. »

Une équipe de plongeurs de la *Calypso* est venue à La Corogne pour

D'autres dauphins sont venus jouer dans la baie de l'Orbé, Nina a feint de les ignorer.

participer au tournage du film. Cette équipe comprenait notamment Bernard Delemotte et Yves Omer. Jacques Renoir leur a dit :

— Vous verrez comme Nina est belle dans l'eau. Elle est même désirable.

Ils se sont moqués de lui, mais le premier jour où ils ont plongé avec elle, ils sont remontés en s'écriant :

— C'est vrai qu'elle est belle. Nous n'aurions jamais imaginé cela.

Ils étaient conquis.

## *Une gloire nationale*

Dans la petite ville de La Corogne l'aventure de Nina et la présence de notre équipe de plongeurs ont fait grande impression. Tous les notables de la ville se préoccupaient de la dauphine. Les journaux lui consacraient des pages entières. Nina qui n'avait d'abord été qu'un personnage local, était devenue une héroïne nationale. La télévision espagnole est venue à Lorbé tourner un film où l'on voit Nina jouer avec de nombreux nageurs et notamment avec les petits-enfants de Franco. Nina était devenue le symbole de l'amitié du peuple espagnol pour la mer. Les touristes affluaient au bord de cette petite crique isolée et l'unique bistrot était plein à craquer. Le prix du terrain s'est mis à monter et les gens ont fait fortune.

Les pêcheurs, qui auparavant étaient très pauvres, emmenaient les touristes voir Nina. Ils gagnaient en un jour ce que jadis ils ne gagnaient pas en un mois. A chaque week-end il y avait sur la route du bord de mer des embouteillages monstres et la police devait intervenir.

Nina continuait à se montrer très coopérative. Elle venait se faire caresser. Elle se mêlait aux baigneurs. Elle se tenait tout près des embarcations. Si elle passait d'un côté tous les curieux se penchaient vers elle. Elle apparaissait de l'autre côté et les gens se précipitaient, au risque de faire chavirer la barque. Des personnes tombaient à l'eau. C'était continuellement des cris, un va-et-vient de barques.

La patience de Nina paraissait sans limite. Certains dimanches il y avait bien deux mille personnes dans l'eau. Tout le monde la touchait. Certains montaient sur son dos. Les enfants lui tiraient la queue. Elle se laissait faire. Il arrivait tout de même un moment où elle en avait assez : elle disparaissait pendant une demi-heure, puis revenait comme si elle ne pouvait pas se passer de la foule. Elle évoluait toujours dans le même périmètre : un carré de 300 mètres de côté environ, et elle ne cherchait pas à sonder* profondément.

Nina se laissait prendre à bras le corps par Luis Salleres. Photo José Freire Vazquez.

Elle montrait une préférence marquée pour les nageurs qui portaient une combinaison de plongée. Elle jouait inlassablement à n'importe quel moment de la journée. Toutefois elle se réservait une heure vers midi pendant laquelle elle disparaissait, peut-être pour aller manger.

Jamais elle n'a accepté un poisson qu'on lui offrait.

Le cas de Nina ne ressemblait pas à celui de Dolly. Et c'est bien en cela qu'il était extraordinaire. Dolly était une dauphine qui avait été capturée et dressée, puis remise en liberté. Elle recherchait la compagnie des hommes parce qu'elle avait vécu avec eux, avait été nourrie par eux. Elle se conduisait comme un animal dressé qui refuse de reprendre son ancien état d'animal libre. Elle était conditionnée par son éducation et elle ne demandait qu'à faire des numéros. Mais il n'en était pas du tout de même avec Nina. Rien ne permettait de dire qu'elle avait été apprivoisée. Il n'existe d'ailleurs pas de Marineland au voisinage de La Corogne. Aurait-elle traversé tout l'Atlantique pour venir des Etats-Unis en Espagne ? Et seule ?

Son comportement en outre ne donnait pas à penser qu'elle avait subi un entraînement spécial et qu'elle avait auparavant été dressée de quelque manière que ce soit. Elle ne cherchait pas à faire des numéros, à jouer en surface, à sauter au-dessus de l'eau. Elle ne souhaitait que vivre dans le

Scène de tournage.

voisinage des humains et se faire caresser. Son attitude était aussi spontanée que l'avait été celle d'Opo. Mais Nina n'avait pas de préféré. Elle était toute à tous et pour cette raison elle était particulièrement vulnérable.

## *Un monument à Nina*

Les autorités de la ville et la Marine nationale espagnole, sentant bien leur responsabilité, avaient demandé des conseils pour veiller efficacement sur Nina qui faisait la fortune de la région. Un certain nombre d'interdictions furent imposées : ne pas circuler en hors-bord près de Nina pour ne pas la blesser avec les hélices, ne pas caler de filet dans la crique, elle risquait de s'y accrocher et de mourir noyée, ne pas tirer sur sa queue qui est fragile.

Un soir fut organisé un banquet, auquel participaient le maire, le commandant de la Marine, le préfet. A la fin du repas, Jacques Renoir fut invité à prendre la parole. Il le fit dans un espagnol un peu hésitant :

— Vous savez tout ce que Nina a fait pour vous. Elle attire les touristes, elle fait doubler le prix des terrains, elle fait marcher le commerce. Mais que faites-vous pour elle ?

— Nous lui donnons notre cœur.

— Il faut faire plus, dit Renoir. Il faut lui élever un monument. Par exemple sur la jetée de La Corogne.

Le lendemain les journaux entamaient une campagne pour recueillir des fonds. Le monument devait représenter un plongeur serrant un dauphin dans ses bras.

Hélas, Nina est morte avant que le monument fût ébauché.

« A la fin de novembre, des pêcheurs dirent qu'ils avaient aperçu Nina près d'un des parcs à moules et qu'elle semblait très malade, raconte José Freire Vazquez. Immédiatement Luis Salleres et moi-même nous nous sommes rendus à Lorbé, nous avons parcouru toute la baie en bateau et nous ne l'avons pas vue. Si elle avait été là, elle serait certainement venue vers nous comme elle faisait toujours.

« Cinq semaines plus tard, sur une plage voisine, San Pedro, s'échoua le cadavre décomposé d'un dauphin. Luis et moi avons reconnu les restes de la pauvre Nina.

« Qu'est-il arrivé ? Un accident ? Certains individus pêchent parfois à la grenade et Nina a pu être victime de l'explosion, comme l'avait été sans doute Opo. Elle a pu aussi s'accrocher dans un filet et périr noyée. »

Pendant la belle saison les pêcheurs gagnaient beaucoup d'argent en emmenant les touristes dans la crique. Mais l'hiver venant, les visiteurs se firent rares et les pêcheurs, pour vivre, souhaitèrent réinstaller leurs filets, ce qui leur avait été interdit. Se sont-ils débarrassés de la dauphine ?

Nina était restée au même endroit pendant cinq mois, recherchant inlassablement la compagnie des hommes. Elle semblait avoir renoncé à vivre parmi les siens, car un jour un groupe de *Tursiops* est arrivé et a pris position au large de la crique. Deux d'entre eux sont même venus tout près d'elle. Ils sont restés là pendant un quart d'heure, mais ils n'ont pas réussi à l'entraîner. Elle ne les a pas suivis.

Pourquoi une dauphine a-t-elle voulu vivre parmi les hommes et a-t-elle préféré leur contact à celui des animaux de son espèce ? Qui pourrait le dire ? Peut-être, comme nous l'avons supposé pour d'autres dauphins dont la conduite fut analogue, avait-elle été bannie de son groupe. Nina était-elle condamnée à l'exil, rejetée par le monde animal vers le pays des hommes ?

### *En captivité*

Les amours des dauphins entre eux ont été bien rarement observées en pleine mer, en revanche elles l'ont été souvent en aquarium.

Des jeux amoureux précèdent très longuement l'acte sexuel. Le mâle mordille la femelle, la caresse. Elle se dérobe, joue les coquettes. Tous deux tournent à toute vitesse et font jaillir de tous côtés l'eau de leur bassin. Il est très probable que la sexualité est beaucoup plus grande en captivité que dans la mer. C'est ce qui arrive à la plupart des animaux prisonniers dans des zoos.

En captivité il a été possible de suivre depuis le début l'idylle d'un dauphin qui a d'abord marqué au printemps un intérêt particulier pour une femelle alors que, pendant un an, il avait joué indifféremment avec tous les membres du groupe. Il lui a vraiment « fait la cour ». Il lui donnait de petits coups avec ses nageoires. Il lui mordillait le bec. Il la poussait du nez. Il criait, claquait des mâchoires. Ce manège, observé en différentes occasions, s'est poursuivi pendant plusieurs jours jusqu'à ce que la femelle y réponde à sa manière. Il se termina par un bref accouplement. Aussitôt le dauphin ne manifesta plus aucun intérêt à cette femelle et il se mit à en courtiser une autre.

La copulation elle-même est extrêmement brève. Les cétacés ont en effet un pénis fibro-élastique analogue à celui des artiodactyles* qui diffère du pénis vasculaire des carnivores et des primates. Le coït est donc extrêmement rapide : une à trente secondes, car l'érection, au lieu d'être obtenue

Jacques Renoir et Nina.

Double page suivante : un couple de dauphins photographiés en pleine mer.

par un afflux de sang, résulte de l'action d'un muscle. Mais l'acte peut se répéter à plusieurs reprises avec des intervalles de 15 minutes, chez *Delphinus delphis* notamment.

L'accouplement a lieu généralement en surface. Celui des *Tursiops* en aquarium a été plusieurs fois décrit.

Il est fréquent que la femelle prenne l'initiative et qu'elle se place de telle manière que la nageoire dorsale du mâle pénètre dans son orifice sexuel. Chez le *Lagenorhynchus,* le *Tursiops* et le globicéphale la femelle montre qu'elle est en chaleur en prenant l'initiative des jeux amoureux. Car les dauphins n'ayant pas d'odorat ne peuvent pas sentir les effluves caractéristiques, comme le feraient des mammifères terrestres.

Les dames dauphines possèdent un clitoris situé à l'entrée du vagin qui a environ 5 cm de profondeur. Le mâle a un pénis triangulaire et aplati inséré dans un fourreau à l'intérieur du corps. Il le sort comme une lame de couteau. On peut l'entraîner à le faire entrer très rapidement en érection car l'animal exerce sur lui un contrôle volontaire.

## *Jeux amoureux*

Les scènes prénuptiales peuvent être d'une grande beauté (1). Les animaux s'entrelacent, se courbent, tournent, posent leur tête sur le cou du

(1) Antony Alpers en a décrit quelques-unes dans *Dolphins.*

partenaire, nagent souplement côte à côte. Ils dansent un véritable ballet. Parfois le mâle saisit la femelle au milieu du corps avec ses ailerons. Tous deux se mordillent. Leurs sifflements et leurs cris s'entendent même hors de l'eau.

Les préliminaires aimables et tendres peuvent durer une demi-heure ou une heure. Ce qui suit est plus brutal. Le mâle s'élance comme s'il voulait heurter la femelle, tête contre tête. Mais à la dernière fraction de seconde, il se détourne d'un prodigieux coup de reins et les deux corps se frottent intensément l'un contre l'autre.

C'est alors qu'interviennent des contacts répétés du pénis avec la région ventrale de la femelle.

A l'instant décisif le mâle se glisse sous la femelle presque perpendiculairement à elle. La partie arrière de son corps et la queue se ploient au-dessus d'elle. Cette position rappelle celle à angle droit de certains requins. Mais il y a des variantes.

Aux Marine Studios de Floride les accouplements ont lieu surtout la nuit ou très tôt le matin. Le mâle approche la femelle par derrière, sur le côté, perpendiculairement ou selon un angle intermédiaire. L'érection survient brusquement. Chez le *Tursiops* il existe deux possibilités d'accouplement : le pénis peut ne pénétrer que de la moitié de sa longueur dans le vagin et l'accouplement ne dure que dix secondes. Ou bien il y pénètre entièrement et l'acte dure trente secondes. Il s'accompagne souvent de mouvements rythmiques du pelvis*.

On a pu décrire à plusieurs occasions un autre type d'accouplement. Le *Steno,* l'orque, le *Stenella plagiodon* s'accouplent ventre à ventre à la surface de l'eau mais en position horizontale.

## *Un seul petit*

Pendant toute la grossesse, la femelle *Tursiops* se tient un peu à l'écart du groupe, mais elle évolue volontiers en compagnie d'une autre femelle qui l'assistera au moment de la mise bas. Elle pratique une véritable gymnastique prénatale. Elle incline la tête et la queue vers le fond du bassin, puis elle se redresse vers la surface. On a vu certaines futures mères pratiquer ces exercices pendant plus d'une heure de suite.

Il est de règle que la dauphine ne donne naissance qu'à un seul petit. Cependant il y a parfois des jumeaux.

La gestation dure un an chez les *Tursiops* et onze mois chez *Delphinus delphis.* La lactation seize mois.

La première naissance de cétacé en captivité eut lieu à l'aquarium de Brighton en Angleterre en 1914, mais le petit était mort-né.

En février 1947, aux Marine Studios de Floride, une femelle *Tursiops,* Mona, qui avait été capturée enceinte sur la côte de Floride, a donné naissance à une femelle bien vivante qui fut appelée Spray. Cet événement a permis des observations importantes. Le petit ne se présente pas par la tête, mais par la queue. Le cordon ombilical se rompt de lui-même. Le nouveau-né dont les poumons ne contiennent pas encore d'air risque de couler dès qu'il sort du corps maternel. Il faut donc le soutenir et le porter vers la surface pour qu'il prenne sa première goulée d'air. C'est ce que sa mère se hâte de faire, mais le plus souvent elle est aidée par une autre dauphine qu'on appelle « la tante » ou la « sage-femme ». L'une et l'autre poussent le petit corps vers le haut avec le nez. Peut-être faut-il voir dans cette intervention indispensable l'origine de l'habileté que montrent les dauphins à se servir de leur rostre pour lancer une balle ou un anneau ou même pour sauver un homme qui se noie.

Mais certains auteurs contestent que la mère pousse le nouveau-né en surface. Selon eux, il monterait de lui-même respirer, sa mère se bornant à l'accompagner.

Nina photographiée en plongée peu de jours avant sa mort. Photo José Freire Vazquez.

Le jeune à la naissance est déjà lourd et assez grand. C'est un animal très complet et qui possède tous les organes de l'adulte. C'est la raison sans doute pour laquelle la gestation est si longue. Il pèse 10 à 15 % du poids de sa mère et mesure le tiers de la longueur de son corps. Il faut en effet qu'il ait la force de nager et qu'il soit capable de réagir contre le froid en maintenant sa température interne.

## *Education sexuelle*

Les dauphines, comme toutes les femelles de cétacés, éprouvent un amour maternel très vif. Elles veillent sans cesse sur leur enfant qui nage tout contre elles et elles le défendent avec passion, notamment contre les requins. Leur lait est extrêmement riche. La paire de mamelons est située de chaque côté du sexe. Comme chez la baleine, un muscle mammaire permet à la dauphine qui s'incline légèrement sur le côté, d'envoyer un jet de lait dans la bouche de son petit.

Le lait des cétacés contient 35 à 40 % de matières grasses, ce qui permet au jeune dauphin de grandir très vite. Mais il ne peut se nourrir lui-même que lorsqu'il lui pousse des dents, c'est-à-dire vers cinq ou sept mois. L'allaitement peut se prolonger bien au-delà, parfois jusqu'à deux ans.

Les petits mâles, quelques heures après leur naissance, peuvent avoir des érections. Elles sont provoquées par le contact avec la mère. En effet les dauphins sont déjà pleinement développés à leur naissance.

Les premières tentatives d'accouplement ont pour objet la mère et cela dès les premières semaines qui suivent la mise au monde.

La proximité des mamelles et de l'orifice génital de la femelle joue certainement un rôle dans cette précocité. Le petit en cherchant à téter éveille l'excitation maternelle. Il n'est pas rare que la dauphine provoque elle-même l'érection du petit. Elle se place alors sur le côté et favorise l'accouplement. C'est la première leçon d'éducation sexuelle.

Cependant un mâle ne peut féconder une femelle avant l'âge de sept ans environ. Et c'est au même âge que la femelle atteint sa maturité.

Les dauphins sont des animaux très ardents en amour. Jacques Renoir n'a pas été le seul à en être témoin.

Remington Kellogg, cétologiste très connu, était aimé d'un dauphin mâle pensionnaire d'un Marineland. L'animal s'efforçait de toutes les manières de le faire tomber dans son bassin. Il y est parvenu deux fois et il a réussi à lui manifester ses sentiments de la manière la moins douteuse. Kellogg a eu le plus grand mal à sortir de cette situation.

En captivité, certains dauphins deviennent homosexuels. Il est arrivé que deux d'entre eux attaquent la femelle que l'on venait de placer dans leur bassin et il a fallu la retirer en toute hâte : ils l'auraient tuée.

## *Peter et Margaret*

John C. Lilly a demandé à une de ses assistantes, Miss Margaret Howe, de vivre en permanence avec un dauphin, d'abord pendant sept jours, puis pendant deux mois et demi.

L'expérience s'est passée au laboratoire de Saint Thomas, dans les îles Vierges.

Le dauphin s'appelait Peter, et Margaret restait avec lui jour et nuit.

Lilly pensait que cette cohabitation permettrait au dauphin de faire de grands progrès dans l'apprentissage d'un langage.

Peter disposait d'un bassin au milieu duquel, sur une plate-forme, était installé le lit de Margaret. La nuit, il sommeillait dans l'eau à côté d'elle. Au cours de la quatrième semaine il commença à prendre goût aux jeux à deux. Il avait des érections. Au bout d'un mois voici ce qu'écrit Miss Howe :

« Ses désirs entravent nos relations... Il se presse contre mes jambes, tourne autour de moi... Auparavant quand Peter s'excitait, je pouvais le calmer en saisissant son pénis. Il se pressait contre moi et atteignait une sorte d'orgasme, bouche ouverte, yeux fermés, tremblant. Au bout de deux ou trois fois il paraissait satisfait, mais maintenant dans l'eau je suis à sa merci. »

Le remède a consisté à mettre Peter dans un autre bassin avec deux dauphines. Le lendemain ses ardeurs étaient momentanément calmées.

Au cours de la quinzaine suivante, sous prétexte de jouer à la balle, Peter a réussi à vaincre les craintes de Margaret et il a inventé un jeu amoureux qui consistait à lui mordiller doucement les jambes et à les tenir longuement dans sa gueule sans serrer.

Dans ses approches sexuelles, Peter était devenu très tendre. Il n'essayait plus de pousser ou de renverser Margaret.

Au bout de deux mois d'expérience, Peter avait prouvé qu'il ne couperait pas un bras ou une jambe à Margaret, et qu'on pouvait se fier à lui. De son côté il avait témoigné sa confiance à Margaret en la laissant manier son sexe (1).

C'est l'exemple de rapprochement le plus étroit que l'on connaisse jusqu'à présent entre un dauphin et une femme.

(1) J.C. Lilly, *The mind of the dolphin,* Doubleday and Cie, 1967.

Le cinéaste de la *Calypso*, Michel Deloire, filme les dauphins qui font du surf sur la lame d'étrave.

# 6

# sur les chemins de la liberté

UN JAUNE TROP VOYANT — “ ÇA MARCHE ”
UNE NOUVELLE PINCE — PREMIÈRES PRISES
UN VÉRITABLE CARROUSEL — EN AVEUGLE
DU TRAVAIL POUR UN AN — BRÈVES RENCONTRES
UN DAUPHIN CINÉASTE

Je désirais depuis très longtemps consacrer un film aux dauphins. Mais je ne voulais pas montrer les dauphins d'aquarium déformés et pervertis par la captivité et par leur contact permanent avec les hommes. Je savais que ces « animaux savants » habitués à donner des représentations ne pouvaient pas nous révéler les véritables modes de vie des mammifères marins en liberté. D'ailleurs leur comportement en captivité avait été souvent décrit et filmé.

Seuls, les dauphins en pleine mer me paraissaient mériter tous nos efforts et je pensais qu'avec notre équipe de plongeurs et toutes les ressources de la *Calypso,* nous pouvions faire œuvre utile.

Nous étions probablement parmi les rares plongeurs qui aient eu de nombreuses occasions de tenter d'approcher les dauphins au cours de nos croisières. Nous les avons observés souvent d'assez près, soit qu'ils viennent nager autour de la *Calypso,* soit que nous les suivions en zodiac.

L'expérience que nous avions acquise et surtout les observations qu'avait faites Falco sur les *Delphinus delphis* devaient nous permettre de mener à bien le film dont je rêvais et dont j'ai confié la réalisation à Jacques Renoir.

C'est au voisinage du détroit de Gibraltar et au large de Malaga qu'au cours de nos croisières antérieures nous avions souvent rencontré des dauphins, ainsi que de nombreux cétacés. C'est pour cette raison qu'en décembre 1970 j'ai décidé de commencer le tournage de notre film dans cette partie de la Méditerranée.

Nous savions que filmer des dauphins en liberté était un véritable tour de force. Il n'était pas question de les rattraper ou de les approcher en plongée. Depuis la *Calypso* même nous ne les voyions jamais de face. Ils se plaçaient devant l'étrave et nous ne filmions que leur queue alors que nous aurions tellement aimé photographier leur tête, leur « sourire », leur regard.

Pour y parvenir j'ai fait installer à l'avant de la *Calypso* un bras extérieur sur lequel nous avons fixé une caméra sous-marine tournée vers l'étrave. Nous allons peut-être, grâce à ce dispositif, pouvoir montrer ce que l'on n'a jamais vu : des dauphins de face, nageant en pleine mer.

C'est Yves Omer, caméraman sous-marin, qui a mis au point cette installation. Un bras de support a été fixé à l'étrave et fortement haubanné* pour éviter dans toute la mesure du possible les vibrations. Une caméra sous-marine et un appareil de télévision ont été couplés dans un caisson qui tourne autour d'un axe afin de pouvoir modifier aisément l'angle de prise de vues. Les appareils sont commandés à distance.

La chambre d'observation de la *Calypso,* située tout en bas du « faux-nez » doit nous permettre d'observer l'approche des dauphins et de surveiller le fonctionnement de la caméra.

## *Un jaune trop voyant*

*17 janvier 1971.* Nous naviguons au large de Malaga et comme nous l'avions prévu, nous ne tardons pas à rencontrer un banc de dauphins. Nous nous apprêtons aussitôt à les filmer, mais à notre grand désappointement ils ne viennent pas jouer devant l'étrave. Je crois que notre installation de caméra leur fait peur. Nous avons beau nous promener au large des côtes d'Espagne, franchir Gibraltar, tous les bancs de dauphins que nous rencontrons nous dédaignent. Et cependant notre capitaine, Philippe Sirot, accomplit pour les attirer les manœuvres les plus subtiles. Il remonte doucement chaque groupe, progresse en douceur parallèlement. Rien n'y fait. Il doit y avoir quelque chose. Tous ces appareils que nous avons placés sur notre coque inspirent sans doute de la méfiance aux dauphins. Je vais sur l'avant et je me penche au-dessus de l'étrave. Soudain je crois deviner ce qui se passe : les bras fixés sur la *Calypso* et le caisson des caméras ont été

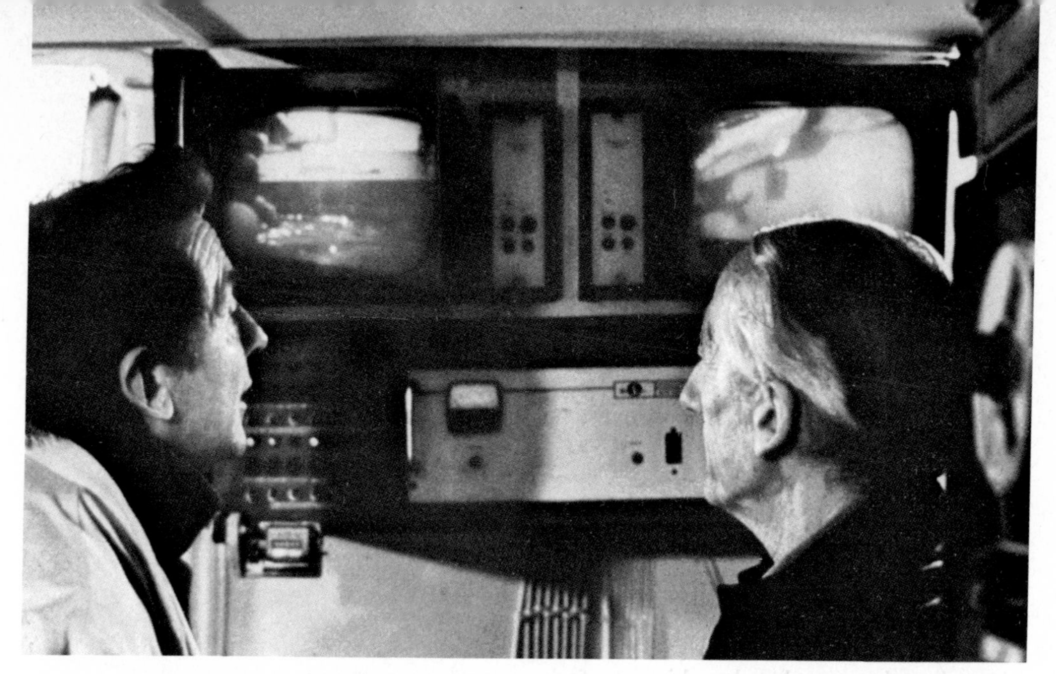

Le professeur Busnel et le commandant Cousteau regardent à la télévision au carré de la *Calypso* les évolutions des dauphins devant l'étrave.

peints en jaune. C'est une couleur très voyante dans l'eau. Il faut démonter tout cela et le repeindre de la même couleur que la coque : en rouge foncé.

Nous revenons à Malaga et la corvée de peinture est vivement menée. Nous reprenons la mer. Le premier banc de dauphins que nous croisons nous entoure aussitôt. Je m'installe avec Yves Omer au poste central pour surveiller la scène sur les écrans de télévision. Enfin, pour la première fois, nous voyons les dauphins de face. Notre système est bon ! Le dispositif installé par Yves Omer comporte une autre caméra de télévision qui nous montre sur un autre écran les dauphins vus également par derrière.

« *Ça marche !* »

Nous sommes enthousiasmés tous les deux. Je crie :

— Ça marche !..

Il y a une foule de dauphins. Chacun à son tour vient se faire pousser par la vague d'étrave. Ils avancent sans effort. Leurs battements de queue sont très espacés. Autrefois, sur l'*Elie Monnier,* j'avais calculé que pour atteindre une vitesse de 10 nœuds, ils faisaient 120 battements à la minute, 2 battements par seconde, mais là ils font beaucoup moins : peut-être un battement et quart à un battement et demi par seconde.

Ils ne se placent pas droit en avant de l'étrave. Leur corps est incliné, tantôt d'un côté, tantôt de l'autre. Sans doute ont-ils toujours un œil dirigé vers le haut.

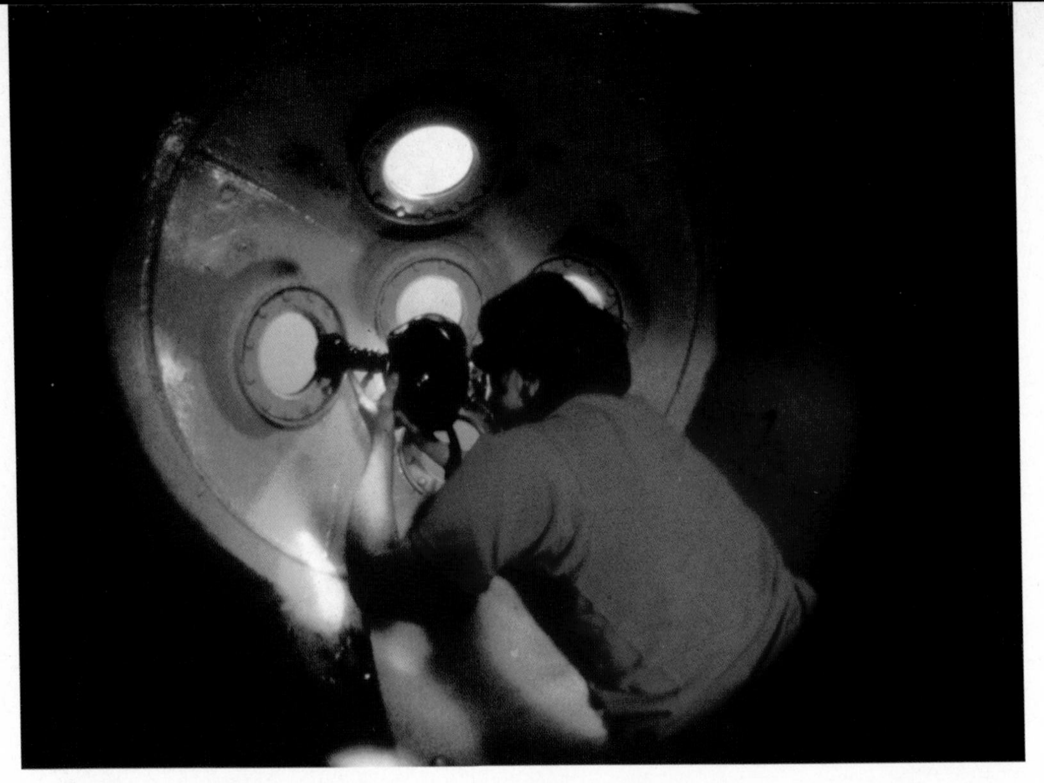

— Ils sont méfiants quand même, dit Yves Omer. Ils veulent bien venir sur l'étrave, mais ils prennent leurs précautions.

Pourtant certains se risquent à passer entre l'avant et la caméra sous-marine. Ils passent d'un bord à l'autre, prêts à piquer du nez en cas de danger. Parfois ils se couchent sur le flanc et l'on voit briller leur ventre clair. Ils évoluent en souplesse, nous distançant dès qu'ils veulent.

— Quand je pense, dis-je, que nous avons à bord une puissance de 1 200 chevaux et qu'eux, sans effort, nous surclassent et nous battent de vitesse.

Le dauphin est l'animal qui dispose de la plus grande puissance proportionnellement à son poids de muscles.

Nous sommes maintenant au milieu d'un banc de dauphins d'un nombre considérable. Ils se pressent autour de nous. Ils sont probablement un millier.

Leur allure nous émerveille.

Le dauphin n'utilise pas ses ailerons latéraux pour nager et sa dorsale ne lui sert probablement que de stabilisateur. S'il est capable d'avancer à une vitesse considérable, c'est à cause de sa forme merveilleusement hydrodynamique et aussi grâce à sa queue très puissante qui se déplace de bas en haut dans le plan horizontal et non pas latéralement comme celle des poissons. Elle peut aussi s'incliner sur les côtés même quand l'animal se déplace très rapidement.

On peut voir dans les Marinelands les *Tursiops* reculer ou avancer à toute allure à la surface de leur bassin debout sur leur queue. Tous ces mouvements sont réalisés grâce à la formidable musculature du pédoncule caudal, répartie au-dessus et au-dessous de la colonne vertébrale.

A l'intérieur de la chambre d'observation de la *Calypso*, Gérard Petiot filme les dauphins.

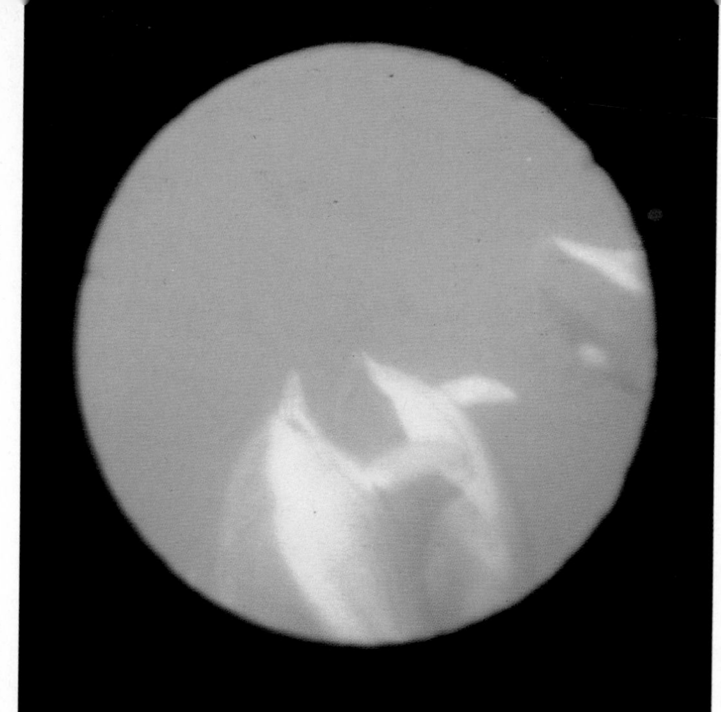

Les dauphins vus à travers le hublot.

Un dauphin passe devant la chambre d'observation et la caméra automatique placée à l'avant de la *Calypso*.

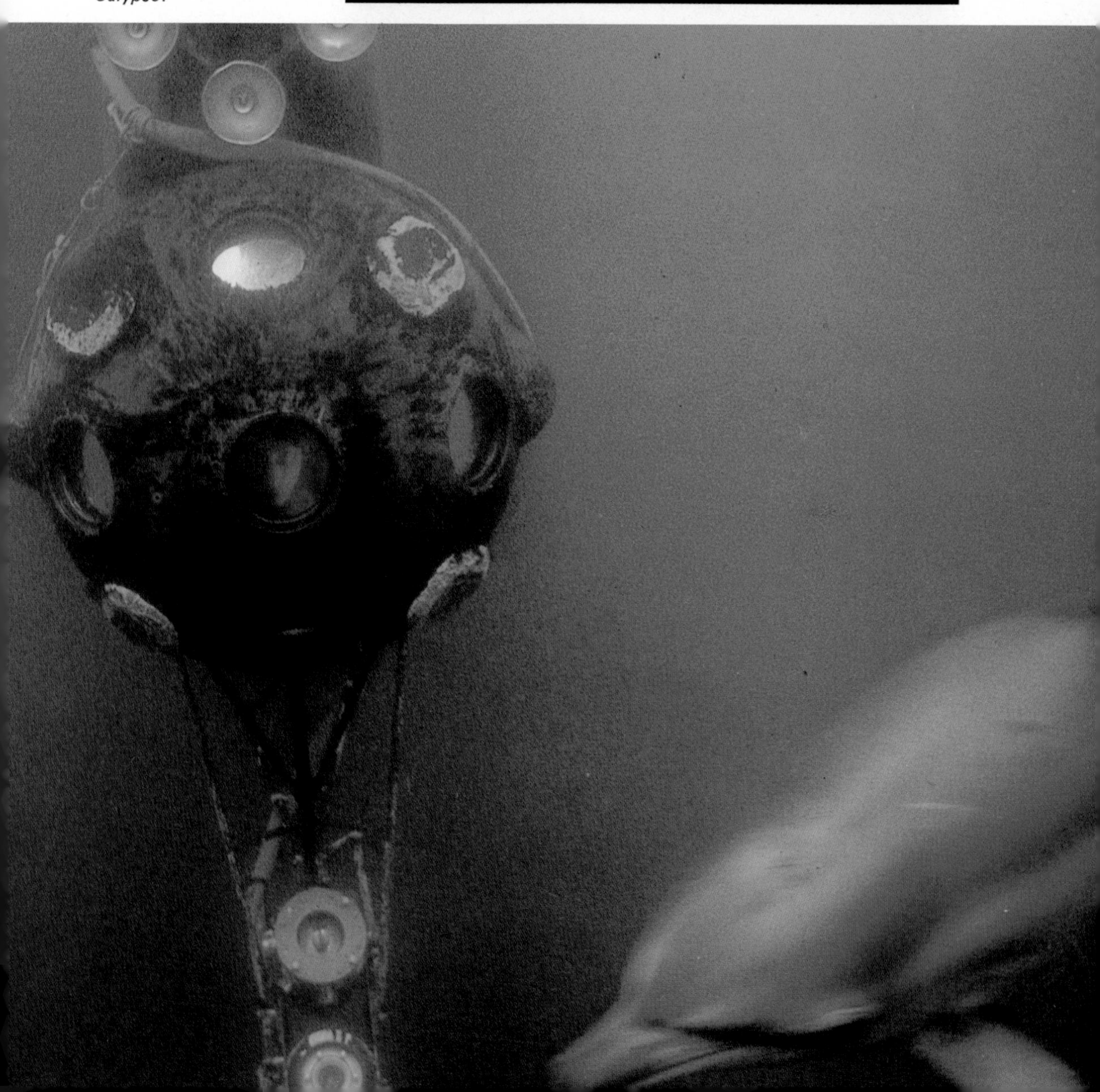

Et pourtant cette queue est celle des mammifères terrestres, mais modifiée et parfaitement adaptée à la vie aquatique.

Les dauphins gardent dans leur corps des vestiges de leur vie terrestre : des os situés à proximité de la région anale et qui furent un pelvis et deux « membres ». Quant à leurs ailerons ils comportent tous les os de la main, du poignet et du bras.

## *Une nouvelle pince*

J'ai demandé à plusieurs chercheurs scientifiques de participer à notre « expédition dauphins ». MM. A. Dziedzic, ingénieur de recherches au Laboratoire de physiologie acoustique animale, Alain Hellion, chercheur de l'Institut de physique et chimie de Lyon, et Bernard Gautheron, technicien à l'Institut de phonétique, nous ont apporté leur concours. Le professeur R.G. Busnel est venu nous rejoindre par la suite.

Nous avons embarqué sur la *Calypso* un bassin flottant conçu par Albin Dziedzic et réalisé par le Laboratoire de physiologie acoustique de l'INRA à Jouy-en-Josas. C'est une piscine triangulaire de 6 mètres de côté soutenue par des boudins remplis d'air. Un filet qui descend à 4 ou 5 mètres est accroché aux flotteurs et tendu au fond par des éléments rigides. C'est là que nous mettrons pour un temps très bref les animaux à observer. Nous les relâcherons aussitôt.

Nous essayons notre nouvelle piscine en la mettant à l'eau dans le port de Malaga. Tout se passe bien.

*19 janvier.* Nous quittons Malaga, malgré un mauvais temps de Sud-Ouest.

Une plate-forme a été fixée à l'avant de la *Calypso* et Falco va essayer de capturer un dauphin, comme il le faisait treize ans plus tôt.

R.G. Busnel a apporté une nouvelle pince. Elle est en forme de U, comme celle dont se servait Falco, mais elle se termine par un long manche en bois. Un sac en filet est attaché à la pince par de petits fils. Le jeu consiste non plus à lancer l'instrument avec un harpon, mais à le placer devant le nez du dauphin. Celui-ci en poussant casse les fils, déploie le filet et s'y enferme lui-même. La fourche métallique ne touche pas le dauphin. Falco continue de la tenir à la main. Un nylon attaché au filet est relié au zodiac qui suit à toute allure.

Les premiers essais échouèrent. Le temps était trop mauvais, la *Calypso* roulait et il était impossible de viser un dauphin. La plate-forme de l'avant ne permettait pas de manier la pince absolument à la verticale. Il a fallu la remplacer par une poutre qui avait servi autrefois sur la *Calypso* à immerger un sondeur. Elle débordait de près de 3 mètres l'avant du bateau et permettait de se tenir juste au-dessus des dauphins évoluant devant notre navire.

Il faut d'ailleurs remarquer en passant que tous les dauphins n'ont pas l'habitude de se faire pousser par la lame d'étrave. Ceux qui le font sont les *Delphinus delphis,* les *Lagenorhynchus,* les *Tursiops* mais pas toujours, les *Steno,* dont Busnel a capturé un exemplaire qui était le premier à se faire prendre vivant (1).

Les globicéphales viennent parfois jouer à l'avant des bateaux mais les *Phocoena* jamais.

Il a fallu également modifier la pince. Les mailles du filet étaient trop grosses et blessaient l'animal. Les attaches qui le retenaient étaient trop faibles ou trop résistantes. Enfin nous sommes parvenus à mettre au point un engin presque idéal.

### *Premières prises*

Le 24 janvier, Falco, installé sur la poutre, ne peut pas viser le dauphin qui se trouve juste au-dessous de lui et qui se laisse pousser par la vague d'étrave. Il en vise un autre qui nage un peu sur le côté et place la pince exactement à la verticale. Le filet a un grand avantage : l'animal est si surpris qu'il s'immobilise. La *Calypso* stoppe. Le zodiac s'élance et fait de véritables bonds de lame en lame. En raison de l'état de la mer il a du mal à tenir l'allure. Mais Delemotte et Giacoletto qui manient l'embarcation s'en tirent avec leur maestria habituelle. Ils rattrapent le dauphin, le saisissent, le mettent dans le zodiac et le montent à bord. L'animal tremble.

Toute l'opération a duré une minute. Il faut qu'elle soit extrêmement rapide sinon le dauphin en état de choc risque de mourir étouffé. Pas une fois au cours de ces captures nous ne perdons un animal pendant cette première phase de l'opération. La coordination entre Bébert et les occupants du zodiac est parfaite.

Busnel administre aussitôt à notre dauphin un tonicardiaque.

Mais le temps est de plus en plus mauvais. Aucune expérience n'est possible. Il faut revenir à Malaga. Le dauphin se déshydrate et on lui instille au goutte-à-goutte du sérum glucosé. Le bac dans lequel nous l'avons mis sur la plage arrière de la *Calypso* est bien petit et par une mer aussi dure

(1) Espèce décrite et connue seulement à l'époque à partir d'un exemplaire découvert mort en 1880.

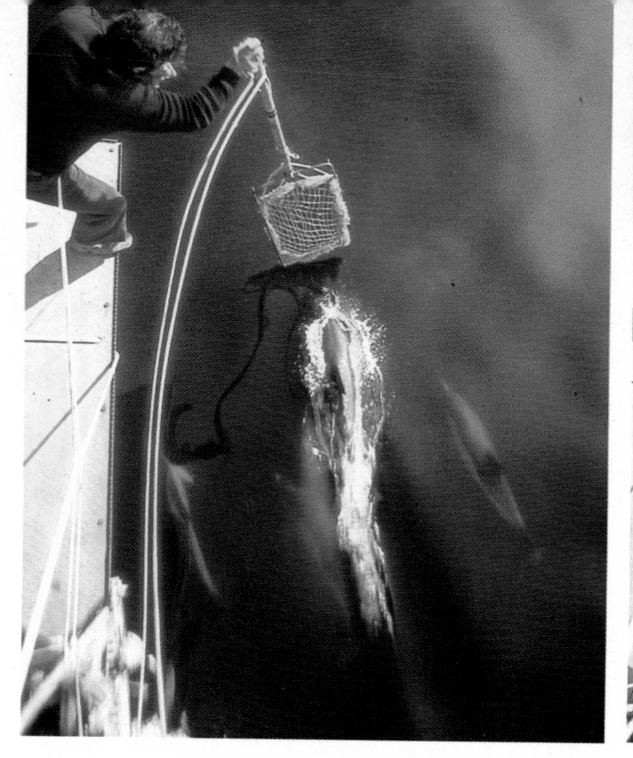

Les différentes phases de la capture d'un dauphin par Falco : le filet doit coiffer la tête de l'animal qui est finalement capturé par le zodiac.

l'animal se cogne aux parois. Nous disposons de la mousse de plastique au fond du bac et sur les côtés pour qu'il soit soutenu et qu'il ne se blesse pas.

Dès que nous sommes à quai dans le port de Malaga, nous mettons à l'eau le bassin gonflable, et nous y plaçons le dauphin. Sur le filet ont été attachées des bandes de nylon orange car nous avons peur que les dauphins ne voient pas les mailles.

Falco se met à l'eau pour guider notre prisonnier qui est engourdi et n'ose pas encore trop se déplacer, mais au bout d'un quart d'heure il nage normalement. Cependant nous jugeons prudent de lui maintenir l'évent hors de l'eau en lui fixant de petits coussinets sous le bec.

Hélas, dans la nuit même, la tempête atteint son paroxysme. A l'intérieur du port les lames sont de plus en plus fortes. La *Calypso* casse deux aussières*. La piscine flottante, déséquilibrée, se replie et lorsqu'enfin un plongeur peut y pénétrer, il trouve notre dauphin pris dans les mailles. Il est mort noyé. Nous sommes navrés.

Il faut attendre la fin du mauvais temps pour repartir pêcher un autre dauphin.

Falco, toujours aussi adroit, du premier coup, en capture un de 100 kg. La mer était calme et absolument lisse. Bébert a pu mettre la pince presque au ras de l'eau. Lorsque le dauphin est venu respirer, d'un mouvement vif il l'a coiffé avec la pince et l'animal s'est pris au piège sans se blesser.

Ce n'est ni un *Tursiops* ni un *Delphinus,* c'est un *Stenella styx,* plus gris que le *Delphinus.*

La piscine est aussitôt mise à l'eau. Elle est encombrante, mais relativement légère. Nous la gardons gonflée sur la plage avant. L'équipe a pris le coup de main pour la faire glisser dans la mer. La haler à bord est plus difficile. Tout le monde s'y met, mais il faut surveiller le filet qui s'accroche partout. Tel quel, c'est tout de même un engin merveilleux. Nous y lâchons le dauphin. Il se plante tout droit, au centre du bassin et n'en bouge plus. Tout ce que nous obtenons, c'est qu'il monte et descende dans sa piscine, au lieu de tourner en rond. Il n'y a rien à faire de lui. Je donne aussitôt l'ordre de le relâcher et il file à toute vitesse, prouvant ainsi qu'il peut, quand il le veut, nager tout comme un autre.

Le lendemain, Falco réussit à capturer un autre dauphin. Nous le mettons dans le bassin où il apprend vite à tourner en rond. Nous décidons d'installer pour lui des hydrophones*. Nous allons enregistrer ses sifflements et ses cris. Par une nouvelle malchance, nous sommes tombés sur un dauphin qui n'est pas bavard. Il a crié une seule fois au moment de sa capture et deux fois dans la nuit. Puis il se tait obstinément. La journée se passe à attendre qu'il veuille bien « parler ». Nous perdons notre temps et nous nous sentons un peu ridicules.

A 6 heures du soir des grains venus de l'est s'abattent sur nous. Impossible, par un temps pareil, de maintenir la piscine à flot. Falco libère sans regret le dauphin taciturne et nous plions bagage aussi vite que possible.

Le temps est décidément trop mauvais pour que nous puissions travailler efficacement. D'autres tâches attendent la *Calypso*. Nous reprendrons l'opération dauphins plus tard.

## *Un véritable carrousel*

*5 avril.* La *Calypso,* de nouveau basée à Malaga, repart à la recherche des dauphins au voisinage de Gibraltar. Les caméras de télévision et de cinéma tournées vers l'étrave ont été remises en place. Et bientôt sur les deux écrans le spectacle est fantastique : les dauphins très nombreux se livrent à un véritable carrousel, se poussant, se frôlant. Parfois leur tête au large « sourire » apparaît en gros plan, et au poste central tout le monde se met à rire.

Nous apercevons nettement au-dessus de leurs têtes des sillages de bulles quand ils sifflent.

Falco a repris son poste sur la poutre devant l'étrave et du premier coup il attrape une dauphine qui est mise aussitôt dans le bassin. A 10 heures, elle est déjà habituée à sa piscine où elle évolue sans crainte. Mais de temps à autre elle pousse sur l'un des boudins avec sa tête, cherchant une sortie.

La mer étant de nouveau mauvaise, il fallut retirer la dauphine du bassin et la mettre dans un des deux grands bacs que nous avions installés sur la plage arrière. Le cérémonial était toujours le même : Falco prenait l'animal dans ses bras. Il le passait doucement à Bernard Delemotte, qui le mettait à son tour dans les bras d'Yves Omer, qui, sur la *Calypso,* se tenait près du bac. Tout cela ressemblait beaucoup à une opération de sauvetage. Les dauphins, hors de l'eau, ne peuvent pas supporter la pesanteur. Leur propre poids leur est fatal : ils se « cassent ». Il faut donc, lorsqu'on les transporte, ne jamais cesser de les soutenir. Leurs vertèbres sont fragiles.

Falco n'était pas le seul à s'inquiéter de la santé des dauphins que nous avions à bord. Bernard Delemotte les surveillait constamment. Il discernait la plus petite plaie et réclamait l'intervention du docteur.

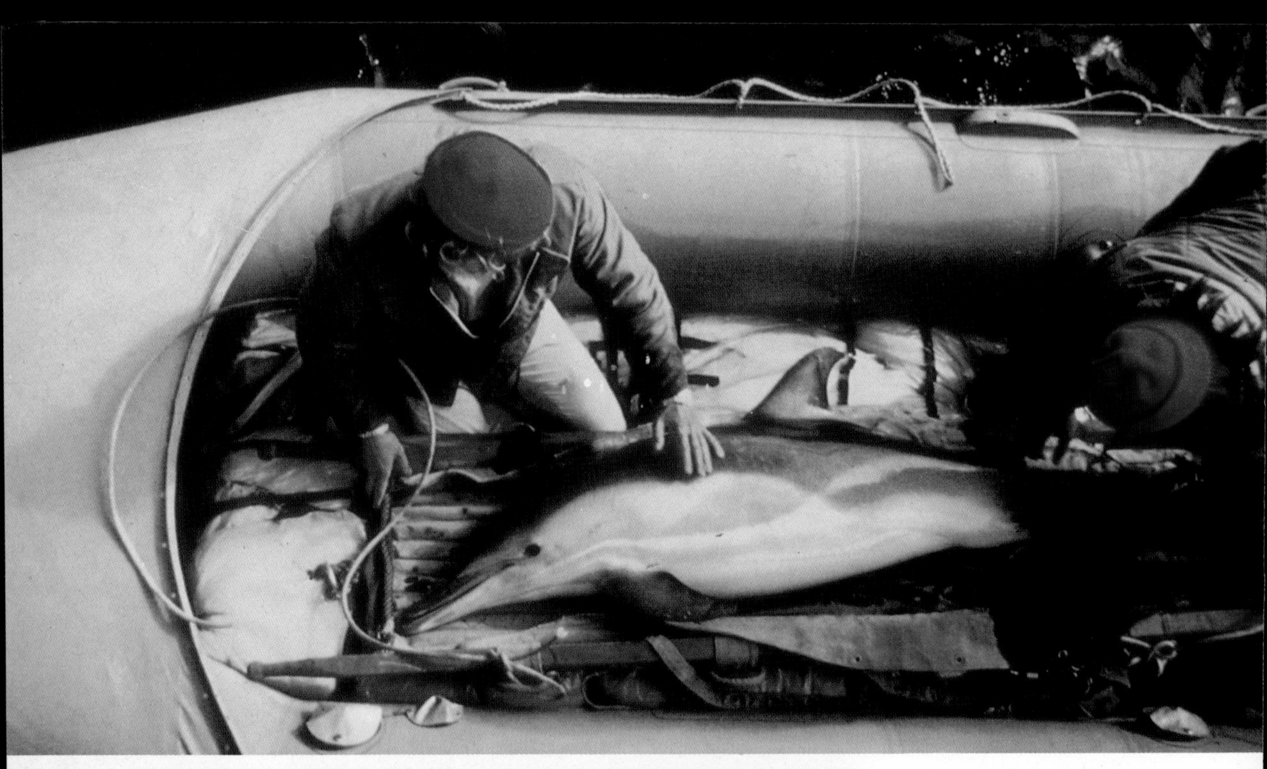

Le dauphin a été embarqué à bord du zodiac.

Le dauphin est hissé avec la grue à bord de la *Calypso*.

Yves Omer donne les premiers soins au dauphin qui a été placé dans un bac sur la plage arrière de la *Calypso*.

— Combien de fois ne m'a-t-il pas réveillé en pleine nuit, dit le docteur François, pour me demander d'aller voir immédiatement le dauphin « qui avait un drôle d'air ». Il me rappelait ces parents qui s'affolent tout de suite pour un bobo de leur enfant et exigent qu'on vienne dans l'instant parce que « le petit a sûrement quelque chose ». Heureusement la plupart du temps ces alarmes étaient vaines.

Evidemment nous savions bien que le tangage et le roulis pourraient lancer le dauphin sur les parois du bac ou le laisser à sec. Nous comptions sur la mousse de plastique pour atténuer les chocs.

Les dermatoses qui apparaissaient aussi sur la peau de nos pensionnaires nous causaient de grands soucis. Le fait seul de les prendre à pleins bras, même très doucement, pouvait provoquer des lésions légères mais qui ne tardaient pas à s'envenimer.

Le professeur Busnel nous avait assuré que pour nourrir un dauphin de 70 kg il fallait lui fournir au moins 8 kg de poissons par jour.

Falco avait mis son point d'honneur à faire manger la dauphine. Il lui glissait des sardines dans le bec. C'étaient des sardines toutes fraîches qui avaient été pêchées la nuit même au lamparo*. On voyait briller son œil mais elle refusait d'avaler. A force d'insistance et de douceur Falco est tout de même arrivé à la faire manger.

Le 15 avril nous trouvons de nombreux dauphins au large de Gibraltar, Falco capture un mâle de 90 kg. L'état de la mer permet d'installer le bassin flottant et nous l'y mettons aussitôt. Grâce aux hydrophones, Dziedzic et Gautheron enregistrent les sifflements du début de la captivité. Ainsi que nous le constaterons souvent par la suite, c'est surtout dans le premier moment que l'animal siffle, lorsqu'il se rend compte qu'il est prisonnier. Les appels durent un quart d'heure ou 20 minutes. Puis lorsque le dauphin commence à tourner en rond dans son bassin, il se tait. Si les autres dauphins sont dans le voisinage ils répondent aux sifflements, mais lorsqu'ils constatent qu'ils ne peuvent rien pour leur camarade, qui ne les appelle même plus, ils s'éloignent.

Le deuxième dauphin est baptisé Fox Trot.

A bord de la *Calypso,* secoués dans leur bac par le roulis, les deux dauphins sont mal à l'aise, malgré toutes les couches de mousse dont nous les avons entourés. Ils sont malades. Nous savons bien ce qui leur arrive : ils ont le mal de mer. Il y a longtemps que nous avons constaté sur la *Calypso* que les animaux marins en sont victimes tout comme les hommes (1).

Une fois de plus le mauvais temps nous oblige à mettre notre nouveau pensionnaire dans le deuxième bac installé sur la plage arrière de la *Calypso.* Les deux bassins sont placés à 4 mètres de distance. Nous avons l'impression que les dauphins se « parlent » presque constamment. L'un tourne la tête et siffle. L'autre se dresse et lui répond. La conversation dure plus de deux heures presque sans interruption.

— Je suppose, dit Falco, que la dauphine a annoncé au mâle qu'on allait lui donner à manger. Peut-être même lui a-t-elle conseillé d'accepter.

Aussi avale-t-il immédiatement quarante sardines. Nous avons la chance qu'un pêcheur de Malaga, passionné par notre travail, nous fournisse régulièrement du poisson frais.

Nous mettons le couple dans le bassin gonflable et c'est un festival de joie et d'acrobatie. La femelle, qui connaît les lieux, guide son compagnon pour qu'il ne se prenne pas dans le filet. Elle nage tout contre lui.

(1) Pour conserver à bord les précieux poissons de coraux destinés au Musée océanographique de Monaco, le commandant Alinat a inventé un aquarium antiroulis.

Nous avons peur cependant que durant la nuit ils ne s'accrochent dans les mailles et meurent étouffés. Aussi le même soir, nous les montons à bord et nous les remettons dans leur bac. Nous les plaçons maintenant sur le brancard que le Dr François a sorti de sa réserve. C'est un engin parfait : il est garni de petites lattes de bois qui lui donnent à la fois une certaine rigidité et aussi de la souplesse. La grue hisse le brancard. Nous manipulons nos amis aussi doucement que possible. Ce n'est tout de même pas une vie pour des dauphins.

Quand ils sont tous les deux dans la piscine tout va bien. On n'entend aucun bruit. Mais si la femelle est toute seule elle se met à pousser des cris. Elle paraît s'affoler. Elle pique vers le fond, le bec ouvert, et à plusieurs reprises elle s'accroche dans les mailles du filet. Yves Omer plonge aussitôt pour la dégager.

Le gros mâle, lui, fait de temps en temps la toupie : dressé à la verticale, il tourne sur lui-même. Ce serait un bon numéro de Marineland. Mais nous n'avons aucune envie de monter des numéros de dressage. Nous voudrions profiter au maximum de l'équipement acoustique de la piscine pour enregistrer les émissions des dauphins dans des conditions aussi proches que possible de la vie en liberté.

Nous avons laissé la petite femelle, qui est maintenant bien apprivoisée, toute seule dans le bassin et la *Calypso* s'est éloignée. En effet, le bruit de ses moteurs et de ses hélices trouble les enregistrements sous-marins.

Nous avons l'espoir que la dauphine, abandonnée dans sa piscine, au milieu de la mer, va appeler et qu'un banc sera attiré par ses cris. C'est en effet ce qui se passe. Des dauphins arrivent. Notre ingénieur du son enregistre leurs sifflements. Ils s'arrêtent à quelques dizaines de mètres du bassin flottant. Sans doute écoutent-ils ce que raconte la captive. Mais que leur dit-elle ? « Venez à mon secours » ou bien « Sauvez-vous, les hommes sont dangereux » ? En tout cas, au bout de très peu de temps ils reprennent leur route et la femelle — peut-être désappointée — se tait.

Une chose surtout nous étonne : la dauphine pourrait très aisément sauter par-dessus le boudin gonflé. Pourquoi ne le fait-elle pas ? Ce serait bien facile. Dans les bassins d'un Marineland les dauphins passent d'un compartiment à l'autre en sautant d'un bond au-dessus des filets. Mais ce sont des animaux qui connaissent bien leur prison. Il est probable que la dauphine n'a pas la notion de ce qu'est un obstacle franchissable ou pas. Elle est habituée à l'immensité marine : tout ce qui se dresse devant elle l'effraie et la stoppe. A aucun moment, au cours de cette croisière, un dauphin n'a tenté de sauter par-dessus les flotteurs, alors qu'un animal adulte peut aisément faire un bond de trois mètres. Parfois nos pensionnaires exami-

La piscine flottante triangulaire dans laquelle Falco est venu rejoindre le dauphin.

A l'intérieur de ce bassin flottant, le dauphin capturé a commencé à émettre des sons. On remarquera les bulles qui sortent de son évent.

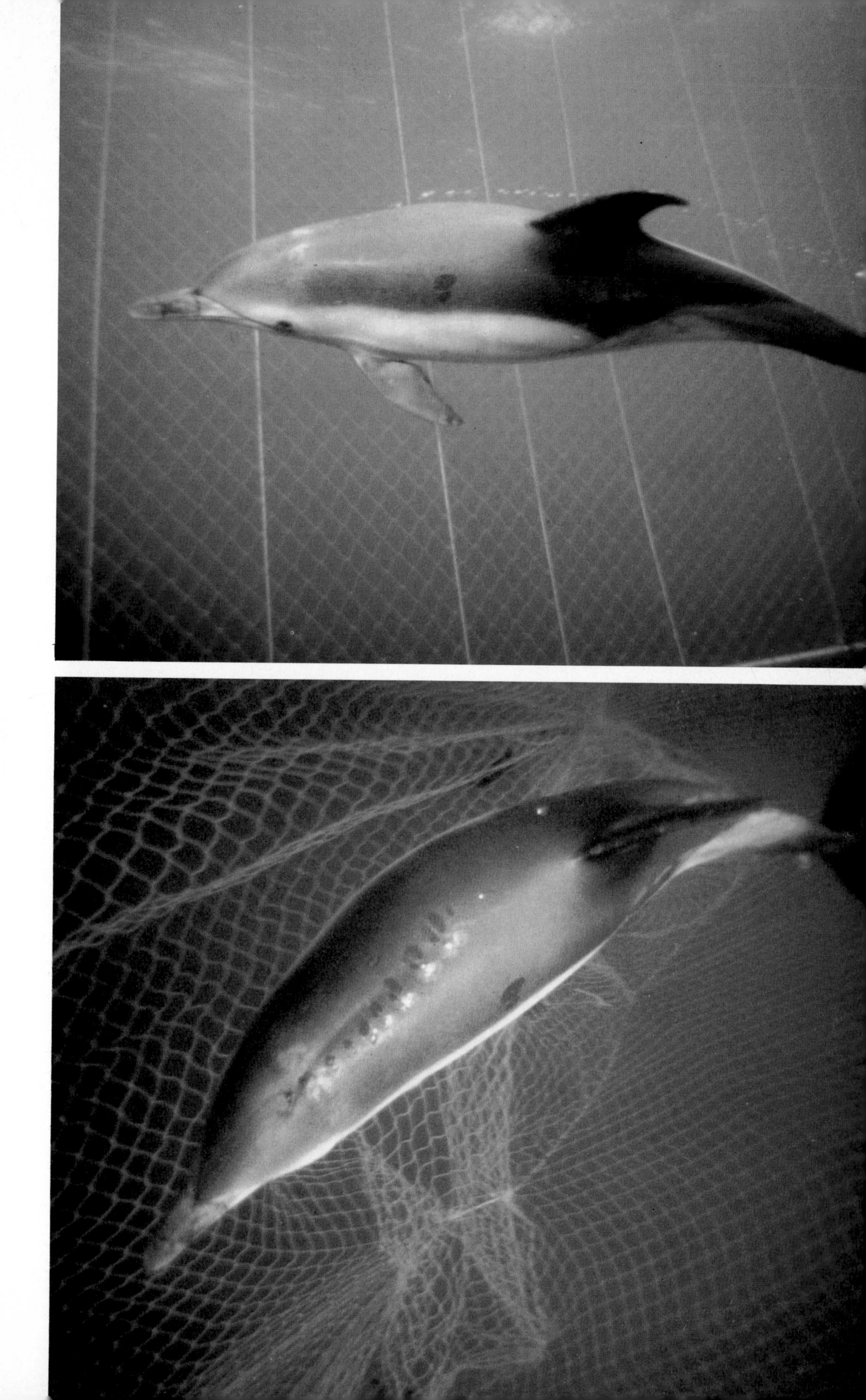

naient le filet, ils le longeaient, mais ils semblaient avoir bien trop peur de s'y accrocher pour tenter de s'échapper.

## *En aveugle*

Des animaux qui ne sont pas encore déformés par la captivité sont particulièrement précieux pour les expériences que nous voulons tenter.

Il s'agit maintenant de placer des œillères sur les yeux de la dauphine pour voir comment elle se dirigera lorsqu'elle sera complètement aveuglée.

Elle se laisse faire, mais le modèle d'œillères dont nous disposons lui fait mal. Elle se frotte, s'agite. Elle semble très malheureuse. Nous lui enlevons ce masque trop douloureux. A. Dziedzic possède des œillères à ventouses que nous mettons en place. La dauphine les supporte également mal. Tout le monde se met alors au travail pour fabriquer un bandeau dans une matière beaucoup plus douce : le néoprène. Il est maintenu en place par l'attache d'un masque de plongée qui passe sous le cou du dauphin. Cette fois l'appareil est bien supporté.

Dans le bassin flottant l'animal semble se diriger parfaitement. Pourtant Falco qui plonge avec lui ne perçoit aucun son. La fréquence des ondes émises est sans doute ultra-sonore et elles ne sont pas perceptibles par l'oreille humaine. Il ne touche ni les boudins ni le filet. Pour Falco ce succès tiendrait plutôt à une excellente mémoire des lieux.

Nous installons autour de la piscine des tiges de fer espacées de 50 centimètres et nous laissons tomber le filet. La dauphine aveugle passe entre les barres sans les toucher. Plus rien ne la retient. Elle est libre dans la mer. Mais elle n'ose pas s'éloigner. Le fait de ne pas voir la paralyse sans doute. Falco la rejoint facilement et la ramène au centre du bassin. Nous recommençons plusieurs fois l'expérience qui est filmée par Jacques Renoir.

Le lendemain nous avons mis les œillères au mâle et nous l'avons lâché dans le bassin en même temps que la femelle. Ils ont nagé côte à côte et ne se sont pas séparés un instant. Le mâle s'était mis tout contre la femelle et il reproduisait exactement tous ses gestes.

Nous avons alors repris la femelle que nous avons mise dans son bac. Le mâle aveuglé se débrouillait tout aussi bien, du moins au début. Puis peu à peu il s'est fatigué. La piscine était parcourue par un certain courant. Cela a suffi à plaquer le dauphin contre les mailles, où il s'est accroché. La première fois il s'est affolé, mais quand il a compris ensuite qu'un plongeur venait le délivrer, il ne bougeait plus, il attendait et il se laissait faire.

Des œillères sont mises au dauphin pour procéder à des expériences d'écholocation.

*Du travail pour un an*

Notre ami acousticien Albin Dziedzic s'est montré enchanté des résultats obtenus grâce à la piscine gonflable et au système d'hydrophones et d'émetteurs dont il l'avait équipée.

— J'ai pu, grâce à cela, a-t-il dit, faire des enregistrements absolument formidables que j'ai ensuite analysés pendant près d'un an. En particulier j'ai pu suivre le déplacement d'un dauphin à l'intérieur de la piscine, uniquement en me basant sur ses émissions d'écholocation* et par triangulation grâce aux hydrophones.

*Brèves rencontres*

Certains sujets étaient plus « brillants » que d'autres et se prêtaient merveilleusement aux expériences et aussi aux prises de vues cinématographiques. Cependant, même ceux-là, nous ne les avons jamais gardés à bord plus de deux ou trois jours. Au moindre signe de fatigue ou d'affaiblissement, nous les libérions aussitôt.

C'était Falco qui prenait la décision.

— Son diagnostic était extraordinaire, dit le Dr François. Connaissant admirablement les dauphins, il savait par intuition s'ils souffraient ou non. C'était une question de coup d'œil. J'imagine qu'il sentait cela au comportement de l'animal, un peu comme les spécialistes voient si un chien est malade rien qu'à sa façon de marcher ou à une certaine manière de plier l'échine.

Ci–dessus : Un dauphin équipé d'une caméra sous–marine est remis en liberté dans l'espoir pu'il rejoindra et filmera ses congénères.

A gauche : Le dauphin aveuglé par des oeillères se dirige au son à l'intérieur du bassin.

Ci–dessous : Un plongeur accompagne pendant quelques instants le dauphin pour vérifier le bon fonctionnement de la caméra.

Une fois nous avons relâché le soir deux dauphins qui avaient été capturés le matin même. Ils avaient servi à une expérience d'acoustique. Nous n'avions plus besoin d'eux. Il n'y avait aucune raison de les garder.

En une autre occasion, nous avons remis à l'eau un dauphin pris une heure plus tôt simplement parce que la *Calypso* s'était mise à rouler à la lame et que le dauphin risquait de se cogner dans son bac.

## *Un dauphin cinéaste*

Je rêvais depuis longtemps de fixer une caméra sur le dos d'un dauphin. Je fondais de grands espoirs sur cette expérience. Il est bien certain qu'un dauphin ou des dauphins cinéastes pouvaient enregistrer des scènes extraordinaires de la vie en groupe. Il suffisait qu'ils rejoignent le banc auquel ils appartenaient et que nous puissions ensuite le rattraper pour récupérer la caméra.

Nous avons pu capturer un dauphin choisi exprès parmi les plus robustes et les plus grands. La lutte a été difficile en raison même de sa force. Il a fallu lui passer un harnais et y fixer la caméra. Tout cela a pris du temps et le banc auquel il appartenait avait déjà fait de la route et se trouvait à un ou deux milles. Lorsque nous l'avons relâché, il s'est dirigé tout de suite vers ses camarades. Mais il n'arrivait pas à les rejoindre. Il s'essoufflait, soit qu'il ait été affaibli par sa capture, soit que la caméra l'ait freiné. Des dauphins sont venus le voir, mais ils sont restés à distance et ils se sont finalement éloignés. Dès qu'un animal présente un comportement ou un aspect anormal, les autres se méfient.

Le 18 avril, nous attrapons un mâle de 130 kg pour lui mettre la caméra sur le dos. Nous le lâchons au milieu d'un banc. L'animal nage normalement, il est quand même terriblement ralenti. Ses camarades passent à côté de lui, mais ne l'attendent pas. Une fois de plus tout le monde disparaît et le dauphin avec sa caméra reste tout seul. Nous le rattrapons. Nous lui enlevons son harnais et l'appareil. Nous lui rendons sa liberté. Celui-là était particulièrement grand et fort.

Au cours de ces tentatives il fallait bien que chaque fois nous nous procurions une monture fraîche. Mais à chaque reprise le dauphin n'arrivait pas à donner toute sa vitesse. Le harnais et le socle le gênaient. La caméra était trop encombrante. Aucun de ces cinéastes n'a jamais réussi à rattraper son groupe ou à se maintenir au milieu de ses congénères. La caméra-espion n'a pas pu jouer son rôle : les images qu'elle a rapportées étaient sans intérêt.

Ces tentatives permettent de supposer que les Américains ont dû avoir quelques mécomptes lorsqu'ils ont voulu se servir des dauphins à des fins militaires. Il est vrai qu'ils utilisent des *Tursiops* de plus de deux mètres de long et de 200 kg, qui sont des bêtes plus puissantes que nos dauphins de Méditerranée.

Toujours hantés par le désir de savoir ce qui se passe quand les dauphins sont seuls entre eux dans la mer, nous avons essayé d'autres stratagèmes. Nous avons notamment équipé un dauphin d'un émetteur radio comme l'a fait William Evans au Naval Undersea Research Center (1).

Dans ce cas-là encore, nous avons constaté que ces appareils fixés au dauphin par un harnais le gênaient dans ses évolutions et réduisaient sa vitesse. Dans le cas d'un émetteur la gêne est plus grande encore : l'antenne, si souple qu'elle soit, agit comme un frein.

Il n'était que trop facile de repérer notre animal qui ne s'éloignait guère et ne rattrapait pas ses congénères.

Nous avons fait une autre tentative d'un genre tout à fait différent. Un plongeur a réussi à fixer sur un dauphin un sac de fluorescéine*, cette substance qui sous un faible volume émet de longues traînées de couleur verdâtre. Nous espérions bien que le dauphin libre laisserait derrière lui un sillage persistant qui permettrait de le suivre et de voir ce qu'il allait faire. Des plongeurs se tenaient prêts à se relayer dans la mer pour prendre la piste. Mais le dauphin eut vite fait de sonder et de disparaître. Les plongeurs furent aveuglés par les nuages de fluorescéine. C'étaient eux qui étaient pris au piège.

Ainsi, après de nombreuses expériences menées avec toutes les ressources de la *Calypso,* avec notre équipe entraînée à toutes les interventions marines et avec l'appui de plusieurs spécialistes scientifiques, nous n'avons pas réussi à savoir comment se comportent les mammifères marins dans les profondeurs de la mer : les dauphins libres gardent encore leurs secrets.

(1) Nous en reparlerons au chapitre IX : Education de dauphins.

# 7

# un univers de sons

ENCORE UN MYSTÈRE — ULYSSE — SIGNAUX DE COMMUNICATION
DES VOIX DANS LA MER — SOURCE INCONNUE — VOCABULAIRE
UNE EXPÉRIENCE MANQUÉE
DES APPELS DANS LA NUIT — PAS DE LANGAGE
LES LANGUES SIFFLÉES — ASSERVIS

Par très beau temps, alors qu'au large d'Almeria, sur les côtes d'Espagne, nous avions pu installer le bassin à flotteurs, nous avons eu — une fois de plus — tout loisir d'enregistrer les sons émis par les dauphins. Comme au cours des précédentes expériences, trois hydrophones reliés à des antennes sont immergés aux trois angles du bassin. Deux caméras de télévision sous-marine sont installées dans l'enclos flottant. Ainsi nous pourrons faire la relation entre les signaux sonores et le comportement de l'animal, comme nous avons déjà tenté de le faire.

Nous disposions de trois dauphins capturés la veille. Les animaux étaient parfaitement calmes et semblaient déjà bien habitués à leur piscine flottante. Ils étaient en parfait état et remontaient respirer toutes les 20 secondes environ.

La mer était absolument immobile, le temps idéal.

Les appareils installés à bord de la *Calypso* nous ont permis d'enregistrer tous les bruits. En analysant sur un oscilloscope les sons émis et en

Un plongeur marque un dauphin avec de la fluorescéine pour tenter de suivre son sillage.

les rapprochant des images télévisées, nous pouvons établir un enregistrement audio-visuel qui devrait nous donner un aperçu du monde sonore dans lequel vivent les dauphins.

C'est un monde qui n'est pas le nôtre, d'abord parce qu'il se situe dans l'eau et aussi parce que les dauphins sont capables d'émettre et de percevoir des sons de très haute fréquence qui ne sont pas audibles pour nous. En outre l'oreille humaine n'est pas adaptée à l'audition dans l'eau.

Les bruits que nous percevions dans nos écouteurs étaient faibles et espacés. C'étaient ce qu'on est convenu d'appeler des « clicks » et même, selon le mot de Dziedzic « des clicks de veille », rares émissions régulières qui indiquent seulement que l'animal est attentif à son environnement. C'est un genre de bruit qui, accéléré, répété, intensifié, lui permet le cas échéant d'explorer par le son l'univers qui l'entoure. Il perçoit l'écho de cette émission et en déduit l'existence et la forme des obstacles qui l'environnent. C'est l'écholocation.

Contrairement à un préjugé courant, le dauphin n'a pas recours sans cesse à ce sonar. Lorsqu'il se trouve dans une piscine où l'eau est claire et dont il connaît la forme, il n'en a pas besoin : sa vue est excellente et il lui suffit de quelques clicks pour se faire une idée des dimensions du bassin où il se trouve. Il est bien certain que si on le place pendant la nuit dans un aquarium inconnu, les signaux d'écholocation se déclencheront à vive allure.

Lorsque nos dauphins s'approchaient des filets du bassin flottant, le rythme de l'émission s'amplifiait. Les mailles très larges qu'ils ne situaient pas facilement les déconcertaient et le train d'ondes s'accélérait. C'est ce qu'on peut appeler les « clicks d'attention ».

Enfin, si nous leur lancions un poisson, les cliquetis devenaient beaucoup plus forts pour localiser la proie.

Bien entendu, la réalité n'est pas tout à fait aussi simple. Dans certains cas les émissions, qui ne provoquent jamais de bulles sur la tête du dauphin, s'amplifient et produisent ces sons étranges qui ont tant étonné les observateurs : grincements, claquements, couinements, etc. Dans d'autres cas, ces mêmes cliquetis nous échappent parce qu'ils sont situés dans une bande de fréquence que nous ne percevons pas.

Un dauphin aveuglé est capable, uniquement grâce à son sonar, de reconnaître, à 5 ou 6 mètres de distance, entre deux poissons, celui qu'il préfère. L'expérience a été faite. Elle a montré que la perception par écholocation aboutissait à des résultats d'une extrême finesse.

Il est bien évident que l'identification et la classification d'un objet supposent des opérations mentales bien plus complexes que le simple repérage. Le choix systématique entre deux poissons exige notamment tout un ensemble d'informations à mémoriser et à manipuler. Nous sommes bien loin de pouvoir juger et analyser ce comportement qui suppose la mémoire et la reconnaissance des formes à travers des « silhouettes » sonores.

« Ce qui apparaît nettement et finalement, ce qui est le plus remarquable, c'est la capacité d'adaptation du sonar du dauphin à des situations très variées. » (1)

## *Encore un mystère*

Quel est l'organe qui permet à l'animal d'émettre ces clicks ? Et d'une façon générale, de quel organe dispose-t-il pour produire des sons ? Le plus surprenant est qu'on ne le sache pas encore très exactement. On en discute beaucoup. Pourtant depuis plus de vingt-cinq ans une trentaine de laboratoires dans le monde élèvent des dauphins et une centaine de spécialistes se consacrent à eux.

Une seule certitude paraît acquise : les émissions sonar ne sortent pas de l'évent et ne s'accompagnent pas de bulles d'air, contrairement aux signaux de communication dont nous parlerons plus loin.

Il paraît admis que toute « l'information fine », que l'animal cherche à recueillir, lorsqu'il est tout près de la proie ou de l'obstacle, il peut l'obtenir surtout par une émission qui passe par le bec.

La directivité a en effet une très grande importance dans le processus d'écholocation. Dans les systèmes sonar fabriqués industriellement pour la recherche d'un objectif, il convient d'utiliser le pinceau sonore le plus fin possible. Chez les dauphins, c'est le rostre* qui doit assurer ce rôle à l'approche de la cible.

Pour la recherche à distance, c'est le melon* qui assurerait peut-être un rayonnement acoustique. Tous les spécialistes d'ailleurs ne sont pas d'accord à ce sujet. Le melon occupe la partie antérieure de la tête du dauphin et d'autres Odontocètes : il contient une matière très grasse assez voisine de la cire. Au sein de cette matière ce tissu particulier constituerait une lentille acoustique. Le rôle possible mais contesté de cette lentille serait de focaliser par réflexions successives les ondes sonores qui pénétreraient avec une certaine incidence. Techniquement il existe dans le commerce des antennes directionnelles de ce modèle.

(1) *Les systèmes sonars animaux*. Congrès de Frascati. Tome I, p. 444, R.G. Busnel éditeur, 1966.

Le bassin triangulaire flottant équipé des tiges de fer qui doivent permettre les expériences d'écholocation.

Le bassin avec son équipement électronique va flotter seul sur la mer avec une dauphine prisonnière.

D'où proviennent les clicks que l'animal émet pour assurer l'écholocation ?

D'un muscle qui claque, répondent certains, à peu près comme notre larynx peut émettre des cliquetis.

La langue ne joue aucun rôle dans la phonation (1) des dauphins. D'autre part, les cadences d'émission peuvent monter jusqu'à 800, 1 000, voire 1 200 cliks par seconde. Or dans la nature, il n'existe aucun muscle, aucune membrane vibrante capable d'atteindre une telle cadence.

Il faut avouer que pour le moment il continue d'y avoir là une énigme. On ne sait donc pas quelle est la source d'émission des clicks qui jouent un si grand rôle dans la vie des dauphins.

## *Ulysse*

Le train d'ondes des cliquetis s'étend des basses fréquences audibles jusqu'à des sons dix fois plus hauts que les sons perceptibles par l'homme.

A bord de la *Calypso,* il en résulte parfois une situation comique. Si

(1) Chez certains mammifères aériens, la langue sert à moduler le son, chez certaines chauves-souris, elle produit justement les clicks d'écholocation.

nous ne percevons pas les cris des dauphins situés dans la bande des « ultra-sons* », notre chien Ulysse peut en entendre une grande partie.

Je lui prends la tête à deux mains pour l'immobiliser et je lui dis : « Ecoute, Ulysse, écoute bien. »

Ulysse aboie, ce qui ne veut pas dire qu'il a compris. Mais s'il pouvait interpréter les signaux des dauphins, ce serait le début d'une communication interespèces dont nous rêvons depuis longtemps. Malheureusement Ulysse est incapable de nous le dire.

Le dauphin « voit » donc, grâce aux vibrations sonores qu'il émet, ce qui lui permet de se diriger ou de poursuivre ses proies dans les eaux les plus troubles. Le dauphin peut percevoir des sons atteignant 150 000 hertz. Mais le tout est de savoir comment et par quels organes il peut parvenir à une audition aussi développée. Ses oreilles, qui furent autrefois vraisemblablement celles d'un animal terrestre couvert de poils, ont été réduites à de minuscules orifices qui s'ouvrent à fleur de peau, juste derrière l'œil, au fond d'une petite fossette. Cette disparition du pavillon est-elle due à l'hydrodynamisme ou aux conséquences de la plongée et de la pression, c'est ce que nous ne savons pas.

Les chercheurs ont la preuve expérimentale que le dauphin perçoit les échos de ses émissions sonar par l'intermédiaire de sa mâchoire inférieure. On y trouve d'importantes terminaisons nerveuses rattachées à des tissus qui sont en connection avec l'oreille interne, très développée et complexe.

Une expérience a permis de mettre en lumière ce rôle important de la mâchoire inférieure. Un dauphin, aveuglé par des œillères et entraîné à trouver dans son bassin une source sonore, appliquait sa mâchoire inférieure sur l'émetteur. Il devait pour cela se mettre sur le côté ou sur le dos. C'est donc bien par le maxillaire inférieur que se transmet par conduction osseuse le son à l'oreille interne.

Le limaçon* a à peu près les mêmes dimensions que chez l'homme. Mais le nerf acoustique est beaucoup plus volumineux et il comprend de grosses fibres compactes. On voit que le dauphin est particulièrement bien pourvu en ce qui concerne l'audition et on comprend que sa vie de sensations soit régie en premier lieu par le fonctionnement de son sonar. C'est un « auditif » alors que les hommes sont surtout des visuels.

Mais il existe dans la nature bien d'autres exemples d'écholocation : notamment chez les chauves-souris dont le système sonar a été longuement étudié (1). Busnel et Dziedzic ont montré qu'un *Phocoena* aveuglé percevait

(1) Le savant italien Lazzaro Spallanzani a découvert, il y a 160 ans, cette particularité, mais sa découverte était tombée dans l'oubli. Voir *Les systèmes sonars animaux*. Edité par R.-G. Busnel, 1967.

et évitait des fils métalliques d'un diamètre de 0,2 mm. Pour la chauve-souris *Myotis lucifugens,* également aveuglée, le diamètre du fil détecté est de 0,07 à 0,12 mm (1).

Au Narraganset Laboratory, Marie Poland Fish a enregistré les signaux sous-marins de 400 espèces de poissons, de 25 espèces de cétacés et de 10 espèces de pinnipèdes*.

L'écholocation est loin d'être une exception chez les êtres vivants. La liste de ceux qui en usent s'allonge au fur et à mesure des observations zoologiques. Elle comporte aussi bien un poisson, des oiseaux et des mammifères à vie aquatique de grande taille comme les hippopotames. D'après le Dr W.M. Longhurst, ceux-ci utiliseraient également un sonar qui leur permettrait, sans sortir de l'eau, de détecter des obstacles ou des proies alors que la visibilité n'atteint pas 30 centimètres. Mais ce fait n'a pas été prouvé expérimentalement.

Parmi les humains, certains aveugles ont appris à se guider en se fiant à l'écho de leurs claquements de langue (ou à celui du bruit de leur canne) qui ressemblent fort aux cliks des odontocètes (2).

Le professeur Leslie Kay, de l'université de Canterbury en Nouvelle-Zélande, en s'inspirant du radio-guidage par ultra-sons des dauphins et des chauves-souris, a mis au point un sonar pour aveugles. Il s'agit de lunettes qui émettent des ultra-sons dont l'aveugle perçoit l'écho. Il peut ainsi détecter ce qui se trouve devant lui à une distance de 6 ou 7 mètres. Il se fait des « images sonores » de ce qui l'entoure et, avec un certain entraînement, il distingue la nature des obstacles : un mur, un passant ou un réverbère. Un aveugle peut donc se diriger grâce à l'univers sonore des dauphins et il marche avec plus de confiance.

## *Signaux de communication*

Si passionnant que soit le système d'écholocation des dauphins, nous sommes surtout curieux d'étudier les sons par lesquels ils communiquent entre eux. Nous savons qu'ils s'adressent l'un à l'autre, qu'ils se lancent des appels ou des avertissements.

Nous avons eu tout loisir sur les écrans de télévision de la *Calypso* d'observer les bulles qui, dans ces cas-là, sortaient de l'évent de deux dau-

(1) Ces performances différentes des morses et des chauves-souris proviennent sans doute de la différence de densité du milieu.

(2) Voir *Les systèmes sonars animaux,* Congrès de Frascati, édité en 1967.

Double page suivante : Un banc de dauphins au large de Malaga.

phins. Nous reproduisons même ici des photos qui montrent nettement les chapelets de bulles qu'ils laissent derrière eux. Parfois c'est une seule énorme bulle qu'ils lancent au-dessus de leur tête. On a cru remarquer qu'en aquarium ce phénomène correspondait à une menace, une manœuvre de dissuasion, une mise en garde.

Parfois les dauphins échangent aussi des sifflements.

Il s'agit là de signaux de communication très différents des émissions sonar ou des trains d'ondes qui leur permettent de situer un objet ou un obstacle. Il n'est pas douteux que, grâce à ces signaux sonores, les dauphins communiquent entre eux. Bien d'autres animaux le font : les oiseaux, les insectes, les poissons.

Quant aux abeilles, on sait que von Frisch a reconnu chez elles un véritable langage dansé. Celle qui a découvert une source de pollen particulièrement riche est en mesure d'expliquer aux autres à quelle distance elle se trouve, dans quelle direction et son abondance.

## *Des voix dans la mer*

Il y a longtemps que nous avons appris à écouter les voix qui parlent dans le silence de la mer. Dans le grand Nord nous entendions les cris extraordinaires que poussent les phoques de Weddel qui sont parmi les plus bruyants des mammifères marins. Leurs appels se répercutent sous la glace de la banquise avec un accent pathétique, presque douloureux.

Aux Bermudes, mon fils Philippe et notre ingénieur du son, Eugène Lagorio, ont passé des nuits entières à enregistrer l'extravagant concert des « baleines à bosse » ou jubartes, celles que nous avons appelées « les baleines chanteuses ». Elles étaient, certains soirs, une bonne centaine à échanger des mugissements, des miaulements, des meuglements. Les sons émis par les cétacés ne sont comparables à aucun des cris des autres animaux. Ils émettent aussi bien des trilles que des bruits de chaînes, des grincements de portes ou des couinements. Qu'on imagine le calme de la nuit aux Bermudes, et Eugène Lagorio penché sur l'eau noire, avec ses magnétophones posés au fond du zodiac et écoutant ces voix qui se répondaient dans la mer, comme s'il écoutait aux portes d'un autre monde et enregistrait un dialogue de Martiens géants cachés dans l'abîme.

Aristote savait que les dauphins parlaient, mais depuis lui, la civilisation occidentale et terrienne avait bien oublié ces voix dans la mer. Elles sont innombrables et nous les percevons encore comme des manifestations incompréhensibles.

## *Source inconnue*

Il faut se souvenir que le cas des dauphins n'est pas unique, exceptionnel. C'est tout l'ensemble des mammifères marins qui « parle » et le phénomène n'en est que plus merveilleux.

Comment le dauphin réussit-il à émettre des sons sans corde vocale ?

Il semble bien que chez la plupart des espèces ces sons ne sont produits spontanément que dans l'eau. Il faut un certain séjour dans un Marineland ou un laboratoire et l'éducation d'un dresseur pour qu'un dauphin apprenne — assez facilement — à « parler » ou à « chanter » dans l'air.

Quant au système de fonctionnement, à la source de ces cris et de ces couinements, mieux vaut avouer qu'on l'ignore encore. Le phénomène peut se produire à deux ou peut-être trois niveaux dans le conduit laryngé et dans le conduit nasal. On peut attribuer la formation des sons notamment à l'épiglotte constituée par deux languettes qu'entoure un sphincter* très puissant. Au niveau supérieur, dans les conduits nasaux, il existe des « valvules nasales » commandées elles aussi par un muscle important. Elles viennent obstruer le conduit nasal. Elles peuvent jouer le rôle d'organe émetteur en laissant passer, par pincement ou par un ajutage* calculé, un filet d'air qui entre en vibration.

Tout le secret de cette phonation se situe entre la cavité laryngée et l'évent.

Ce qui est certain c'est que le dauphin dispose de deux émetteurs au moins, puisqu'il peut *en même temps* faire entendre des clicks et produire des sons à travers son évent.

A quoi correspondent ces sons dont on dit qu'ils sont des « signaux de communication ou de relation » ? Les dauphins « parlent-ils » entre eux ? Ont-ils un langage ? C'est bien entendu la question que tout le monde se pose. La réponse est loin d'être positive.

## « *Vocabulaire* »

Avant de savoir si ces signaux signifient quelque chose on peut tenter de les distinguer et de les dénombrer.

Dans la nature il a été impossible jusqu'à présent de mesurer l'étendue de ce « vocabulaire ». Dans les Marinelands et les laboratoires, où l'on enregistre ces bruits depuis des années, on a cru pouvoir détecter un assez large éventail de signaux sonores. Des chercheurs ont tenté d'analyser à l'ordinateur les sons des dauphins et ils auraient ainsi dénombré

Avec de grandes précautions, on fixe à la nageoire dorsale du dauphin un appareil radio-émetteur.

Puis il est lâché dans la mer.

2 000 émissions différentes. Le « vocabulaire » des dauphins pourrait donc comporter 2 000... signes, signaux ou à la rigueur 2 000 « mots ». On prétend que Racine a composé ses tragédies avec un vocabulaire qui n'était pas plus étendu. En tout cas celui des dauphins serait très supérieur à celui d'un candidat au certificat d'études.

Malheureusement ces signaux ne sont pas toujours les mêmes pour une même espèce. Il est probable que certains ne veulent rien dire du tout. Ceux qui ont une signification précise semblent peu nombreux. Ce sont presque toujours les mêmes motifs qui reviennent. Mais nous sommes loin de pouvoir affirmer que les mêmes signaux correspondent aux mêmes situations. Les animaux qui vivent en captivité dans les bassins des Marinelands ont un vocabulaire beaucoup plus pauvre qu'on ne l'a d'abord cru. Quant aux « cris et grincements », qu'on leur a appris à émettre dans l'air, ils n'ont probablement aucun sens pour eux.

Les Caldwell sont allés jusqu'à dire que chaque individu avait un signal propre, cri personnel, peut-être perceptible et même reconnaissable, mais intraduisible et intransmissible.

Quant au fameux signal de détresse, il n'est même pas identifié avec certitude, car il n'est pas le même dans tous les cas. John C. Lilly l'a enregistré et transcrit sous la forme d'un V la pointe en l'air et le professeur Busnel et A. Dziedzic sous la forme d'un V la pointe en bas.

D'ailleurs si les signaux de détresse diffèrent, c'est peut-être tout simplement qu'ils ont un sens différent. Un dauphin harponné peut aussi bien dire : « Au secours » que « Sauvez-vous », « Je souffre » ou

« Attendez-moi » en admettant que ces traductions en langage humain puissent correspondre à un comportement animal.

Il est possible que dans la nature, les dauphins soient capables d'exprimer bien des choses qui nous échappent. Comme le dit Busnel, « dans l'état actuel de nos connaissances, il faut avouer que nous ne savons rien de la sémantique* des sons émis par les dauphins ».

Pourtant il existe sûrement des signaux de communication. Il ne paraît pas possible de le nier.

Les dauphins semblent même capables de décrire des situations complexes, de raconter à leurs congénères ce qu'ils ont vu.

Des témoins dignes de foi affirment que des dauphins qui s'approchent d'une côte en groupe envoient l'un d'entre eux en éclaireur pour reconnaître la passe ou repérer les dangers. L'éclaireur revient renseigner les autres et ceux-ci se dirigent ou non vers la côte. Il y a bien là une communication que nous pressentons et qui évoque un mode d'expression très élaboré comme l'est le « langage » des abeilles.

## *Une expérience manquée*

Le professeur J. Bastian, de l'Institut de Californie, a conçu une expérience destinée à prouver que les dauphins peuvent échanger entre eux des informations même détaillées.

Il a installé dans un même bassin deux dauphins, un mâle et une femelle qui se connaissaient depuis longtemps. Le bassin était divisé en deux par un filet. A un signal lumineux, chaque dauphin devait appuyer avec son rostre sur une pédale, droite ou gauche selon que le feu était continu ou clignotant. Lorsque les résultats obtenus étaient satisfaisants à 97 %, le signal lumineux était supprimé du côté du mâle. Celui-ci continuait cependant à exécuter l'exercice sans erreur grâce aux indications que lui fournissait la femelle.

Mais de quelle nature pouvaient être ces indications ? Les deux animaux semblaient bien échanger de nombreux signaux acoustiques qui étaient perçus par les expérimentateurs grâce à des hydrophones et enregistrés sur bandes.

Pour s'assurer que l'information fournie au mâle par la femelle provenait bien de signaux sonores, le professeur Bastian a séparé les deux dauphins par des plaques de néoprène qui ne laissent pas passer les sons. Les résultats obtenus n'ont plus été exacts que dans 54 % des cas. Mais si une ouverture est pratiquée dans cette cloison pour permettre aux signaux sonores de se propager dans l'eau le résultat positif remonte à 86 %.

Ainsi la preuve paraissait faite que les dauphins se comprenaient entre eux et que l'un pouvait expliquer à l'autre ce qu'il fallait faire.

Hélas, il est dit que rien ne sera jamais tout à fait gagné lorsqu'il s'agit des dauphins. L'expérience de Bastian a été recommencée et elle a échoué. Bastian lui-même ne croit plus à son expérience. Il suppose maintenant qu'à son insu un signal extérieur indiquait au dauphin ce qu'il fallait faire. Et ce « stimulus » a bouleversé toutes les données du problème.

Il n'en reste pas moins vrai qu'un dauphin captif apprend à un nouveau venu tout ce qui est nécessaire pour se comporter dans un bassin et ce qu'il faut attendre ou tolérer de la part des hommes. Nous en avons nous-mêmes été témoins au cours de tous les essais faits dans notre bassin flottant.

Pour autant il n'est pas nécessaire d'admettre qu'il y a « transmission de pensée » entre les deux animaux. Le comportement d'imitation, très développé par exemple chez les chimpanzés, peut expliquer ce genre d'initiation dans une situation imprévue. La dauphine, qui tourne lentement autour du bassin, en montre les limites à son nouveau compagnon qui la suit fidèlement. C'est un comportement d'aide sociale.

Les orques, dont le système acoustique est au moins aussi développé que celui des autres espèces de dauphins, ont fourni un bel exemple de conversation entre un individu capturé et ses congénères restés en liberté. L'histoire n'est pas contestable car elle a été relatée tout au long par un spécialiste réputé, T.C. Poulter.

En 1966, Edward I. Griffin, directeur de l'aquarium de Seattle, avait acheté à deux pêcheurs canadiens pour 8 000 $ un orque de 7 mètres de long dont le poids était évalué à 4 tonnes. (1)

L'animal se trouvait à l'embouchure de la rivière Bella Coola près du village de Namu. Pour l'amener jusqu'à l'aquarium de Seattle il fallut confectionner un immense filet soutenu par quarante et un fûts de pétrole vides et tiré par un remorqueur. Le transport par mer de cet orque prisonnier dura deux semaines. Or, pendant tout ce temps, un banc d'orques accompagna l'étrange convoi. Un mâle et deux femelles qui composaient peut-être la famille du captif échangèrent avec lui des sifflements et des cris. Il s'agissait bien d'un dialogue. Mais de quelle nature ? Nous n'en savons rien. Qu'échangeaient-ils ? Des appels ? Des plaintes ? Des sentiments vagues ? Ou des encouragements et des conseils ? En tout cas le prisonnier qui répondait et se montrait sensible à ces sifflements n'a jamais tenté de se révolter ou de s'échapper. Sa nervosité ne se manifestait que par les déplacements de sa nageoire dorsale.

## *Des appels dans la nuit*

Au cours de notre croisière en Méditerranée, nous avons voulu savoir au moins si une conversation pouvait s'engager entre un animal captif et le banc auquel il appartenait. Aussitôt capturée, une dauphine a été placée dans le bassin flottant. La *Calypso* s'est éloignée la laissant seule dans son enclos.

En pleine nuit, à 6,5 kilomètres de distance, par radar et par radio nous sommes en contact constant avec le bassin flottant. La jeune femelle isolée, appelle.

Pour Albin Dziedzic et les experts en acoustique animale, la réception est parfaite. Nous sommes surpris par la persistance des sons émis par la femelle. Il ne s'agit pas d'ultra-sons : ils sont parfaitement audibles pour nous.

Nous croyons déceler dans cette « voix » une certaine émotion, un appel pathétique. Les cris s'intensifient. On dirait ceux d'un animal blessé. Est-ce un signal de détresse ? Cette femelle émotive fournit pour nos enregistrements une grande diversité de cris dans lesquels nous n'aurons que l'embarras du choix. Tout porte à croire qu'elle appelle dans la nuit le troupeau dont elle est séparée. Ses cris ne sont pas vains : le banc approche. D'autres cris résonnent dans la mer. Mais comme nous l'avons déjà constaté à d'autres occasions, le troupeau finalement se tait et s'éloigne. Aurait-il compris qu'il ne pouvait rien faire pour délivrer la prisonnière ?

(1) Nous avons relaté le fait dans *Nos amies les baleines.*

Deux dauphins captifs nagent côte à côte à l'intérieur du bassin flottant.
Les expériences faites à l'intérieur du bassin sont filmées par les cinéastes de la *Calypso*.

## *Pas de langage*

Il faut retenir le fait que le banc des dauphins est tout de même venu voir. Il y a donc bien eu à un certain moment, entre notre dauphine enfermée dans son bassin et les dauphins libres dans la mer, un échange d'informations. Mais peut-on parler d'un langage au sens où les linguistes entendent ce mot ?

— Non, dit le professeur Busnel. Ce sont des signaux acoustiques de relation. Ces signaux existent — nous en sommes maintenant scientifiquement sûrs. Mais le langage est bien autre chose. Il se compose d'éléments qu'on ne peut pas réduire et qui sont assemblés entre eux selon des règles propres à chaque langue ; les combinaisons forment des mots puis des phrases. Le langage n'est pas constitué seulement par un grand nombre de signaux. Il réside dans la faculté de les assembler selon un système qui engendre des combinaisons à peu près illimitées. C'est la syntaxe.

Or quand deux dauphins se « parlent », il s'agit toujours d'un signal unique ou de signaux successifs sans lien entre eux. C'est ce que les spécialistes ont appelé un « pseudo-langage » ou « protolangage » ou encore un « langage à syntaxe zéro ». Cela ne veut pas dire que ces animaux ne peuvent pas faire mieux un jour et se dépasser, mais enfin, pour l'instant, nous n'avons pas la preuve qu'ils parlent ni qu'ils en sont capables.

En outre, le langage exprime des notions abstraites : notamment le

passé, le présent, le futur. C'est ce qui caractérise le langage humain. Ainsi d'ailleurs que la possibilité d'étendre le vocabulaire à l'infini. Nous n'avons actuellement aucune preuve expérimentale que les dauphins soient capables en liberté de se forger un vocabulaire et qu'ils soient en mesure d'augmenter leurs capacités d'expression.

Le langage tient pour une bonne part à la culture, aux modes de vie, à l'environnement. Rien ne dit que des dauphins mêlés aux hommes n'arriveront pas à apprendre en captivité d'autres modes d'expression et peut-être une forme approchée d'un langage. Le langage, c'est quelque chose qui s'apprend et qui est même long à apprendre. Un enfant ne parle guère avant deux ans ou deux ans et demi. Il y faut l'étroite vie en commun avec la mère et son monologue affectueux. C'est d'ailleurs ce que faisait Jean Asbury avec Dolly. On sait que les enfants livrés à eux-mêmes, les « enfants loups », ne parlent pas et ne peuvent plus apprendre à parler, passé un certain âge.

L'Américain J.C. Lilly avait prétendu apprendre l'anglais à des dauphins. Il a rencontré une très forte opposition dans les milieux scientifiques et il a été critiqué par beaucoup, notamment par le spécialiste soviétique L.G. Voronine.

Lilly prétendait que le *Tursiops truncatus* était capable d'imiter la voix humaine et d'apprendre des mots désignant des objets. Depuis lors, bien des expériences dans les laboratoires américains ont montré en effet que les dauphins étaient capables, comme l'affirmait Lilly, d'émettre des sons aériens que certains ont assimilés à des imitations de la voix humaine, « dans un registre acoustique différent ». Et le Dr Lilly n'a sans doute pas eu tort de discerner sur une bande d'enregistrement l'imitation par un dauphin du rire de sa secrétaire, mais depuis lors le fait ne s'est pas renouvelé.

Faute de corde vocale, les sons qu'ils peuvent émettre sont plus proches des sifflements que des mots et il faut beaucoup de complaisance pour reconnaître dans ce qui sort de leur évent des vocables comme « ball » ou « hat ».

Que les dauphins apprivoisés soient capables d'apporter le chapeau, la balle ou l'anneau qui flottent dans leur piscine selon le mot qu'on prononce, il n'y a rien là de bien étonnant. On peut y voir le résultat d'un dressage, une obéissance à la voix, dont les « chiens savants » fournissent maint exemple. L'animal apprendrait les signaux sonores qui sont symboles d'objets, puis ensuite symboles d'action. Mais en fait, il a été montré que dans ces expériences le dauphin utilisait vraisemblablement des gestes du dresseur plus que sa voix.

Mais cet insuccès n'implique pas pour autant l'impossibilité d'un « dialogue » entre l'homme et l'animal. Les communications actuelles entre dauphins ou entre hommes et dauphins sont programmées, limitées, alors que le propre du langage est d'être une opération non déterminée, une opération « ouverte », au cours de laquelle celui qui parle combine en toute liberté et dans un ordre imprévisible les signaux dont il dispose. C'est ce que les linguistes appellent « la combinatoire ».

Toute la question est de savoir si le dauphin sera un jour capable de dialoguer.

Le chimpanzé, lui, vient d'y parvenir. Un jeune chimpanzé, élevé dans une famille humaine, est capable d'exprimer l'abstraction, le passé et le futur à court terme. Il invente des signes gestuels (1). Il est capable d'associer ces signes d'une manière logique en vue de communiquer une idée simple mais non prévue. Il combine des signaux entre eux pour arriver à une expression plus complexe que ce qu'il a appris : il crée. Il dispose donc bien d'un langage, mais à titre individuel et au contact de l'homme qui le lui a enseigné.

Dans la nature, rien de comparable. Il s'agit donc de cas exceptionnels mais cela montre que leur cerveau est capable d'appréhender le mécanisme de base du langage.

Ainsi, les primates ont devancé les dauphins sur la voie royale qui mène jusqu'à l'activité psychique de l'homme. Rien ne dit que les dauphins ne les rattraperont pas. Il faut dire que les expériences sur les singes sont beaucoup plus avancées que celles tentées sur les mammifères marins. Nous sommes à l'ère d'une nouvelle connaissance du cerveau des primates.

Au lieu d'apprendre l'anglais aux dauphins, le Dr Dreher, en Californie, a rêvé d'apprendre à parler le delphinien. Il a isolé quelques signaux sifflés qu'il a reproduits en aquarium et qui semblaient correspondre à un sens défini. L'expérience n'a cependant pas permis de tirer de conclusions positives.

## *Les langues sifflées*

Les sifflements des dauphins sont des modulations de fréquence*. Or, il existe des langues humaines sifflées qui utilisent le même type de modulations de fréquence. Le professeur Busnel a étudié ces langages sifflés qui sont encore en usage en divers points du monde : en Turquie, à Küskoy, en France dans la vallée d'Ossau, à Aas, au Mexique et surtout dans l'une des

(1) A l'université d'Oklahoma, le Prof. Allen Gardner et sa femme ont appris à trois guenons « l'American sign language » inventé pour les sourds-muets. Ces guenons ont réussi à composer des phrases en annotant des mots simples et des verbes. Le Prof. Rumbauch a appris à une autre guenon à se servir du clavier d'un ordinateur sur lequel elle compose des phrases, en « yerkish », un langage de dessins géométriques. Les Premacks ont également appris à une guenon un langage optique avec des blocs colorés.

îles Canaries : La Gomera (1). Ces sifflements sont utilisés dans des régions où la voix risque de se perdre dans le vent ou bien ne peut pas atteindre l'interlocuteur à cause des obstacles topographiques. A La Gomera, par exemple, les falaises sont tellement abruptes que les habitants ont inventé un langage sifflé pour communiquer entre eux, ce qui leur évite de longues marches. Les siffleurs se « parlent » à des distances qui peuvent atteindre 10 kilomètres. Le record serait de 14 kilomètres.

Il existe une analogie remarquable entre les « sonagrammes » (2) des langues sifflées et les sonagrammes des sifflements sous-marins des dauphins qui présentent les mêmes types de modulations, tout en ayant des modalités beaucoup plus limitées et qui se situent dans une bande de fréquence nettement plus élevée.

L'analogie des structures physiques permettait alors l'hypothèse que les sifflements des dauphins pouvaient théoriquement être utilisés comme éléments phonétiques d'un vrai langage.

Dans la mesure où les modulations qu'ils émettent présentent des variables qui malheureusement n'ont pas été toutes recensées encore, on est en droit de penser qu'elles constituent un système de communication acoustique analogue à celui de beaucoup d'autres espèces animales. Mais déjà à ce niveau de vocabulaire dont l'étendue n'est pas connue, comme dit le professeur Busnel, « il nous manque la pierre de Rosette pour déchiffrer les sifflements des dauphins », en supposant d'ailleurs qu'on connaisse ou qu'on apprécie « le signifié » de chaque signal, c'est-à-dire sa sémantique.

Nous savons que les communications humaines sifflées peuvent être et sont effectivement le support d'un langage. A La Gomera un siffleur (silbador) peut exprimer des formules comme celle-ci : « N'oublie pas d'acheter le pain en rentrant ce soir », ou bien « Fais passer les moutons dans le pré situé au-dessus ». Il s'agit là d'un langage aussi perfectionné qu'un langage vocalique.

L'idée de base, présentée par Busnel était donc que si on devait envisager d'apprendre à un dauphin en captivité un langage, une langue sifflée serait plus facilement perçue, analysée et répétée par le dauphin qu'une langue vocalique articulée, telle que l'anglais, comme J.C. Lilly, à l'époque, prétendait le faire.

Les langues sifflées représentent un « squelette de langage » qui suffit

(1) Il existe bien d'autres langues sifflées dans le monde : en Oubangui et dans l'île de Fernando Po, dans le golfe de Guinée, où les Bubis utilisent un langage très élaboré en employant des sifflets. Voir aussi les travaux du musicologue français Herbert Pepper sur les langages sifflés et tambourinés d'Afrique Centrale. Le gouverneur Eboué mit fin à une révolte en faisant « parler » les tambours pour recommander le calme aux populations d'Afrique Equatoriale.

(2) On appelle sonagramme la transcription graphique en fréquence, temps et intensité des sons par des appareils d'analyse spéciaux.

Dans l'île de La Gomera, Jacques Renoir filme les habitants qui utilisent un langage sifflé.

à transmettre ce que nous avons à dire. Ce mode d'expression pouvait être le véhicule de nos communications avec les dauphins, à condition que les dauphins aient quelque chose à exprimer. C'est là que se situe le vrai problème.

Il était nécessaire néanmoins de traduire en langage sifflé la langue vocalique de l'expérimentateur pour tenter un apprentissage linguistique de ces animaux. Ainsi on pouvait leur enseigner des signaux qui ne nécessiteraient pas l'usage de cordes vocales et qui se situeraient dans leur propre registre acoustique.

Un acousticien américain, W. Batteau, s'intéressa à cette idée et fit construire, avec l'agrément du professeur Busnel, un appareillage électronique capable de transformer la voix humaine en voix sifflée. Cette machine fut expérimentée à Hawaii sur deux dauphins. Après plusieurs mois de travail, le début de l'expérience se révéla concluant, les dauphins assimilaient bien le langage sifflé. Il fut démontré qu'ils étaient capables d'apprendre, de mémoriser et de répéter 26 messages différents. Mais l'étape de l'association du signal sonore à l'objet n'avait pas encore été atteinte.

C'est au moment où l'aventure allait prendre un tour passionnant que la catastrophe survint : W. Batteau se noyait à Hawaii et toute l'expérience s'effondrait.

Voilà où nous en sommes actuellement. Après avoir mis un certain espoir dans la possibilité de dialoguer avec des dauphins, il a fallu reconnaître que le dialogue était peut-être un dialogue de sourds ou tout au moins une illusion. Ces recherches marquent aujourd'hui une pause. Nous nous sommes aperçus qu'avant de « parler » avec les dauphins, il importait peut-être de les mieux connaître et surtout plus objectivement. Ce sera sans doute l'œuvre des prochaines années.

Mais une question préjudicielle se pose : sommes-nous sur la bonne voie pour découvrir la vérité ?

Nous sommes fermement convaincus que les études actuelles sur les dauphins en ce qui concerne leurs signaux et leur « intelligence » sont faussées par les conditions dans lesquelles elles se déroulent (1).

Tout d'abord c'est le *Tursiops* qu'on utilise le plus souvent parce qu'en captivité, il se montre le plus robuste et le plus docile. Il n'est pas forcément le plus intelligent. La faculté d'apprendre, d'imiter, d'obéir qu'il possède à un haut degré n'est pas forcément un indice d'intelligence et en tout cas cette « facilité » complique plus les recherches qu'elle ne les favorise.

La capture constitue en outre un dramatique handicap. Le choc ressenti par ces animaux sensibles les perturbe profondément. On leur fait des piqûres d'antibiotiques, on les bourre de vitamines, on les nourrit d'agglomérats de protéines. Rien n'a préparé à un pareil traitement des animaux qui souvent sont adultes.

## *Asservis*

Enfin, le problème fondamental est celui de l'espace et de la liberté. On ne mesure pas ce que peut être pour des mammifères marins le supplice d'être enfermés, même pendant peu de temps, dans une cuve où il y a tout juste la place de leur corps.

Certes on les met ensuite dans des bassins plus grands, mais où le moindre son qu'ils émettent est réverbéré par les parois. Ils baignent dans une eau parcourue par des échos incompréhensibles. Or, tous les phénomènes acoustiques jouent dans leur vie un rôle primordial. Ils doivent être complètement désorientés.

Dans les Marinelands, ils trouvent des compagnons de captivité. Ils font des numéros. Ils participent à un show. Ils ont un public. Mais le comportement qu'ils développent dans de telles conditions n'a plus grand-chose à voir avec celui qui est le leur en liberté. On arrive ainsi à créer une personnalité commune aux dauphins captifs. C'est celle-là qu'on étudie sans

(1) Ce n'est pas l'opinion du Prof. Busnel.

tenir suffisamment compte qu'il s'agit d'animaux dénaturés ou pervertis (1).

On peut objecter que les dauphins ont jusqu'à présent été étudiés en captivité parce qu'on ne dispose d'aucun moyen de les observer en liberté dans la mer. C'est pourtant ce que nous avons toujours voulu faire. Nous avons constaté au début qu'il était très difficile d'approcher en plongée un banc de dauphins, mais enfin ce n'est pas absolument impossible. Cela nous est arrivé au moins à deux reprises. Avec du temps et des moyens l'expérience doit pouvoir être tentée. Elle réserverait sans doute des surprises sur la vie sociale des dauphins et sur leurs possibilités de communication.

Je ne parle que pour mémoire des dauphins qui manifestent une attirance obstinée envers les humains comme Dolly, comme Nina, comme Opo. Ceux-là sont des transfuges, peut-être des bannis. Ils représentent des cas exceptionnels.

La méthode que nous avons appliquée au cours de notre croisière en Méditerranée représente un compromis, qui n'est pas la solution idéale, mais qui offre peut-être d'assez bonnes conditions d'observation.

Les dauphins capturés très vite et sans blessure n'avaient pas à subir le séjour dans un bassin en ciment. La piscine flottante dans laquelle nous les mettions devait réduire au minimum le « stress » qui leur est si préjudiciable. Les trois boudins gonflés soutenaient un filet qui descendait à 12 mètres. Cela représentait un assez large volume dans lequel ils étaient pratiquement libres. Ils se trouvaient dans leur milieu. Les filets aux mailles très larges leur permettaient de regarder dans la mer autour d'eux, d'apercevoir les autres dauphins et de les entendre. Ils n'étaient pas complètement isolés dans un milieu inconnu.

S'ils étaient évidemment assez perturbés, ils n'avaient pas le temps d'être conditionnés ou déformés, puisque nous ne les gardions jamais plus de deux ou trois jours. Parfois beaucoup moins. Certains ont été relâchés dans la journée même ou la nuit qui a suivi la capture, après avoir servi à une seule expérience.

Nous espérions que le groupe était resté à proximité car nous imaginions quelle pourrait être l'angoisse de l'isolé si ses appels n'étaient pas entendus.

Nous savions déjà que les dauphins étaient des êtres sociaux très attachés les uns aux autres, mais nous n'en avions jamais eu de preuves aussi éclatantes que lors de cette croisière de la *Calypso* au large de Malaga et de Gibraltar. On imagine mal le réconfort extraordinaire que procure à un dauphin captif la venue d'un autre dauphin. Dès qu'ils se trouvaient à deux dans leur bassin flottant, leur comportement se transformait. Ils nageaient

(1) Il est juste de remarquer que le cas est analogue pour les primates qui ont cependant fait l'objet, comme nous l'avons dit, d'expériences très importantes.

Les dauphins n'ont pas d'odorat, donc pas de " flair " ; pour se reconnaître, ils doivent se toucher. C'est ce que font ici un mâle et une femelle.

côte à côte. Ils se frôlaient. Aucune de ces manifestations ne semblait avoir un caractère sexuel. On dirait qu'il y a chez les dauphins un intense besoin d'affection. Leur vie sentimentale est extrêmement développée.

Peut-être faudrait-il tenter de capturer au même moment deux dauphins appartenant au même banc, deux animaux dont les liens d'affection se sont formés dans la mer et non pas dans la cohabitation d'un bassin. Nous ne pensons pas qu'ils doivent nécessairement constituer un couple. Les liens paraissent plus forts et plus durables entre individus du même sexe. Car, ainsi que nous avons pu l'observer, les mâles dans la mer ne se déplacent pas côte à côte avec les femelles. Ils ne le font que pendant la période de reproduction.

Les dauphins seraient-ils plus accessibles à l'amitié qu'à l'amour ?

# 8

# une pensée dans la mer

UNE LONGUE EXPÉRIENCE — UN GRAND CERVEAU
LES QUATRE CONDITIONS — ÉQUIPEMENT SENSORIEL
UNE PEAU EXCEPTIONNELLE — LA RESPIRATION
DORMIR, RÊVER PEUT-ÊTRE — L'ENTRAIDE — LE JEU
HORS DE L'ANIMALITÉ — LA PART AFFECTIVE

Le matin, à bord de la *Calypso,* chacun s'absorbe dans son travail. Les mécaniciens, retranchés dans leur abri de toile verte, sur la plage arrière, démontent un moteur hors-bord. Les cinéastes bricolent la caméra sous-marine. Sur la passerelle, Jean-Paul Bassaget et Chauvelin se livrent à des calculs compliqués, penchés sur la carte. Derrière eux, le radio fait couiner ses appareils à la recherche de mystérieux réglages. On fait route, sur une mer d'huile, sous un ciel ruisselant de lumière.

Tout à coup un cri retentit :

— Les dauphins !

C'est Dorado, occupé à réparer le zodiac sur la plage avant, qui a crié.

Il n'a pas dit : « Des dauphins », mais « Les dauphins » et la formule est significative. Elle indique que la rencontre avec les dauphins est pour la *Calypso* un événement qui a ses rites, un événement heureux, qui impose très vite une série d'interventions.

A bord, tout bouge. Un groupe s'est précipité jusqu'à l'étrave : Louis Prézelin, Bonnici, Delemotte se penchent au-dessus de l'eau. Delcoutère a soulevé le panneau du puits qui mène à la chambre d'observation et il commence à descendre : il va tenter de voir les dauphins sous l'eau.

Sur la passerelle, Bassaget et Chauvelin ont saisi des jumelles. On dirait qu'il y a vraiment beaucoup de dauphins. Une rencontre qui en vaut la peine. Bassaget stoppe les machines. La *Calypso* s'avance sur son erre*, doucement, sans bruit. Tout autour de nous, les dauphins fendent de leur aileron la surface soyeuse de la mer. L'un d'eux fait un bond et un instant son corps arqué brille, d'un gris très doux, au-dessus de l'eau bleue. Sur la *Calypso,* des cris, des exclamations ont retenti. C'est la joie.

Avec son calme habituel, notre cinéaste, Michel Deloire, a passé sa combinaison. Il a alerté son assistant Carcopino. Déjà Falco fait mettre à l'eau le zodiac. Des hommes en combinaison noire sautent dedans. A bord de la *Calypso* il n'y a jamais d'ordres, de coups de sifflets. Les manœuvres paraissent se faire toutes seules. L'équipe n'est qu'un seul corps dont tous les membres agissent en harmonie, en souplesse. Il a suffi de ce cri « les dauphins ».

Ils sont là, bondissant dans cette eau bleue, acrobates vêtus de gris brillant, au milieu desquels se glissent les silhouettes noires des hommes.

La situation a je ne sais quoi d'étrange. A perte de vue, c'est l'étendue bleutée de la mer. Dans cette immensité, on dirait que la *Calypso,* stoppée, est au centre d'un faible espace privilégié où se rencontrent les hommes et les dauphins.

Je me suis souvent demandé pourquoi ces rencontres prenaient toujours les apparences d'une fête, pourquoi tout le monde, à bord et dans l'eau, paraissait si enthousiaste, si joyeux. Depuis vingt-cinq ans, nous avons plongé avec beaucoup d'animaux marins. Nous les avons même parfois caressés : mérous de mer Rouge, poulpes de Seattle, baleines à bosse des Bermudes...

« Ce n'est pas pareil, diraient les plongeurs. Les mérous sont laids, les poulpes étranges, les baleines trop grandes. Les dauphins sont beaux, à peine plus grands que les hommes et tellement plus agiles qu'eux. »

Je crois qu'il y a aussi autre chose et qui est plus difficile à expliquer. Pour les plongeurs de l'équipe, retrouver les dauphins, c'est retrouver des parents, des égaux, des êtres avec lesquels ils partagent les secrets de la mer profonde. Pour ces hommes qui n'ont pas une activité comme les autres et qui sont fiers de leur intimité avec la mer, les dauphins sont les meilleurs garants de leur vie exceptionnelle : plus qu'un symbole, un témoignage.

Dans le bassin flottant, les dauphins que nous gardions très peu de temps en captivité, se laissaient très vite approcher par les plongeurs.

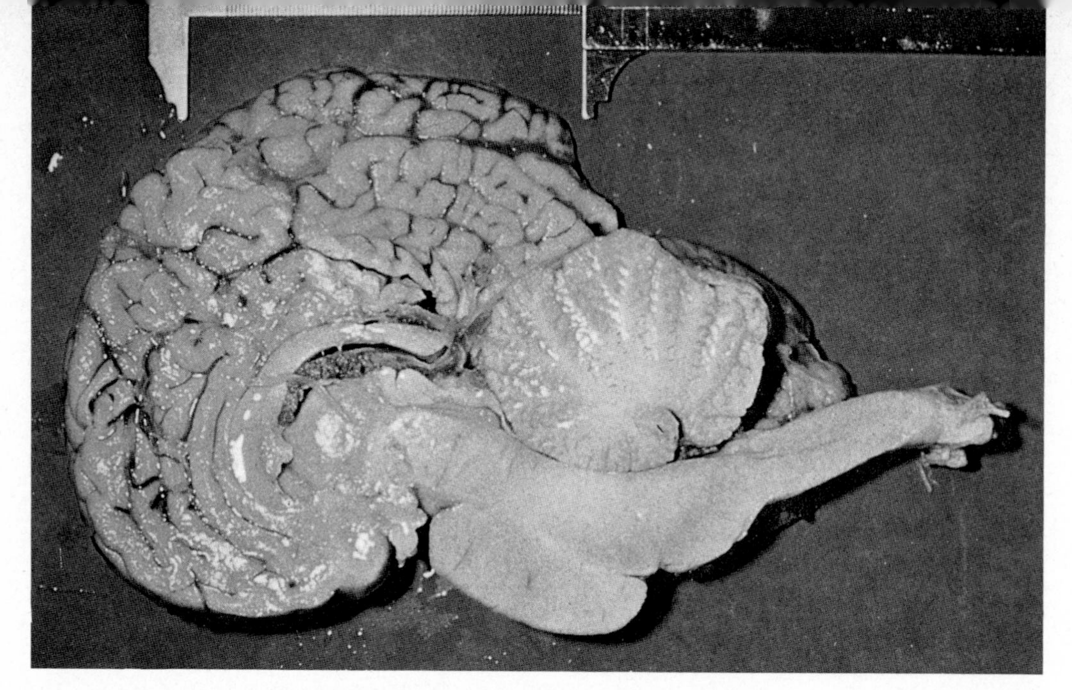

Un cerveau de dauphin. Photo Naval Undersea Center.

## *Une longue expérience*

Nous pouvons dire sans aucune vanité que nous connaissons mieux que n'importe qui le comportement des dauphins en liberté. D'autres les ont étudiés en captivité, dans des Marinelands et dans des laboratoires. Mais depuis vingt-cinq ans, notre équipe les a rencontrés, suivis, photographiés, observés dans la mer, accompagnés en zodiac à toute vitesse. Nous savons bien que ces vingt-cinq années de rencontres ne nous ont pas livré tous les secrets des dauphins. Bien loin de là. Il faudra encore des dizaines et des dizaines d'années aux chercheurs pour connaître la vie des mammifères marins. Mais nous en avons appris assez pour être convaincus que l'observation directe des animaux libres a une valeur autrement significative que les expériences et les recherches effectuées sur des animaux emprisonnés.

Cette expérience de vingt-cinq ans nous a aussi amenés à penser que tous les problèmes essentiels concernant les dauphins étaient mal posés. Il en résulte une grande confusion : les scientifiques se montrent extrêmement sceptiques sur les possibilités intellectuelles et affectives des dauphins et ils réclament des preuves, tandis que le public s'enthousiasme, affabule, se livre à l'anthropomorphisme ou à la science-fiction.

Nous en sommes venus à penser que tous les efforts pour juger le comportement d'un dauphin, pour mesurer son « intelligence » ou essayer de le comprendre sont futiles.

Pour parler de l'intelligence, encore faudrait-il savoir de quoi il s'agit.

Certes, elle dépend d'abord de l'équipement physiologique et de l'équipement sensoriel de l'espèce. Sur ce point, à ne s'en tenir qu'à l'anatomie, on pourrait admettre que le dauphin arrive juste après l'homme, au plus haut niveau de l'échelle animale.

## *Un grand cerveau*

Le poids absolu du cerveau est plus grand chez le dauphin que chez l'homme. Il pèse 1 700 grammes environ, soit 250 grammes de plus que le cerveau humain. On ne connaît qu'un cerveau humain d'un poids supérieur, celui de Cuvier : 1 800 grammes. Le rapport du poids du corps avec celui du cerveau est à peine un peu moindre que chez l'homme.

La dimension du cerveau du *Tursiops* à la naissance est comparable à celle de l'enfant au même moment. Mais sa taille s'accroît nettement plus vite chez le dauphin que chez l'homme.

Ce qui est surtout remarquable, c'est l'extraordinaire ressemblance extérieure entre le cerveau du dauphin et le nôtre. On y observe un développement important du cervelet et de l'écorce cérébrale, la taille considérable des hémisphères cérébraux. C'est un cerveau extrêmement structuré. On peut supposer par comparaison avec d'autres espèces que le dauphin est un animal qui a au moins les possibilités du chimpanzé et peut-être davantage.

En ce qui concerne le cerveau et le cervelet, c'est-à-dire la coordination des mouvements et le centre nerveux intellectuel, le rapport est un peu meilleur chez le dauphin que chez l'homme. Certes il y a entre le dauphin et l'espèce humaine certaines différences anatomiques dans les structures cervicales. L'épaisseur du cortex n'est pas la même. Le cortex est relativement plus mince que dans des régions analogues des cerveaux de grande taille. Or, l'intelligence humaine dépend en premier lieu du cortex. La zone consacrée à l'acoustique est beaucoup plus étendue chez les dauphins que chez nous, tandis que la part réservée à la vision est moindre. Le lobe olfactif est atrophié.

Mais, nous le verrons, pour incomplet qu'il soit dans certains domaines, l'équipement sensoriel des dauphins leur fournit des informations abondantes et précises, même parfois très supérieures à celle dont l'homme dispose et qui sont nécessaires à la vie marine.

L'équipement physiologique des êtres vivants n'entraîne pas de manière absolue et automatique un certain niveau « d'intelligence ». Celle-ci n'est pas en rapport direct avec la dimension et les structures du cerveau.

L'intelligence, telle que nous la comprenons, est pour partie un produit

Dans le zodiac Jacques Renoir filme les dauphins qui évoluent autour de l'étrave.

social et culturel. Elle n'est pas seulement la composante de nos possibilités physiologiques.

L'intelligence potentielle que nous donne le cerveau, si elle n'est pas mise en valeur par un certain nombre de facteurs — accumulation du savoir par transmission de l'information, mode de vie, etc. — reste lettre morte.

## *Les quatre conditions*

C'est bien pourquoi lorsque nous essayons de mesurer « l'intelligence » d'un singe, d'un chien ou d'un dauphin, en partant du poids de son cerveau ou de son équipement nerveux, nous soulevons un faux problème. Ces animaux sont peut-être comparables entre eux, à la rigueur, mais leur cas n'est pas assimilable au nôtre, parce que nous sommes les seuls à disposer des quatre facteurs essentiels à l'élaboration d'une société civilisée : le cerveau, la main, le langage et la longévité.

Les dauphins remplissent trois conditions sur quatre. Leur cerveau est presque égal au nôtre. S'ils n'ont pas un langage au sens strict (ce qui n'est pas démontré), ils peuvent certainement communiquer entre eux. Ils vivent assez longtemps (20 à 30 ans au moins, autant qu'un homme préhistorique) pour acquérir expérience et savoir. Mais il leur manque la main, instrument essentiel de la civilisation.

D'autres facteurs jouent aussi.

Les petits des hommes naissent faibles. Ils doivent être entourés de soins pendant des années. Cette période de fragilité est mise à profit pour

Un dauphin se laisse porter par la lame d'étrave de la *Calypso*.

que s'exerce l'éducation par les adultes et que se fasse l'apprentissage du langage. Pour les enfants des hommes c'est pendant des années que se réalise un développement psychique, qui exige la présence constante des parents, en même temps qu'un environnement où tout le monde parle la même langue, utilise les mêmes objets et résout en général les mêmes problèmes par des formules acquises.

Les petits des dauphins naissent déjà tout constitués. L'éducation ajoute peu à ce qu'ils sont. Physiologiquement ils sont achevés.

Enfin les dauphins ne vivent pas dans le même élément que les hommes. L'eau indispensable et qu'ils ne peuvent pas quitter sous peine de mort, leur impose une terrible servitude. Et c'est elle qui a fait de leur main un battoir.

Leur lutte pour la survie de l'espèce dans l'eau n'a pas eu l'âpreté formatrice de la lutte de l'homme sur terre.

« Les cétacés, dit Alpers, ont vécu dans la mer, coupés de tout contact avec les autres mammifères (sauf avec l'homme lui-même et avec les otaries) pendant soixante millions d'années ou plus. Pendant tout ce temps, contrairement aux singes, aux chiens, aux chats, aux éléphants, aux chevaux, ils n'ont pas eu l'obligation de partager leur environnement avec d'autres animaux intelligents ou à demi intelligents. Ils n'ont eu pour compagnons ou pour proie que des poissons qui leur sont inférieurs. Nous ne savons pas quel était leur degré d'intelligence quand leurs ancêtres ont commencé vivre dans l'eau et si cette « intelligence » s'est développée ou altérée depui l'époque où s'est produit ce changement de milieu. »

Les possibilités que le dauphin avait d'abord développées dans un milieu n'ont-elles pas été freinées dans l'autre ? Une vie aquatique facile et sans concurrence n'a-t-elle pas diminué les capacités d'un mammifère « qui était bien parti » ?

## *Equipement sensoriel*

Les sens des dauphins sont inégalement développés et c'est bien ce qui rend leur vie de relations différente de la nôtre. Sur certains points ils sont très avantagés par rapport à nous et sur d'autres ils sont au contraire moins favorisés.

Contrairement à nous et à la plupart des mammifères, les odontocètes sont, semble-t-il, à peu près complètement dénués d'odorat, ce sens qui joue un si grand rôle chez les poissons.

En ce qui concerne la vision, ils sont mieux partagés que les hommes et les poissons, sans offrir de différences notables par rapport aux autres mammifères.

Les champs visuels des deux yeux se chevauchent en grande partie vers l'avant et vers le bas, permettant une vision stéréoscopique. La mobilité de l'œil est très grande puisqu'il peut regarder vers le haut, en avant, vers le bas et même en arrière, le long des flancs.

Phénomène plus remarquable, le dauphin est doué d'une vision aussi bonne dans l'air que dans l'eau. Dans les Marinelands, les animaux dressés peuvent faire un bond de 5 à 6 mètres au-dessus de la surface pour venir saisir un poisson dans la bouche de leur dresseur. Cet exploit suppose qu'ils passent de la vision subaquatique à la vision aérienne avec une rapidité et une sûreté exceptionnelles. Toutes les exhibitions en captivité, au cours desquelles les dauphins rattrapent hors de l'eau aussi bien que dans l'eau, des balles, des anneaux ou des poissons, témoignent d'une grande acuité visuelle alors que l'homme n'est pas équipé pour voir dans l'eau convenablement.

Les globicéphales et les orques sont d'ailleurs capables des mêmes performances et jouissent de la même vision exceptionnelle.

Il existe cependant des dauphins aveugles. Ce sont certains dauphins d'eau douce ou d'estuaire, chez lesquels les yeux sont atrophiés et qui vivent en Inde et en Amérique du Sud, dans des eaux très troubles.

C'est grâce à leur système d'écholocation qu'ils peuvent alors repérer et saisir leurs proies.

L'appareil acoustique, nous l'avons vu, est en effet particulièrement développé chez les dauphins. Leur vie s'équilibre grâce à une constante exploration acoustique réalisée par l'écholocation. Ils sont sans cesse à l'écoute, aux aguets dans la mer. C'est évidemment chez eux le sens qui domine. Aussi constate-t-on un grand développement du nerf auditif, le huitième, qui est le plus gros des nerfs crâniens. Dans le cortex, le centre auditif est exceptionnellement large. L'oreille est modifiée pour percevoir dans l'eau.

Chez le dauphin, les cellules sensorielles, qui permettent de percevoir les sons de fréquence les plus élevés, sont de grande taille et chacune reçoit sa propre fibre nerveuse. Chez l'homme plusieurs cellules sont en connexion avec un seul nerf. Ces mêmes nerfs sont également développés chez d'autres animaux qui sont des auditifs comme les chats, les souris et les chauves-souris.

Selon le Dr Winthrop Kellogg, qui fut professeur de psychologie expérimentale à l'Université de Floride, « le système acoustique du dauphin a subi une remarquable adaptation au cours des temps géologiques et cet organe merveilleusement sensible est spécialement équipé pour percevoir les vibrations dans l'eau ».

Des expériences ont montré que les dauphins percevaient des fréquences de 150 kilohertz : 150 000 vibrations par seconde. La limite de l'audition humaine est de 14 à 16 kilohertz, ce qui correspond à un coup de sifflet strident. Celle des singes, de 33 kilohertz, des chats de 50, des souris de 90. Seules les chauves-souris dépassent les dauphins en percevant des fréquences de 175 kilohertz.

L'ouïe joue certainement un rôle plus important que la vision dans la recherche de la nourriture, dans celle de la direction, dans la perception de la profondeur, dans les communications entre dauphins. Un dauphin est capable de franchir une corde tendue à 3 ou 4 mètres au-dessus de la surface alors qu'il a été totalement aveuglé par des œillères. Il passe l'obstacle grâce à l'écholocation.

Le système gustatif qui a été relativement peu étudié n'est pas atrophié comme l'est l'olfaction. Les dauphins ont à la base de la langue de nombreuses « papilles » qui contiennent des bourgeons gustatifs analogues à ceux de l'homme et des herbivores. On ignore encore le rôle exact joué par le goût dans la vie sensorielle des dauphins. Mais il est possible que les terminaisons gustatives qui tapissent une partie de leur palais et de leur langue leur permettent de suivre leurs congénères ou de détecter la présence de certains poissons. Comme l'a remarqué Falco dans notre bassin flottant, les dauphins ouvrent fréquemment la bouche, c'est peut-être pour y recueillir des indications gustatives.

Double page suivante : le zodiac a réussi à se maintenir au voisinage immédiat du dauphin lancé à toute allure.

*Une peau merveilleuse*

Quiconque a touché la peau d'un dauphin n'oubliera plus jamais cette sensation. C'est un contact soyeux, élastique et doux. Cette peau fragile commande en grande partie le comportement du dauphin, soit qu'il craigne de la voir endommager, soit que, mis en confiance, il s'enchante des caresses. Tous les soigneurs et les dresseurs savent que le contact de la main, lorsqu'il est toléré, contribue d'une façon décisive à l'apprivoisement de l'animal.

Dans leurs évolutions amoureuses et même simplement dans leur vie sociale, les dauphins glissent l'un contre l'autre, se caressent avec leurs nageoires ou même se frottent contre une brosse placée dans leur bassin, ou contre la carapace d'une tortue.

Certaines parties de leur corps sont plus particulièrement sensibles aux caresses, par exemple le « melon » qui est une région très richement innervée.

La peau joue certainement un grand rôle dans les performances des dauphins, mais d'autres éléments contribuent aussi à faciliter leur déplacement à grande vitesse dans l'eau. Leur corps est absolument lisse. Les oreilles ne sont que des trous minuscules. Il n'existe pas de scrotum* et le profilage hydrodynamique est parfait.

Leur avance très rapide ne provoque ni ces remous ni ces tourbillons qui freinent l'allure des bateaux. Aussi a-t-on étudié, aux Etats-Unis et en U.R.S.S., les raisons mystérieuses pour lesquelles le dauphin réussissait à réduire au minimum la résistance de l'eau.

La peau, son tégument et le revêtement adipeux sous-jacent ont leur importance. Plus importants encore sont les plis longitudinaux qui se forment *pendant la nage* sur le revêtement adipeux des dauphins et qui favorisent l'écoulement des filets d'eau en éliminant les turbulences.

« Ces merveilleuses machines à nager, comme dit le professeur Budker, se déplacent comme par magie et sont capables de produire dix fois plus de puissance par livre de muscles que tous les autres mammifères. »

Grâce à des expériences faites sur un *Tursiops,* il a été possible d'établir que la puissance développée par lui dans sa nage était de l'ordre de 2 CV.

Dès 1936 le professeur Sir James Gray, de Cambridge, a fait remarquer la disproportion entre la vitesse atteinte par l'animal et la puissance développée. C'est ce que l'on a appelé depuis « le paradoxe de Gray ». « La forme adoptée par la nature pour le dauphin est beaucoup plus efficace que celle d'aucun sous-marin ou d'aucune torpille conçus par l'homme. »

Des chercheurs ont supposé que le secret de ces performances tenait à une conformation spéciale du dauphin. En 1955 un ingénieur allemand réfugié aux Etats-Unis, Max O. Kramer, crut en découvrir l'explication dans une disposition particulière de la peau. Il constata que le tégument extérieur, loin d'être étanche, était perméable à l'eau et recouvrait une couche intérieure graisseuse plus dure, d'une épaisseur de 1,5 millimètre. Celle-ci est composée d'un diaphragme extérieur recouvrant une multitude de petits canaux verticaux remplis d'une matière spongieuse qui se gorge d'eau.

Cette deuxième peau peut expulser l'eau jusqu'à n'avoir plus que le cinquième de son poids.

Ce dispositif, sensible à la pression, serait capable d'absorber à tout instant les oscillations qui s'exercent à sa surface quand une vague ou une turbulence naît de la résistance de l'eau.

### *La respiration*

Le rythme respiratoire des dauphins et des autres odontocètes varie selon les conditions dans lesquelles ils se trouvent. Les observations à ce sujet ont été presque uniquement faites en laboratoire.

Quand l'animal n'est pas troublé et nage normalement près de la surface, il respire une ou deux fois par minute. Mais s'il est dérangé, inquiet ou excité, le rythme s'accélère considérablement et atteint 5 ou 6 inspirations par minute.

Avant une plongée profonde qui peut durer 7 minutes et probablement davantage, le dauphin procède à une hyperventilation des poumons grâce à une série rapide d'inspirations, qui accroissent la teneur d'oxygène du sang et favorisent l'élimination du $CO_2$.

Contrairement à l'homme, le dauphin, même dans des conditions normales, renouvelle presque totalement, à chaque respiration, le contenu de ses poumons.

La profondeur à laquelle peuvent descendre les dauphins varie beaucoup avec les espèces et même avec les individus, qui peuvent être plus ou moins entraînés. Le *Tursiops* évolue normalement entre 30 et 50 mètres, mais le célèbre Tuffy, qui a participé aux missions américaines « Sealab », descendait à 300 mètres. On a des raisons de penser qu'ils peuvent atteindre jusqu'à 600 mètres de fond.

La docilité des dauphins a permis de les soumettre à des expériences qui peuvent contribuer à mieux connaître la physiologie de la plongée. Un dauphin a été entraîné, après chacune de ses plongées profondes, à expirer l'air résiduel de ses poumons dans un entonnoir relié à un caisson. Et cela avant de faire surface. Ainsi il a été possible d'analyser et d'étudier la composition de cet air modifié par la plongée profonde.

Un chaland et un zodiac de la *Calypso* s'approchent d'un banc de dauphins.

## *Dormir, rêver peut-être*

Un dauphin ne peut pas dormir plus de cinq ou six minutes sans risquer de se noyer. Il semble qu'au cours de son demi-sommeil, il se laisse doucement couler, puis remonte sans perdre tout à fait conscience. Sa respiration n'est pas, comme la nôtre, automatique et inconsciente. Mais les dauphins ne sont pas soumis comme nous aux effets de la pesanteur, il est donc probable qu'ils ont besoin de moins de sommeil que nous.

En cas de blessure ou de maladie, s'ils perdent toute force ou toute conscience au point de couler, ils sont condamnés à mourir d'asphyxie. C'est alors qu'intervient l'entraide sociale. Il arrive que pendant des heures ou des jours, le malade ou le blessé soit maintenu à la surface par un ou deux de ses compagnons.

En liberté, lorsque tout un banc de dauphins s'assoupit, il est bien probable qu'un ou deux individus restent éveillés pour monter la garde, comme cela se passe dans les groupes de certains mammifères terrestres.

Deux dauphins libres photographiés en plongée.

J'ai assisté moi-même au réveil d'un banc de dauphins endormis au large des côtes d'Afrique. Les dauphins, assez éloignés les uns des autres, étaient dispersés sur une grande distance. A la venue de la *Calypso,* un premier dauphin a alerté tous les autres en poussant un cri. Le banc tout entier qui s'étalait sur la mer autour de nous s'est mis aussitôt en mouvement. Toute la mer bougeait.

### *L'entraide*

Le sens social des dauphins et leur attachement l'un pour l'autre ont donné à penser qu'ils étaient enclins à s'entraider. Il est même possible que cette entraide fasse partie des lois du clan.

Nous avons été bien souvent témoins de scènes qui attestent la solidarité dont les mammifères marins sont capables. A bord de la *Calypso* nous avons à plusieurs reprises constaté en pleine mer que, lorsque dans un banc un dauphin était blessé, deux ou trois de ses compagnons s'approchaient de lui pour le soutenir et l'aider. Tout le groupe stoppait à faible distance et semblait attendre ce qui allait se passer. Si au bout d'un certain temps, les deux ou trois « parents » ou « amis » du blessé ne réussissaient pas à lui faire reprendre la route, le banc tout entier se remettait en marche. Ceux qui étaient intervenus les premiers auprès du blessé étaient bien obligés de l'abandonner sous peine de mort, car un dauphin ne peut pas vivre seul dans la mer, loin des siens.

Il faut reconnaître cependant que l'obligation de s'entraider n'est pas une loi absolue et qu'elle souffre des exceptions.

Voici des exemples entièrement opposés :

En 1962, au cours d'une expédition de la *Calypso,* avec Busnel et Dziedzic, nous avons tenté de capturer des globicéphales qui sont particulièrement méfiants et difficiles à approcher en mer. Nous les suivions avec la *Calypso* et nous essayions de les toucher avec un harpon léger. L'un d'eux a été atteint, mais le zodiac qui fonçait est passé sur le nylon du harpon et s'y est accroché. Le globicéphale s'est mis à crier tant qu'il a pu. Aussitôt deux de ses compagnons sont arrivés, l'ont encadré, soutenu, entraîné et, épaulé par eux, il a réussi à se dégager et à fuir.

En 1965, notre ami Albin Dziedzic a tenté encore, avec un autre bateau, de capturer des globicéphales. Il en a rencontré des dizaines au large d'Alicante. Au milieu du troupeau, un jeune mâle a pu être harponné. Il a « sondé » aussitôt, mais le câble était solidement tenu et il ne pouvait pas s'échapper. Il criait autant et plus que le premier dont nous avons parlé. Tout autour de lui, les globicéphales étaient nombreux. Pourtant pas un seul d'entre eux ne s'est ému et n'a fait mine de lui venir en aide. Cependant, au bout de quelques longues minutes, deux ou trois ont plongé, puis sont revenus en surface. Ils se sont alors éloignés tranquillement, sans s'occuper du captif.

On voit que le comportement des odontocètes peut différer et qu'il ne faut pas généraliser. Peut-être la hiérarchie sociale intervient-elle pour dicter la conduite du groupe, qui porte plus volontiers secours à son leader et à une femelle en péril qu'à des jeunes immatures. Simple hypothèse, car nous commençons à peine à connaître les structures sociales et leurs conséquences sur la vie des individus. Nous savons seulement que ces structures existent et qu'elles ont probablement une grande importance.

## *Le jeu*

Il est une activité des dauphins qui ne leur est pas particulière, mais qui souvent nous étonne : c'est leur amour du jeu. Certes, bien d'autres animaux jouent, les chats par exemple. Mais les jeux des dauphins, par l'esprit d'observation qu'ils supposent, par l'ingéniosité dont ils témoignent, nous incitent à leur prêter une conduite proche de la nôtre, surtout peut-être parce qu'il s'y mêle souvent une pointe d'humour.

Au Marineland de Floride un dauphin s'amuse à arracher par surprise les plumes de la queue des pélicans sans jamais les brutaliser ni les mordre. Une femelle avait pris pour victime une tortue marine qu'elle poussait avec son nez tout autour du bassin.

Tous les dauphins dressés paraissent prendre plaisir à faire leur numéro, mais ils jouent aussi tout seuls. Ils peuvent pendant des heures se lancer un poisson, un morceau de chiffon ou un anneau.

Un dauphin a découvert un jour qu'en plaçant une plume flottante à proximité de l'arrivée d'eau de son bassin, l'objet se déplaçait rapidement puis s'arrêtait. Il le reprenait alors soigneusement sur son nez et le remettait à sa position de départ. Un autre dauphin voyant cela s'est mis alors à en faire autant.

Nous savons d'ailleurs que ces conduites ne sont pas fatalement inspirées par l'ennui de la captivité et ne résultent pas d'un apprentissage. Il est à remarquer que parfois les dauphins jouent aussi lorsqu'ils sont en liberté : ils poussent devant eux un objet flottant, un morceau de bois ou, comme Opo, une bouteille vide.

Ils pratiquent couramment le surf, se laissant glisser et porter sur la crête de la vague, comme le font les sportifs. En général ils évoluent à quelque distance des baigneurs, mais une fois au moins en Floride, ils se sont mêlés à eux (1). Comme les hommes ils attendent pour démarrer une grosse vague.

Ce comportement spontané, relevant du jeu et supposant un esprit d'invention développé, peut être considéré comme l'indice d'une « intelligence » évoluée. Ainsi nous voilà confrontés une fois de plus à ce « faux problème ».

## *Hors de l'animalité*

Ce qui a été dit et écrit sur les dauphins tend à faire d'eux des êtres à part, hors du règne animal, qui n'accéderaient pas encore au niveau humain, en passe cependant de devenir nos égaux.

Il en résulterait de graves conséquences dans notre conduite à leur égard. En raison de leur intelligence, nous aurions envers eux des devoirs

(1) D.K. et M.C. Caldwell, *The World of the Bottlenosed Dolphin,* Lippincott éditeur, 1972.

particuliers. Des êtres si proches de l'homme mériteraient une considération exceptionnelle, et surtout le respect qu'on doit à des frères qui ne nous sont pas « inférieurs ». Le problème physiologique et psychologique se compliquerait alors d'un problème moral.

On peut remarquer d'abord que le raisonnement est spécieux, car nous n'avons pas des devoirs seulement envers les dauphins mais envers tous les animaux et aussi envers les autres hommes. L'homme d'aujourd'hui est-il prêt à concevoir et à respecter une morale animale, qu'il s'agisse de chevaux, de chiens, de chats ou de dauphins, compte tenu qu'il n'en a déjà guère avec les autres membres de son espèce.

En outre les physiologistes, les acousticiens, les biologistes, les cétologistes — tous sauf le docteur Lilly — estiment que les dauphins ne diffèrent pas essentiellement des autres mammifères. Pour eux il n'y a pas de différence de nature entre le dauphin, le singe, le chien et l'homme.

Ce jugement paraîtra sans doute sévère au lecteur. On est enclin à prêter une supériorité particulière à un animal qui possède un cerveau d'un poids plus élevé que le cerveau humain. D'autre part, les mœurs sociales des dauphins, comparables à celles de l'homme et du singe, nous semblent attester une parenté, en même temps qu'elles nous inspirent un attachement et une curiosité que nous n'éprouvons pas pour d'autres animaux. Car, il faut bien le dire, les rapports de l'homme et du dauphin sont éminemment sentimentaux.

### *La part affective*

On peut justement reprocher aux « scientifiques », soucieux d'objectivité, de ne pas faire une part assez large à tout ce qui par définition ne se mesure pas, ne s'analyse pas : l'affectivité, l'émotion, le dévouement que les dauphins semblent témoigner aux hommes (1).

La réponse est toute prête et les scientifiques ne se font pas faute d'y recourir.

« Cette part sentimentale, disent par exemple le professeur Busnel et Albin Dziedzic, elle est le fait de l'homme, qui y ajoute également quelques illusions romanesques. Les dauphins n'ont ni plus d'attachement ni plus de sensibilité qu'un chien, plutôt moins. »

(1) En fait, on peut « mesurer » certains de ces états et pour les espèces animales dites de laboratoire, il existe des tests qui donnent des valeurs quantitatives ; mais sur le dauphin où le nombre d'animaux d'expérience est toujours limité, ces problèmes n'ont pas encore été vraiment abordés.

Deux dauphins nageant côte à côte.

A quoi on peut rétorquer que le chien est depuis 60 000 ou 100 000 ans le commensal de l'homme. Il a été façonné, créé par lui. C'est un produit de la civilisation. Tandis que le dauphin, cantonné dans le monde aquatique, séparé de nous, n'a jamais jusqu'à ces dernières années, fait l'expérience d'une vie commune avec l'homme (1).

C'est aujourd'hui seulement, en raison d'une curiosité nouvelle pour la vie dans les mers, que nous nous intéressons à lui. Et nous nous avisons que, depuis longtemps sans doute, il s'intéresse à nous. Il vient se mêler aux baigneurs, il promène les enfants sur son dos, sauve des gens qui se noyaient.

Ainsi, il y a 10 000 ou 12 000 ans, autour des premiers campements néolithiques, les chiens erraient en quête de l'homme, l'avertissaient de la venue des fauves et tentaient de l'aider dans ses chasses.

Ainsi, le dauphin protège les nageurs contre les requins ou aide les pêcheurs à rassembler les mulets. Nul ne peut dire si dans 8 000 ou 10 000 ans les relations homme-dauphin n'auront pas beaucoup progressé.

(1) Sauf peut-être, nous le verrons, au cours de la civilisation minoenne entre 2500 et 1300 avant notre ère.

Le commandant Cousteau et le professeur Busnel discutent devant la télévision au poste central de la *Calypso*.

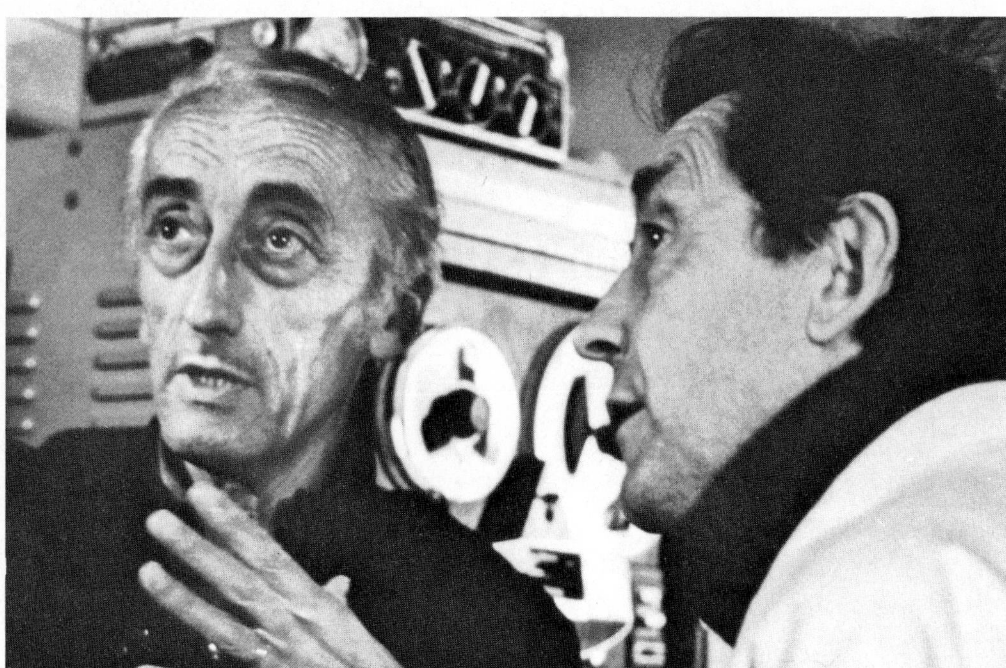

# 9

# éducation de dauphins

LA CAPTURE — LA CAPTIVITÉ — AFFECTION — BONNE VOLONTÉ
SONT-ILS MALHEUREUX ? — DÉFORMATION — LA SANTÉ
ENTRAINEMENT PAR LA NAVY — IMPRESSIONNABLES
DAUPHIN-ENQUÊTEUR — DES PLONGÉES A 300 MÈTRES
TUFFY, AGENT DE LIAISON — CONFIANCE — CONTRE LES REQUINS

La grande docilité des dauphins, le fait qu'ils n'ont jamais mordu personne ont incité bien des gens à les annexer à l'aventure humaine et à s'efforcer d'en faire des animaux domestiques. Une ou plusieurs espèces de cétacés deviendraient ainsi dans la mer l'équivalent du cheval et du chien sur terre, car le *Tursiops* n'est pas le seul à s'être révélé comme un auxiliaire de l'homme : le globicéphale ou l'orque ont montré des qualités, au moins égales, sinon supérieures, à celles des *Tursiops.*

Aussi depuis bientôt vingt ans les cétacés odontocètes ont été mis à l'épreuve dans de nombreux laboratoires et dans plus de vingt-cinq cirques marins. Les premiers dauphins qui accomplirent des missions en toute liberté dans la mer furent lâchés en août 1964.

Il semble bien que cette vaste tentative n'ait pas encore permis de découvrir quel était l'animal le plus apte à la collaboration avec l'homme, pas plus qu'on ne s'est mis d'accord sur ce qu'on avait exactement à lui demander.

Jusqu'à présent ce sont surtout des *Tursiops truncatus,* capturés sur les côtes de Floride ou au voisinage de l'embouchure du Mississippi, qui ont été dressés en vue des exhibitions dans les Marinelands et les seaquariums des Etats-Unis. Ce choix tient surtout à un préjugé selon lequel ils se

montreraient particulièrement dociles à l'entraînement. D'autres espèces de dauphins, comme le *Stenella,* se sont révélés également excellents élèves. Plusieurs établissements américains, particulièrement sur la côte ouest, gardent en captivité depuis 1970 des orques qui ont témoigné de qualités exceptionnelles. Caldwell cite le cas d'un « faux Killer-whale », qui s'est mis spontanément à exécuter les mêmes numéros que les dauphins, simplement pour avoir assisté à leur show et sans qu'on lui apprenne rien.

A vrai dire, il est encore trop tôt pour savoir quel est le mammifère marin le plus apte à collaborer avec l'homme. Tous n'ont pas encore été mis assez longuement à l'épreuve.

Qu'on songe qu'il a fallu une dizaine de milliers d'années pour que les éleveurs de la préhistoire et de l'histoire créent les animaux domestiques dont nous sommes aujourd'hui entourés. Ces auxiliaires de l'homme sont l'aboutissement d'une très longue sélection et d'innombrables croisements. Pareille tâche n'a pas encore été entreprise dans la mer. Elle suppose la connaissance de toutes les espèces d'odontocètes disponibles. Or, rien que pour les delphinidés, on en connaît 48. Et il existe 90 espèces de « petits cétacés », delphinidés compris.

## *La capture*

Certains Américains se sont fait une spécialité de capturer les dauphins en mer et même de les dresser avant de les vendre à des Marinelands. C'était le cas de A.V. Santini, mort maintenant. Il poursuivait l'animal en canot automobile, lui lançait un filet, puis se jetant à l'eau, il s'efforçait de le maîtriser. Il semble qu'il ait su calmer et immobiliser les dauphins en posant les mains sur eux. Il arrive en tout cas que certains mammifères marins cessent de se débattre s'ils sentent qu'ils n'ont plus aucune chance de s'échapper.

Un dresseur de Key Largo (Floride) a vendu cinquante dauphins dressés en huit mois. Les dauphins savants valent plus ou moins cher selon les performances dont ils sont capables, mais un dauphin qui n'a subi aucun apprentissage se payait déjà, voici trois ans, 400 $.

Cette chasse aux dauphins est meurtrière. Non seulement il arrive que les animaux soient blessés, mais sur les quatre ou cinq qui viennent d'être capturés, il n'est guère possible d'en garder qu'un ou deux. On conserve ceux qui consentent à manger et qui semblent suffisamment jeunes pour se plier au dressage. Les autres sont remis à la mer en plus ou moins bon état.

Le " show " des dauphins au Marineland de Palos Verdes.

On ne sait en effet jamais à l'avance si un dauphin s'accoutumera ou non à la captivité. Le professeur Busnel raconte à ce sujet que dans un laboratoire, au Danemark, des dauphins capturés en Baltique, venaient manger dans la main, alors que d'autres n'acceptaient aucune nourriture.

Désormais aux Etats-Unis, la chasse aux dauphins sous toutes ses formes est interdite par une loi qui est appliquée avec une extrême rigueur.

En France, un arrêté du 4 novembre 1970, établi à la demande des professeurs Busnel et Budker, « considérant la contribution des delphinidés à l'équilibre écologique des océans et leur utilisation dans le domaine de la recherche scientifique et technique, interdit de détruire, de poursuivre ou de capturer, par quelque procédé que ce soit, même sans intention de les tuer, les mammifères marins de la famille des delphinidés (dauphins et marsouins). Ces dispositions ne s'appliquent pas aux opérations menées uniquement dans un but de recherche scientifique » (1).

## *La captivité*

Si le comportement des dauphins en captivité varie d'un individu à l'autre et nous paraît imprévisible, c'est probablement qu'il dépend d'un certain nombre de conditions qui nous échappent encore. Au moment de la capture, il est impossible de savoir si l'animal est un jeune mâle dominé ou dominant. Il est impossible de connaître son statut social et même son âge. De là ces comportements différents et en apparence incompréhensibles. Il en va de même chez les primates dont certains s'adaptent à la captivité et d'autres ne s'y résignent pas.

Dans tous les Marinelands américains, on connaît les mêmes difficultés que Falco a éprouvées pour faire manger les dauphins au début de leur captivité. Un soigneur du Marineland de Floride, désespéré de ne pas parvenir à faire manger son nouveau pensionnaire, se mit à le bombarder et même à le frapper avec des poissons. Le dauphin mécontent ouvrit la gueule et... avala un poisson, par mégarde. Dès cet instant il en engloutit d'autres volontairement.

Il existe maintenant dans le commerce des aliments spéciaux pour mammifères marins à base de protéines agglomérées comme il existe des pâtées pour chiens et chats.

Les dauphins captifs finissent par perdre l'habitude de manger des poissons vivants. Caldwell cite le cas de celui auquel on avait offert un mulet qui frétillait encore. En sentant le poisson bouger dans sa gueule,

(1) Voir appendice IV, législation.

au moment où il le saisissait, le dauphin fut pris d'une telle peur qu'il le lâcha et s'enfuit à l'autre bout du bassin. Pendant 24 heures il refusa de manger.

Les *Phocoena,* élevés par l'équipe du professeur Busnel, s'habituaient si bien à être nourris à la main qu'ils ne s'occupaient plus des poissons vivants qui se trouvaient dans leur bassin.

Un animal qui attend ainsi que l'homme lui fournisse sa nourriture et renonce à chasser est bien proche de la domestication.

L'adaptation à la captivité est généralement assez rapide : une ou deux semaines. Il est exceptionnel que l'animal cherche à s'enfuir et il s'habitue si bien à l'homme qu'au bout de quelques jours il se laisse caresser. Il semble souvent rechercher le contact.

### *Affection*

Il est très difficile de savoir quels sont les liens exacts qui s'établissent entre l'animal et son dresseur. Un dauphin s'attache-t-il à son maître ? A-t-il même un « maître », comme le chien en a un ?

Tous les dresseurs affirment qu'ils connaissent leurs dauphins et que leurs dauphins les connaissent. Sans lien affectif — au moins de la part de l'homme — le dressage serait-il même possible ? Un éducateur a son élève préféré. L'expérience lui a appris à reconnaître l'animal le mieux doué, celui qui comprend le plus vite et qui fait montre parfois d'une intuition ou d'une imagination stupéfiantes.

Si l'on en croit le professeur Busnel, l'attachement du dauphin pour son dresseur ne serait qu'une illusion ou un mythe. Et il a fait à ce sujet une série d'expériences : un dauphin dressé obéissait aussi bien à son dresseur habillé en femme, puis à une femme, et même à de simples planches, l'essentiel étant que l'animal perçoive le signal pour lequel il était conditionné.

Un béluga dressé venait, comme de coutume, embrasser son entraîneur, même si ce dernier portait un masque à gaz. Le professeur Busnel en conclut que l'animal n'a pas un comportement différent avec son dresseur ou avec une autre personne qui le remplace.

C'est une constatation que l'on peut faire avec d'autres animaux dressés. Certains dresseurs « montent » et vendent par exemple un numéro de lions qu'un bon dompteur moyen, quel qui soit, pourra exhiber. Cela ne signifie pas que chaque lion n'aura pas un attachement marqué ou une aversion particulière pour son premier dresseur ou pour son dompteur. Mais, bien conditionné, il exécute son numéro pourvu qu'il perçoive le signal auquel il est habitué.

Au Marineland d'Antibes, les dauphins au cours de leur numéro sautent à une grande hauteur. Photo José Dupont, Marineland d'Antibes.

Je ne suis pas certain que les différentes expériences de Busnel prouvent l'impossibilité pour les dauphins de reconnaître leur soigneur et démontrent qu'ils n'éprouvent pas pour lui un attachement particulier.

En effet, si l'on en croit Caldwell, certains dauphins travaillent mieux avec leur premier entraîneur et refusent même parfois d'en changer. Il faut donc admettre qu'ils le reconnaissent et même qu'ils l'apprécient.

La sympathie qu'inspire le *Tursiops,* les sentiments qu'on lui prête, seraient dus surtout au rictus rieur qu'il arbore et qui n'a aucune signification particulière, ainsi que nous l'avons déjà fait remarquer. Un peu

L'un d'eux réussit même à attraper un ballon d'enfant. Photo José Dupont, Marineland d'Antibes.

d'attendrissement populaire, beaucoup d'anthropocentrisme auraient aussi contribué à faire du dauphin un « animal pas comme les autres ».

*Bonne volonté*

Sans doute les scientifiques ont-ils raison de réclamer un peu plus d'objectivité. Mais, même si on refuse de voir dans le dauphin « un animal doué de raison », il faut bien reconnaître qu'il ne se dresse pas comme les autres et qu'il parvient mieux que les autres à exécuter des numéros difficiles.

Rien ne sert de le contraindre. On ne saurait punir ou frapper un dauphin sans risquer de gâcher à jamais toute possibilité de dressage. En revanche, l'animal fait volontiers ce qu'on lui demande : il le fait pour le plaisir de jouer ou « pour faire plaisir ». Il n'est même pas nécessaire qu'il reçoive chaque fois sa récompense. En revanche, certains jours, il peut lui arriver d'être distrait ou de se refuser à exécuter un exercice. Peut-être est-il malade ou bien il a peur. En tout cas, il est inutile d'insister.

Chaque Marineland a son champion capable de faire un numéro exceptionnel. Les uns exécutent un triple saut périlleux. Dans un oceanarium de Floride, Pedro, qui pèse 250 kg, franchit une barre placée à 7 mètres de haut, d'autres jouent au ballon.

Deux *Tursiops* exécutent une série de sauts couplés au-dessus d'une rangée de barres. La synchronisation est absolument parfaite et suppose une maîtrise totale du corps dans l'espace et dans l'eau, ainsi qu'une coordination des deux acrobates.

Le plus extraordinaire est peut-être qu'un dauphin, à l'appel de son dresseur, consente à sortir de l'eau et à se poser sur le bord de son bassin. Un tel geste est absolument contraire à sa nature et il ne peut le faire que pour répondre au désir de l'homme.

## *Sont-ils malheureux ?*

Une question se pose et il faut bien tenter d'y répondre. Ces animaux captifs, offerts en spectacle au public, sont-ils malheureux ?

Ce n'est pas certain. Incontestablement, ce qu'on leur enseigne, les numéros qu'on leur fait exécuter, représentent une activité qui vaut beaucoup mieux que l'oisiveté à laquelle sont condamnés bien des animaux dans les zoos.

On peut même à la rigueur admettre que la présence du public, les applaudissements, l'atmosphère d'admiration dans laquelle ils vivent leur sont agréables. Quelques minutes avant l'heure du « show », les dauphins du seaquarium de Miami tournent à toute allure au fond de leur bassin, nerveux comme des acteurs avant leur entrée en scène.

Il arrive aussi aux dauphins de répéter tout seuls leur numéro, pour jouer et sans qu'on le leur commande.

Toutes ces activités spontanées ne doivent pas faire illusion. La captivité est toujours pour un animal une épreuve difficile. Mais il est un argument auquel on ne peut pas rester insensible : les dauphins, les globicéphales ou les orques utilisés dans les zoos marins et les centres d'entraînement ne cherchent pas à fuir. Il est vrai qu'il en va de même pour la plupart des animaux terrestres lorsqu'ils sont conditionnés à la captivité.

On peut évoquer à ce sujet une anecdote que je crois plus touchante que convaincante. Santini qui présidait aux destinées de la « Porpoise School » de Floride vit son établissement à peu près entièrement détruit par le cyclone « Betty ». Bassins, digues, filets furent emportés par la mer et ses douze dauphins disparurent. Ils revinrent tous. Certains au bout d'un jour, d'autres au bout d'une semaine ou d'un mois. Ils surveillaient les travaux de reconstruction, bousculant ou aspergeant les hommes qui construisaient de nouveaux bassins, comme s'ils avaient hâte de prendre possession de leur ancien domaine remis en état.

### *Déformation*

Le public s'imagine que des dauphins qui se montrent si familiers en captivité peuvent être aisément étudiés et fournissent des sujets parfaits pour des expériences de comportement.

Il est vrai qu'ils ont beaucoup servi à toutes sortes d'expériences. Il est vrai aussi que, dans leurs bassins, vivant ensemble, au contact du public, ils prennent des habitudes, inventent ou imitent certaines conduites ou en adoptent une pour plaire à leur dresseur. Ainsi s'instaure une véritable « culture », plus ou moins transmissible et qui est propre à chaque Marineland, liée à ses particularités, à son programme, à ses modes de vie. A cet égard, un groupe de dauphins en captivité est comparable à un groupe humain.

Les expériences menées dans les zoos marins peuvent donc être instructives et intéressantes, mais à condition de ne jamais perdre de vue qu'elles mettent en scène des sujets conditionnés, déformés, qui n'ont plus rien à voir avec les dauphins libres. Cette restriction est particulièrement importante lorsqu'il s'agit de cas psychologiques aussi complexes et aussi riches que ceux de tous les mammifères marins. Il est bien certain que l'étude de la psychologie humaine, si elle était menée uniquement dans les prisons, aboutirait à quelques contresens et à des généralisations abusives.

On en est maintenant à la troisième génération de dauphins nés en captivité. Ces petits-enfants de dauphins libres n'ont donc jamais connu la mer et, parmi leurs grands-parents, certains sont excusables de l'avoir un peu oubliée. Les « anciens » ont déjà quinze ans de prison. On est bien forcé d'admettre que leur comportement initial s'est modifié.

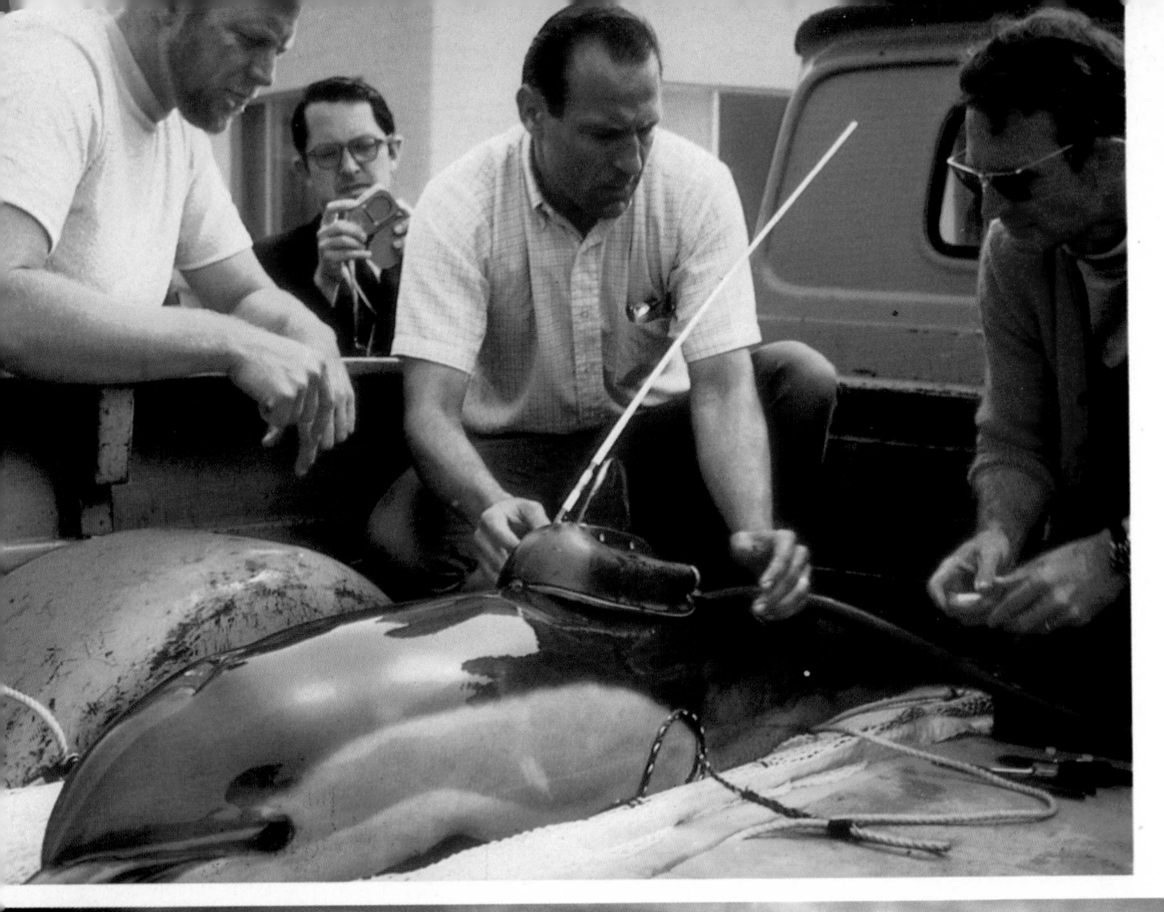

L'équipe de William E. Evans, au Naval Undersea Center à San Diego, fixe un émetteur radio sur la nageoire dorsale d'un dauphin. Photo Naval Undersea Center.

Un dauphin en immersion équipé d'un poste émetteur radio. Photo Naval Undersea Center.

Il a été possible de photographier au Marineland de Floride une dauphine pendant qu'elle accouchait. On remarquera que le petit sort par la queue. Photo Marineland of Florida.

Combien de temps vit un dauphin ? Nous avons maintenant sur ce sujet des données assez sûres. Nous pouvons calculer l'âge d'un dauphin en examinant ses dents. Il peut vivre vingt à vingt-cinq ans. Peut-être plus.

Le globicéphale atteindrait vingt-six ans mais chez lui, la sénilité commence à dix-huit ans.

## *La santé*

Il arrive fréquemment que des dauphins tombent malades et il arrive aussi qu'on les guérisse.

Ils attrapent beaucoup de maladies humaines transmises par les visiteurs : une épidémie de grippe ne les épargne pas et ils sont sujets à l'hépatite. Lorsqu'ils sont malades, ils ne mangent plus, ne jouent pas. On prend leur température et on leur fait des piqûres, et même, à l'occasion, on les passe aux rayons X.

La respiration n'étant pas automatique chez les dauphins, toute anesthésie leur était jusqu'à présent fatale. Des progrès ont été accomplis dans ce domaine et grâce à de nouveaux appareils, les interventions chirurgicales sont devenues possibles et elles se sont multipliées.

### *Entraînement par la Navy*

La Marine des Etats-Unis entraîne des dauphins et d'autres mammifères marins, notamment des orques et des otaries. Les dauphins avec lesquels furent menées ces expériences ont été conditionnés aussi bien pour étudier la physiologie de la plongée, que pour servir d'agent de liaison et transporter des outils ou encore pour la récupération et la détection d'engins immergés. Mais Caldwell affirme qu'ils n'ont jamais été employés à transporter des explosifs et encore moins à les fixer sur la coque des bateaux, comme on le croit généralement.

Les deux principaux centres d'entraînement sont le « Naval Undersea Research and Development Center » à San Diego en Californie et le « Marine Bioscience Facility », à Honolulu.

Enfin, à Sarasota en Floride, est installé le Mote Marine Laboratory qui étudie le dressage des dauphins pour la lutte antirequins sous la direction du Dr Perry Gilbert.

Dans ces différents centres, l'entraînement commence évidemment dans un bassin qui peut être mis en communication avec différents enclos. On enseignera d'abord au dauphin à appuyer sur une sonnerie, puis à franchir un passage après avoir déclenché un signal, puis à apporter un objet (une balle ou un anneau) à un nageur ou un plongeur. Il faut avant tout convaincre le dauphin de la nécessité d'apprendre ou, comme disent les entraîneurs, lui apprendre à apprendre.

Le dauphin parvenu à ce stade est transféré à l'extérieur dans un ensemble d'enclos flottants. Il semble que ce changement de cadre nécessite une nouvelle éducation car, pendant plusieurs jours, le dauphin paraît avoir oublié ce qu'il a appris.

On commence ensuite l'entraînement au « rappel ». Il s'agit d'obtenir progressivement que le dauphin revienne au commandement, condition indispensable pour que l'on puisse se fier à sa conduite. C'est un résultat relativement facile à atteindre. Il est curieux de remarquer qu'il faut vaincre la répugnance que montrent les animaux à franchir les portes, d'un enclos à l'autre, ou même le passage qui donne sur la pleine mer. Et ils reviennent quelquefois avant même d'avoir été rappelés.

Les signaux spécifiques aux nombreux exercices doivent être aussi différents que possible afin d'éviter des confusions pour l'animal. Chaque signal doit correspondre à un comportement précis.

Ensuite commencent les exercices à partir d'un bateau, d'abord stoppé, puis avançant à une vitesse croissante. On habitue le dauphin à sauter au-dessus de la surface, à plonger de plus en plus profondément. Cet entraînement se déroule, pendant au moins deux semaines, dans la baie au bord de laquelle est situé le centre de recherches d'Hawaii. Il est répété dans l'océan pendant plusieurs semaines, à 200 mètres au large.

### *Impressionnables*

Le conditionnement d'un dauphin ne se déroule pas aussi simplement que nous venons de le dire. Il est à la merci de bien des incidents et il dépend

La dauphine s'incline sur le côté pour que le petit puisse aisément téter. Les mamelles sont situées de part et d'autre de l'orifice génital. Photo Marineland of Florida.

Les dauphins aiment beaucoup taquiner les tortues marines placées dans leur bassin. Photo Marineland of Florida.

du caractère, de l'état physique ou psychique de chaque animal. Il en va des mammifères marins comme des recrues militaires : les cabochards, les fantaisistes, les distraits sont généralement plus nombreux que les bons sujets, ce qui ne veut pas forcément dire qu'ils sont moins sympathiques.

Il faut tenir compte en outre du caractère impressionnable de ces animaux. Ils se laissent aisément effrayer ou décontenancer. Des situations nouvelles, des objets inconnus peuvent bouleverser leur comportement. L'entraînement doit être très progressif. Des changements à peine sensibles doivent leur permettre de passer d'une étape à l'autre.

Pourtant le succès n'est jamais tout à fait assuré. Malgré les consciencieux efforts d'un personnel expérimenté, un incident peut survenir lorsque l'éducation paraît achevée : l'animal refuse de travailler ou même de réintégrer son enclos. Il faut alors l'astreindre à de nouvelles séances d'entraînement du genre libération et rappel. Il peut arriver aussi que des dauphins soumis à des exercices en plein océan se laissent distraire par le voisinage des poissons qui circulent autour d'eux. On les comprend, mais la leçon est un peu perturbée. Pourtant les évasions sont très rares. A Point Mugu, qui fut le premier centre de la marine américaine (1), au cours de cinq années d'expériences, 1 600 séances de travail avec les dauphins et 600 séances avec les otaries, le Centre n'a perdu qu'un seul dauphin et une seule otarie. Presque toujours les évadés de Point Mugu se sont laissés reprendre ou sont revenus de leur plein gré (2) après avoir, dans certains cas, disparu pendant deux semaines.

Le grand intérêt de tous ces centres est de former des dauphins qui sont finalement remis en liberté dans la mer, après avoir été entraînés à y accomplir certains gestes.

C'est ainsi que le centre de San Diego dispose de plusieurs dauphins « en liberté surveillée », qui vivent dans les eaux du voisinage et répondent à l'appel de leurs soigneurs. Ce centre compte également un orque et plusieurs otaries qui se trouvent dans les mêmes conditions de semi-liberté.

Pour arriver à ce résultat, il faut, quelles que soient la bonne volonté et les facultés d'apprentissage des dauphins, connaître aussi bien que possible les conditions de vie des mammifères marins en liberté. Il s'agit en effet d'agir par la persuasion et l'affection beaucoup plus que par la contrainte. Ce n'est pas un dressage où alternent les récompenses et les punitions. Le plus souvent le dauphin obéit de son plein gré, se prête complaisamment à ce qu'on lui demande, par curiosité ou « pour jouer ». Mais toute insistance ou toute brusquerie le paralysent ou le rendent malade.

### *Dauphin-enquêteur*

Au Naval Undersea Research Center, un biologiste, le Dr W.E. Evans, s'est spécialisé dans l'étude des dauphins en liberté. Il utilise un bâtiment spécial qui est un engin d'observation conçu par ce centre de recherches. C'est un catamaran qui soutient entre ses deux coques un compartiment sous-marin en plastique dans lequel deux observateurs disposant de caméras peuvent suivre les évolutions des requins et des dauphins qui en automne sont nombreux à proximité des côtes. Cet engin permet notamment l'enregistrement des cris des dauphins dans leur milieu naturel et des études écologiques : celles-ci portent sur le comportement social, sur la sexualité en

(1) Le centre de Point Mugu a été fermé en 1970 et transféré à San Diego et à Hawaii.

(2) Ces renseignements sont dus à Blair Irvine, du Naval Undersea Research and Development Center, auquel nous exprimons nos remerciements.

pleine mer, sur la composition des bandes de dauphins et sur la hiérarchie qui y règne.

W.E. Evans a également recours à d'autres modes d'investigation. Il a été le premier à songer à faire du dauphin lui-même un enquêteur auprès de ses congénères. Mais au lieu de lui faire porter une caméra comme nous l'avions fait, il a songé à fixer sur la nageoire dorsale d'un dauphin un émetteur radio qui transmet à un récepteur gonio automatique* de nombreuses indications : durée de plongée et profondeur, chemin parcouru, indications concernant éventuellement un « territoire », rapport entre la profondeur où descend le dauphin et le niveau du plancton, etc. L'émetteur se met en route quand l'animal fait surface pour respirer.

Pour éviter les bruits de moteur et d'hélice, W.E. Evans utilise un voilier, le *Saluda*. C'est à bord de ce bateau que Philippe Cousteau et Jacques Renoir ont accompagné pendant une semaine le spécialiste américain. Ce genre de recherches permet de mieux connaître le comportement du dauphin en liberté. La preuve a été faite une fois de plus qu'il était possible de confier des appareils enregistreurs à un animal marin et peut-être de l'entraîner à jouer son rôle. Mais il a aussi été démontré que le dauphin porteur d'un émetteur radio était ralenti dans ses évolutions, tout comme l'a été notre dauphin équipé d'une caméra sous-marine. D'autant plus que l'appareil enregistreur émetteur d'Evans comporte une antenne qui gêne particulièrement l'animal pour plonger. Cependant l'un de ces animaux a pu être suivi ainsi pendant 72 heures. Il a été possible de constater que le dauphin porteur de caméra, et dont la silhouette était cependant modifiée, était très bien accepté par son groupe, cette fois-là !

## *Des plongées à 300 mètres*

Le dauphin était repéré au goniomètre grâce à l'appareil dont il était muni, mais il se fatiguait au bout d'un certain temps. Les attaches qui fixent l'engin sur la dorsale du dauphin se détachent d'elles-mêmes par dissolution dans l'eau d'un système de fixation verrouillé au magnésium. Mais il faudrait étudier des appareils très miniaturisés (1).

Il s'agissait surtout de savoir à quelle allure se déplacent les dauphins

(1) Lorsque nous avons fixé une caméra sous-marine sur une baleine grise, celle que nous avions surnommée Gigi, elle l'a très bien supportée. Mais le rapport entre les forces de l'animal et la charge qu'on lui imposait était bien différent.

Un dauphin du Marineland de Floride a entraîné sa balle au fond du bassin. Photo Marineland of Florida.

Dans sa sphère d'observation sous-marine, Bill Evans observe le comportement des requins et des dauphins. Photo Naval Undersea Center.

en liberté, et de connaître la fréquence et la durée de leurs plongées. Un appareil spécial enregistrait ces indications.

Un dauphin en croisière de longue durée fait 8 à 9 nœuds. Pendant cet effort modéré, il plonge, mais peu profondément et il reste en apnée* en moyenne cinq minutes. On a enregistré des plongées de dauphins de quinze minutes. Nous n'avons jamais constaté en soucoupe plongeante, la présence des dauphins à grande profondeur, alors que les phoques de Wedell peuvent rester quarante minutes sous l'eau et plonger à 600 mètres.

### *Tuffy, agent de liaison*

C'est au Centre de l'U.S. Navy à Point Mugu (Californie) qu'a été formé le *Tursiops* mâle Tuffy (2 mètres de long, 140 kilos) qui fut utilisé par les Américains au cours de deux expériences de maisons sous la mer, *Sealab II* et *Sealab III*.

Le rassemblement des requins autour de la sphère de Bill Evans. Photo Naval Undersea Center.

Lâché en pleine mer, Tuffy était chargé du rôle d'agent de liaison. Il transmettait des messages entre la surface et le fond ou transportait des outils. Les dauphins ont dans ce cas une grande supériorité sur les plongeurs : n'étant pas sujets aux accidents de décompression, ils n'ont pas à observer de paliers. Tuffy descendait couramment au-delà de 100 mètres et sur un ordre remontait en surface comme une flèche.

A Tuffy incombait également une autre tâche importante. Il était chargé de ramener à la maison sous-marine les plongeurs qui s'égaraient. Etant donné que les hommes de l'expérience *Sealab* avaient dans leurs sang de l'azote à saturation, il leur était impossible, s'ils se perdaient au fond, de remonter à la surface sans effectuer de très longs paliers ou sans être placés dans un caisson de décompression. Ils devaient donc retrouver leur résidence marine sous peine de mort. Chaque plongeur disposait d'une sonnerie électrique pour appeler Tuffy. Celui-ci l'entendait à plus de 500 mètres de distance. Il allait aussitôt saisir un fil de nylon enroulé sur un tambour fixé à l'entrée de Sealab et il l'apportait au plongeur, qui retrouvait son chemin dans la mer, grâce à ce fil d'Ariane.

Les expériences faites au centre d'entraînement de Point Mugu, orientées vers l'utilisation pratique des dauphins, ont montré notamment qu'ils pouvaient remorquer trois fois leur poids. Un dauphin de 200 kg tire aisément une charge d'une demi-tonne.

## *Confiance*

L'un des grands problèmes, au cours du dressage d'un dauphin en vue d'une tâche particulière, est de savoir à quel moment le conditionnement qu'on lui a fait subir permet de se fier à lui. Quand peut-on « lâcher » l'animal ? Que restera-t-il de l'éducation qu'on lui a imposée lorsqu'il se retrouvera seul, face aux impulsions instinctives, qui font agir son espèce depuis des millions d'années ? On ne peut être assuré du succès que si l'animal libéré revient à son port d'attache après avoir accompli sa mission.

Ce genre d'entraînement est sans précédent. Et ceux qui l'ont tenté ont dû se fier à leur intuition et improviser leurs méthodes de dressage.

## *Contre les requins**

Il n'est guère douteux que, spontanément, des dauphins viennent au secours de l'homme en danger dans la mer. Nous avons déjà relaté de nombreuses anecdotes qui, depuis Pline, attestent ce rôle de sauveteur.

Au cours de la dernière guerre mondiale, un dauphin a poussé jusqu'à une petite île un canot pneumatique dérivant en plein Pacifique et dans lequel étaient entassés six aviateurs américains abattus par les Japonais (1).

L'état-major des forces aériennes des Etats-Unis a étudié la possibilité de doter les aviateurs d'un petit émetteur reproduisant « le cri de détresse » des dauphins dans l'espoir que ceux-ci viendraient au secours du naufragé. Mais la grande difficulté réside dans la diversité de ces appels. On sait combien le problème des signaux sonores des dauphins est controversé. Tout le monde n'est pas d'accord sur la nature de ce cri de détresse.

D'autre part, les dauphins passent pour vouer une haine solide aux requins. Ils leur livrent des combats d'où ils sortent presque toujours vainqueurs. Leur supériorité vient du fait qu'ils attaquent en groupe et peuvent

(1) George Llano a raconté cette aventure dans son livre *Airmen against the sea.*

Au Marineland de Palos Verdes, un globicéphale fait son numéro en compagnie des dauphins.

mettre au point une véritable tactique, alors que le requin se bat en solitaire. De plus, les dauphins qui sont capables de se lancer contre leur adversaire avec une force prodigieuse le frappent au point le plus sensible de la région ventrale avec leur rostre qui est très dur. La cavité abdominale des requins est très vaste et leur foie extrêmement développé les rend vulnérables. Un coup au ventre, coup classique des dauphins, fait généralement éclater le foie. Mais il ne semble pas qu'au cours de ces batailles les dauphins mordent leur ennemi comme le fait un requin.

Il ne faut cependant pas croire que les dauphins attaquent les requins à vue, systématiquement. En captivité, les uns et les autres peuvent vivre en bonne intelligence, comme cela se produit par exemple au seaquarium de Miami. Mais il est possible que les requins prennent l'initiative de l'attaque en choisissant pour victime un jeune ou un animal malade. En pareil cas, tout le groupe des dauphins fait front contre le requin. Il est certain que les deux espèces ne s'aiment guère.

Cette combativité a été mise à profit pour dresser des dauphins en vue de la protection des baigneurs. En Afrique du Sud, le professeur Taylor a entraîné deux dauphines, Dimple et Haig, à chasser les requins.

C'est à Sarasota en Floride, au Mote Marine Laboratory, que le Dr Perry Gilbert poursuit des études systématiques sur le comportement réciproque des dauphins et des requins. Il les met les uns et les autres dans le même bassin et étudie leurs réactions selon chaque espèce et la taille respective des animaux. La rencontre est filmée et les sons émis sont enregistrés. Les expérimentateurs ont notamment tenté de savoir si les signaux acoustiques des dauphins influaient suffisamment sur le comportement des requins pour les effrayer et les tenir à distance.

L'entraînement progressif consiste à mettre d'abord le dauphin en présence d'un requin mort immobile, puis d'un requin mort remorqué, et finalement de l'opposer à des requins de différentes tailles.

Sur quatre dauphins soumis à ce dressage un seul a été reconnu comme le champion de la lutte anti-requins et il a été lâché en pleine mer pour monter la garde devant une plage de Floride.

Nous ne savons pas encore exactement quelle aide nous pouvons attendre des dauphins dans la mer, mais il semble qu'ils puissent tenir à bref délai un rôle de protecteur et de gardien.

Le dressage entrepris par S. Fitzgerald ne consiste d'ailleurs pas à enseigner aux dauphins à attaquer les requins à vue. Il les dresse pour une mission plus complexe de patrouille et d'alerte, ce qui fait ainsi d'eux de véritables auxiliaires de l'homme dans la mer.

# 10

# l'ami des pêcheurs

LES IMRAGEN — L'EAU ET LE POISSON — MISSION EN MAURITANIE
LES ORQUES — LA PÊCHE — PAS DE VISIBILITÉ
L'HOMME-DAUPHIN — UNE DURE BESOGNE
DES DAUPHINS MAL CONNUS — SERVIABLES OU AFFAMÉS ?
COLLABORATION

Oppien, poète grec du IIᵉ siècle, auteur de poèmes sur la pêche, affirme que les dauphins poussaient les poissons dans les filets des pêcheurs. Mais Pline est beaucoup plus explicite que lui. On sait que cet auteur latin a vécu en Gaule. Vers l'an 70 de notre ère, il était procurateur de la province narbonnaise, nous dirions aujourd'hui percepteur. Toujours curieux de tout et soucieux d'amasser de la documentation pour son *Histoire naturelle,* immense ouvrage en 37 livres, il semble avoir observé lui-même un curieux spectacle qu'il raconte au livre IX :

« Il y a dans la province narbonnaise, sur le territoire de Nîmes, un étang appelé Latera, où les dauphins pêchent avec l'homme. Un banc innombrables de mulets*, à date fixe, sort par l'étroit goulet qui fait communiquer l'étang avec la mer, aussi l'on ne peut tendre des filets à cause du courant, et du reste ils ne sauraient supporter une masse de poissons aussi pesante. Les poissons épient l'heure de la marée. Intelligemment, ils se dirigent tout droit vers les profondeurs et se hâtent de fuir le seul endroit propice à un barrage. Dès que les pêcheurs ont connaissance de ce manège, il y a grande affluence de gens friands de ce plaisir. Tous les assistants

appellent « Simon » (1) à pleins poumons. Les dauphins arrivent, rangés en ligne de bataille. Ils barrent l'accès des grands fonds aux mulets affolés et les repoussent vers les eaux peu profondes où les pêcheurs les encerclent de leurs filets qu'ils soutiennent au moyen de perches fourchues. Cependant les poissons sautent par-dessus ; mais les dauphins les reçoivent, et, se contentant pour le moment de les tuer, ils diffèrent jusqu'à la victoire de leur repas. La bataille bat son plein ; les dauphins aiment à se laisser encercler par les filets en pressant hardiment les mulets, et, pour que cette poursuite ne provoque pas la fuite des ennemis, ils se glissent doucement entre les embarcations et les filets ou les nageurs de façon à ne laisser ouverte aucune issue. Alors qu'ils se plaisent tant, en d'autres circonstances, à sauter, aucun n'essaie de sortir, si l'on n'abaisse pas devant eux les filets. La pêche terminée, ils se partagent les mulets qu'ils ont massacrés ; mais, conscients d'avoir mérité par leurs efforts mieux que la récompense d'un jour, ils attendent jusqu'au lendemain et se rassasient non seulement de poissons, mais aussi de pain trempé dans du vin. »

« Ce que Mucien rapporte de la même façon de pêcher dans le golfe de Iasos diffère en ceci que spontanément et sans avoir été appelés les dauphins se présentent et reçoivent leur portion des mains (des pêcheurs) ; chaque barque prend un des dauphins comme associé, bien que cela se passe de nuit et à la lueur des torches. »

Depuis l'Antiquité cette histoire, très connue, a passé pour une fable et elle a servi à montrer à quel point Pline était crédule. Il l'était probablement un peu, mais dans le cas présent, il semble qu'il n'ait pas été victime de l'imagination des Méridionaux. Le nom de Latera se retrouve aujourd'hui dans celui du village de Lattès, situé dans le département de l'Hérault, au voisinage de l'étang de Méjean, entre Pérols et Villeneuve-lès-Maguelonne. La passe, « impossible à couper avec des filets », s'ouvre toujours à Palavas-les-Flots. C'est là que les eaux des étangs de Méjean, du Grec et de Pérols se déversent dans la mer.

Mais les dauphins ? Les pêcheurs de l'Hérault semblent avoir perdu le contact avec eux depuis l'époque de Pline, bien qu'ils continuent à pêcher le mulet.

(1) Il semble qu'à cette époque, « Simon » ait été le nom populaire qui servait à désigner le dauphin et signifiait en grec « nez camus ».

Les pêcheurs Imragen sur la plage de Nouamghar en Mauritanie.

## *Les Imragen*

L'histoire n'est pas invraisemblable puisqu'en Mauritanie, à une grande distance de là et sur l'océan Atlantique, d'autres pêcheurs, depuis des milliers d'années, comptent sur l'aide des dauphins pour attraper des mulets de 3 à 4 kg.

En effet, la tribu des Imragen a recours aux dauphins pour pousser dans des filets les mulets qui défilent devant leurs côtes, au moment de la migration.

Des découvertes archéologiques permettent de penser que, dès l'époque néolithique, peut-être même avant, la pêche était pratiquée au bord de cette côte africaine. Il est probable qu'elle l'a été, à cette même place, sans interruption, depuis les temps préhistoriques. Les Imragen constituent une population très ancienne, qui n'est ni arabe ni berbère et qui fut toujours tributaire des guerriers et des marabouts (1), et opprimée par eux. Cette population s'est tournée vers la mer, d'où elle tire sa nourriture, alors que les Maures restaient attachés au désert et ne se préoccupaient que de pillages, de randonnées à chameaux et de trafic d'esclaves.

Aujourd'hui encore, sur ce rivage encombré de dunes arides, où le désert vient finir dans l'Atlantique, subsiste un îlot humain, une poignée de gens qui, le dos tourné au Sahara, attendent tout de l'Océan : ils sont répartis en quatre ou cinq petits groupes misérables.

Ils ne sont pas fixés. Ils errent sur la côte désolée de Mauritanie, où ne poussent que quelques euphorbes et quelques tamaris, où des dépressions salées — des sebkha — et des vasières alternent avec des dunes ou des rives de sable dur et nu.

C'est le domaine des oiseaux de mer : pélicans, cormorans, flamants roses, spatules blanches... Mais aussi des nuées de mouches obsédantes, grouillantes.

Au large, les brisants d'Arguin. C'est là qu'en 1816 est venu se fracasser un voilier dont le naufrage est célèbre : *La Méduse.**

C'est une des régions du globe les plus désolées, les plus sinistres, les plus écrasées de soleil.

Les Imragen ne sont guère que trois cents en tout et ils se déplacent tout le long de la côte pour suivre le poisson. A chacune de leurs haltes, ils élèvent des « tikitt », de mauvaises huttes de paille, ou dressent des tentes misérables.

(1) Raphaëlle Anthonioz, *Les Imragen, pêcheurs nomades de Mauritanie.* Bulletin de l'IFAN, T. XXX.

## *L'eau et le poisson*

Certains pêchent durant presque toute l'année, d'autres pendant deux ou six mois seulement. Au printemps ils se regroupent autour de rares points d'eau, une eau saumâtre et boueuse qui suinte dans des trous faits dans le sable : les ogols. Car leur dramatique préoccupation dans ce pays aride est de trouver de quoi boire. Ils ne mangent que du poisson. En été, où la pêche ne donne plus rien, ils vont faire une cure de lait de chamelle au désert, chez les Maures.

L'abondance des poissons sur cette côte est prodigieuse. Sur près de 150 km, du cap Blanc au cap Timiris, la mer passe pour l'une des plus poissonneuses du monde. De septembre à fin février se succèdent d'immenses bancs de mulets en migration vers le sud. Ils peuvent couvrir des centaines de mètres de long sur 20 à 30 de large et 1 ou 2 mètres d'épaisseur.

L'abondance est telle que les Imragen, dit-on, peuvent ramener 3 000 à 4 000 kg de poissons, au cours d'une seule pêche pratiquée selon leur tradition. Ils mettent les mulets à sécher au soleil et ils font aussi « la poutargue » : des poches d'œufs salées, et ensuite enrobées dans la cire d'abeille.

Qui sont les Imragen ? A vrai dire on ne le sait pas bien. Leur nom berbère qui apparaît tardivement, signifie « ceux qui chassent » ou « ceux qui récoltent ». Ce ne sont sûrement pas des Maures. Certains d'entre eux seraient des « porognes », c'est-à-dire des métis de Maures et de Noirs. En tout cas des esclaves, des captifs qui payaient tribut aux plus puissants chefs maures. L'administration française les a libérés, sans réussir pourtant à les délivrer du paiement de redevances en nature à leur suzerain.

Ils représentent un groupement ethnique sans véritable cohésion, puisqu'ils ne sont unis ni par le sang ni par la religion, mais seulement par leur activité exclusive, la pêche.

On sait qu'ils sont accrochés depuis extrêmement longtemps à leur rivage, tandis que derrière eux leurs oppresseurs se succédaient : Berbères Sanhadja, Arabes Hassanes, Maures.

Etait-ce la même population qui pratiquait déjà la pêche sur cette côte à l'époque néolithique ? Dans le sud du Sahara oriental, à Ganeb El Hafeïra, on a trouvé sur un site préhistorique de petites boules de grès marquées d'une rainure : elles servaient à plomber les filets. Les Imragen lestent leurs filets avec des boules de terre cuite de forme presque identique : les « idan ». On a d'ailleurs retrouvé sur la côte tout un outillage de pêche préhistorique.

Or, selon une tradition immémoriale, les Imragen auraient été aidés, dès les plus hautes époques, par les dauphins. Ils auraient su se les concilier et s'associer avec eux. Ils les considèrent toujours comme des animaux

Les Imragen assis à côté de leurs filets observent l'arrivée des premiers dauphins.

Les mulets commencent à se laisser prendre dans les filets des Imragen.

bienveillants et prestigieux et ils s'interdisent de les tuer. En échange les dauphins, tout comme ceux de Pline, pousseraient les mulets dans leurs filets.

## *Mission en Mauritanie*

Cette « légende », bien entendu, nous intéressait beaucoup et nous avons voulu démêler un peu le vrai du faux. Une mission a donc été envoyée en Mauritanie sous la direction de Jacques Renoir. Elle avait l'appui du général du Boucher, un des meilleurs connaisseurs de la Mauritanie, et elle était assurée de la collaboration du professeur Busnel.

Nous avions choisi l'époque où la pêche est la plus abondante : de décembre à février. L'équipe de plongeurs et de cinéastes est donc partie, au mois de décembre, de Nouakchott, pour aller s'installer au milieu des Imragen, sur un de leurs lieux de pêche : Nouamghar, à 5 km environ du cap Timiris, dans la baie d'El Merdja.

Ce n'est même pas un village, mais un rassemblement de quelques

familles où grouillent les enfants et les mouches. Pas même dix « tikitt », ces cases en branchages, sans fenêtre, plus petites et plus malodorantes encore qu'on ne le pensait.

Sur des claies, quelques poissons aux senteurs fortes commencent à sécher, des filets sont étendus, mais l'équipe arrive à un mauvais moment : la pêche n'a pas commencé : les grands bancs de mulets tardent à venir cette année. L'on n'aperçoit pas encore les dauphins. Des guetteurs au sommet des dunes surveillent en permanence la surface de la mer.

L'expédition cinéma a exigé un assez grand déploiement de matériel. Des jeeps, des stations-wagons ont débarqué, sur le sable des dunes ou de la plage, un compresseur pour recharger les scaphandres, des bouteilles d'air comprimé, des caméras étanches, des combinaisons de plongée, des projecteurs, des fûts d'essence et un zodiac avec deux moteurs. Tout cela était entassé sous le soleil, tandis que nos camarades commençaient à monter leur tente à l'écart.

Les femmes s'étaient déjà cachées dans les « tikitt ». Les hommes, assis sur le sable, regardaient s'agiter les nouveaux venus envers qui ils ne marquaient aucune sympathie. Le groupe des pêcheurs, nous le saurons plus tard, était obsédé par l'absence des dauphins. Sans eux, ils ne pouvaient pas, paraît-il, pêcher les mulets et cette attente les rendait anxieux. Le poisson est leur seule nourriture et également le seul moyen qu'ils ont, en vendant la « poutargue » et les poissons salés, de se procurer un peu d'argent pour acheter ce qui leur est indispensable : le sucre, le sel, le thé.

Avec le soir, de petits feux s'allument. Prudemment les plongeurs font les premières avances, offrent des cigarettes, tentent d'engager la conversation. Mais leurs interlocuteurs sont réticents. Les femmes, d'abord les plus vieilles, apparaissent sur le seuil des « tikitt ». Ce sont elles surtout qui sont hostiles à la venue des étrangers. Elles craignent que la présence de notre équipe n'empêche les dauphins de s'approcher de la plage et d'aider les pêcheurs. Car les Imragen ont bien compris que nos amis ont l'intention d'évoluer dans la mer, de se mêler à la pêche et sans doute d'approcher les dauphins. Mais les dauphins sont sacrés. Depuis des siècles, ils sont les amis des Imragen et d'eux seuls. Sans doute se méfieront-ils de ces Français qui respirent dans la mer.

Il n'est pas facile de détromper ces femmes. Enveloppées dans leurs voiles noirs, elles hochent obstinément la tête. Que leur importe le cinéma, la plongée. Elles craignent pour leur famille, pour leurs enfants. Si les Imragen n'ont pas, depuis des siècles, connu la famine, c'est grâce aux mulets et aux dauphins. Tout ce qui vient de l'intérieur des terres ne peut qu'être hostile. C'est de là qu'arrivaient les guerriers maures.

La pêche tient une telle place dans l'activité des Imragen qu'elle est au centre de leur vie psychique. Elle est entourée de superstitions et de pratiques religieuses. Nos camarades comprennent l'anxiété de ces gens. La conversation se poursuit plus franchement et le chef des pêcheurs demande à Renoir et à Falco de ne pas se mettre à l'eau et de ne pas empêcher par leur présence dans la mer la venue des dauphins. Que faire ? Tout le matériel déchargé sur ce rivage inhospitalier aura-t-il été transporté en vain ? Tant d'efforts et d'espoirs pour se trouver en face de ces malheureux qui tantôt supplient et tantôt menacent. Les plongeurs se sentent désarmés : ils promettent en tout cas de ne rien faire aussi longtemps que les dauphins ne se seront pas montrés.

Le lendemain une longue attente commence. Imragen et plongeurs, assis sur la plage, les coudes sur les genoux, contemplent la mer qui moutonne sous le soleil. Parfois un guetteur sur la dune pousse un grand cri : un banc de mulets approche. Aussitôt, un pêcheur frappe l'eau avec un bout de bois. C'est le signal qui attire les dauphins. Pourtant aucun d'eux n'apparaît. Les poissons passent au large, pas le moindre dauphin n'intervient pour les rabattre vers la plage où cependant tout est prêt. Les pêcheurs assis deux par deux tiennent chacun l'extrémité d'un filet terminé par un bâton. Yves Omer et Falco en tenue de plongée, la caméra posée à côté d'eux, se font remarquer aussi peu que possible. Ils n'iront à l'eau que si les dauphins se décident à venir.

Un marabout agenouillé sur le sable, entouré par les femmes qui se lamentent, psalmodie des incantations.

## *Les orques*

Soudain au loin sur la mer apparaît un aileron, puis d'autres. Ce ne sont pas des dauphins mais une bande d'orques. C'est leur présence qui, sans doute, tient les dauphins à distance. Nous savons qu'ils en ont très peur et qu'ils s'enfuient lorsqu'ils aperçoivent leur grande nageoire triangulaire ou qu'ils entendent dans l'eau leurs sifflements aigus. Les plongeurs comprennent aussitôt pourquoi les dauphins n'osent pas s'approcher de la côte. Ils ne viendront pas aussi longtemps que leurs ennemis ne se seront pas éloignés.

Bébert Falco et Yves Omer sautent dans le zodiac. Ils se dirigent vers les orques et en fonçant successivement sur chacun d'eux, ils s'efforcent de les éloigner. Cette corrida dure plus d'une heure. Enfin les orques assourdis

En frappant sur l'eau avec des bâtons les Imragen poussent dans les filets les mulets que les dauphins ont rabattus vers la côte.

par le bruit du moteur hors-bord et déconcertés par les évolutions du zodiac se décident à partir.

A peine Falco est-il revenu sur la plage que déjà la mer se soulève et bouillonne. Voilà les dauphins poussant les mulets devant eux.

Aussitôt nos cinéastes Jacques Renoir et Michel Deloire achèvent de s'équiper, saisissent leurs caméras et se mettent à l'eau.

## *La pêche*

Les mulets roulant les uns sur les autres arrivent déjà au rivage. Ils grouillent, affolés. Les dauphins les encerclent, les rassemblent, les font

jaillir en gerbes comme si la mer explosait en projetant des poissons. C'est une masse en folie où brillent les écailles. Les dauphins paraissent eux aussi pris de frénésie. Ils saisissent un poisson dans leur bec, le font prestement tourner pour l'avaler par la tête, puis ils se jettent à corps perdu au beau milieu des poissons.

Les Imragen qui ont rejeté leurs vêtements pour ne garder qu'un caleçon de cuir soulèvent à deux un filet, chacun plaçant un bâton sur son épaule. Ils courent vers l'eau et nageant vigoureusement, ils déploient le filet, puis par un large mouvement tournant, ils rabattent les poissons vers la plage. Un second filet, un autre encore sont déployés un peu plus loin.

Les dauphins sont mêlés aux hommes. Ils se glissent entre les pêcheurs, ouvrent tout grand leur bec tandis que les mulets bondissent de tous les côtés.

Un chien court et nage. Il poursuit les poissons le long de la plage et les mord. C'est le chien d'un aveugle qui, lui aussi, se met à l'eau avec son filet. Il se débrouille tant bien que mal et il y a tant de poissons, qu'il réussit à en attraper avec des gestes maladroits. Il en ramasse le plus qu'il peut avec une espèce d'avidité pitoyable.

Sur la plage, les femmes poussent des ululements de joie. Les gosses tout nus sautent sur place et crient.

Le premier enthousiasme a créé beaucoup de désordre dans la mer, mais pour tirer le meilleur parti de toute cette richesse qui arrive jusqu'aux pieds des Imragen, poussée par les dauphins, il faut un peu de discipline.

La pêche est réglée par des coutumes très strictes. Les pêcheurs, par équipe de deux, n'entrent pas tous en même temps dans la mer. Les anciens du village ont tiré au sort ceux qui seraient les premiers à pêcher, maintenant ils désignent les équipes les unes après les autres. Il y a des mulets pour tout le monde.

Malgré leur état de pauvreté et leur vie de privations, les Imragen se révèlent comme de vrais athlètes. Sous leur peau bronzée des muscles vigoureux et déliés sont nettement marqués. Cette pêche sportive doit les maintenir en forme.

Avec un filet qui ne mesure pas plus de 20 à 30 mètres de long, chaque équipe emprisonne 120 à 150 kg de poissons et ramène sur la plage une lourde masse luisante, teintée de jaune, qui saute, se débat et où les écailles lancent au soleil des lueurs de diamant. Les femmes se précipitent, elles empilent les poissons dans d'autres filets et les chargent sur la tête. Elles partent au petit trot, courbées en deux sous la charge, leurs pieds nus enfonçant dans le sable. Parfois, un mulet en se tordant sur lui-même fait un bond et tombe sur la plage où il saute encore.

## *Pas de visibilité*

Jacques Renoir, Michel Deloire, mêlés aux pêcheurs, aux mulets et aux dauphins, roulent dans l'eau. Ils sont rejoints par d'autres plongeurs. Certains parfois touchent les dauphins au passage. Par moments, tout disparaît dans l'écume. Les caméras sont braquées.

Il faudrait pouvoir suivre l'arrivée des dauphins, le détail de leur intervention : des cameramen s'éloignent du centre de la bagarre, prennent du champ, mais il ne distinguent plus rien : l'eau est presque totalement bouchée. Elle n'est vraiment claire et calme que par vent d'est ou nord-est qui devrait être en cette saison le vent dominant.

Il est bien certain que sans l'intervention des dauphins, la pêche ne pourrait pas être aussi fructueuse. Il n'est pas douteux qu'ils se conduisent comme d'excellents rabatteurs.

Un dauphin n'a pas besoin d'y voir clair pour saisir avec une précision stupéfiante un mulet qui saute ou une courbine qui fuit. Son système d'écho-location lui permet de situer sa proie et, pour la saisir, il a toujours le geste sûr, efficace. Son cerveau fonctionne mieux qu'un ordinateur.

Yves Omer filme la scène en plongée malgré le manque de visibilité. Il entend nettement le cliquetis des sonars des dauphins qui poursuivent les poissons à toute vitesse. Enfin le nombre des prises décroît, les dauphins retournent au large, les pêcheurs revenus sur la plage évaluent le résultat de ce permier effort et sourient. Ils savent gré à notre équipe d'avoir fait revenir les dauphins en donnant la chasse aux orques. L'atmosphère est désormais tout à fait amicale.

## *L'homme-dauphin*

Cinéastes et plongeurs reviennent au rivage. Ils se demandent s'ils pourront faire un film convenable, malgré une eau si trouble. Ils discutent entre eux tout en enlevant leur cagoule et leur combinaison. C'est alors qu'apparaît la masse de cheveux blonds de notre ami Jean-Clair Riant.

Aucun Imragen n'a jamais vu un homme blond. Or Riant, serré dans sa combinaison toute noire, arbore aussi une barbe couleur d'or. Autre sujet d'étonnement.

Nos combinaisons de plongée en vinyle les intriguent. Ils trouvent qu'elles ressemblent par leur souplesse à la peau des dauphins.

Les femmes Imragen entourent Jean-Clair Riant et elles se demandent s'il n'est pas un « homme-dauphin ».

Tout le monde sait, sur cette côte de Mauritanie, que les organes reproducteurs du dauphin sont situés à l'intérieur de la cavité abdominale. Cette disposition assure un hydrodynamisme parfait. En est-il de même pour Jean-Clair Riant ? Finalement notre ami est obligé d'enlever son habit de plongée pour montrer qu'il est un homme comme les autres. Cette scène provoque l'hilarité générale.

Une heure plus tard, nouvelle alerte. Les guetteurs signalent un autre banc de mulets. Aussitôt les enfants frappent sur l'eau avec des bâtons. Cette fois, répondant à l'appel millénaire, les dauphins apparaissent docilement, érigeant leur nageoire, faisant le gros dos et poussant devant eux les poissons jusqu'au rivage.

La pêche est d'abord empilée sur la plage puis transportée jusqu'aux séchoirs.

Pour les Imragen, la pêche est une question de vie ou de mort. Pour les dauphins, c'est surtout l'occasion d'une belle orgie. Mais pour le mulet jaune massacré par l'homme et le dauphin, n'y a-t-il pas une grave menace ?

Les mulets pourchassés par les dauphins sautent hors de l'eau.

L'espèce n'est-elle pas en danger ? Les spécialistes ne le croient pas. En effet, la pêche des Imragen est très spectaculaire, mais elle est moins meurtrière qu'il ne semble. On a calculé que 90 % des mulets traqués par les dauphins et les Imragen réussissaient à s'échapper.

*Une dure besogne*

Après la pêche, il reste encore de rudes tâches à accomplir. Il faut préparer et sécher le poisson. En principe c'est le rôle des femmes et des enfants, mais si la pêche a été abondante, les hommes eux-mêmes se mettent à la besogne.

Il faut couper la tête du poisson, l'ouvrir en deux, enlever l'arête et les entrailles, prélever les œufs, puis le laver dans la mer.

Certains poissons sont simplement mis à sécher, d'autres sont salés. Pour faire la « poutargue », les poches d'œufs sont posées entre deux planches pour qu'elle s'aplatissent, puis elles sont salées et séchées pendant sept jours. La poutargue est appréciée et se vend bien sur tous les marchés de la Méditerranée.

La pêche a été exceptionnellement bonne. Les Imragen ne se méfient plus de nous et ils ne pensent plus que notre présence est maléfique.

Femmes, enfants et pêcheurs chantent maintenant nos louanges. Ces

pauvres gens qui doivent uniquement aux mulets leurs maigres ressources veulent que nous participions à une fête qui cette nuit célébrera le retour des dauphins et l'abondance retrouvée.

A la lueur des lampes à carbure et des petits feux, où brûlent dans le sable des arêtes de poissons, les Imragen manifestent leur joie en dansant et en chantant au son du tambour. Ces chants et ces danses les distinguent des Arabes et des Berbères. La danse est généralement méprisée chez les Maures. Elle est au contraire largement pratiquée chez les Imragen qui manifestent ainsi leur joie dans les circonstances heureuses. Nous écoutons tard dans la nuit les échos de cette fête modeste qui est un hommage rendu aux dauphins mais aussi à la mer qui, depuis la préhistoire, nourrit dans cette même baie les hommes du désert. Bien qu'ils soient misérables, qu'ils n'aient ni arbres, ni terre, ni troupeau, ils n'ont jamais souffert de la famine — grâce aux dauphins.

## *Des dauphins mal connus*

Le professeur Busnel était stupéfait de voir ces dauphins chasser les mulets aussi près du rivage, parfois dans très peu d'eau, à quelques mètres de la plage. Ils mesuraient 2,50 à 3 mètres et ils étaient difficiles à identifier. Il est certain que ce n'était pas toujours les mêmes : ils différaient de taille, et d'après la forme de la nageoire dorsale, ils semblaient appartenir à deux espèces différentes.

Ils étaient de couleur noire ou marron très foncé. Un crâne trouvé sur la plage a été envoyé pour identification au British Museum. C'est même « le plus gros exemplaire que nous possédions désormais dans toutes les collections du British Museum », a écrit le célèbre cétologiste F.C. Fraser. Mais s'agit-il d'un *Tursiops ?* Peut-être d'une autre espèce que le *truncatus*. La spécificité du *Tursiops* n'est pas bien établie. Celui de Méditerranée ne ressemble pas au *Tursiops* japonais ni à celui de Floride. Le *Tursiops* de Mauritanie se distingue peut-être des autres, au moins par sa taille. Nous ne le savons pas encore.

Le professeur Busnel a identifié un dauphin considéré comme rare. Au cours de deux séances de pêche, dans un groupe de dix à quinze dauphins, un animal portait sur la nageoire dorsale une bosse caractéristique. C'était le *Sousa teuszii,* identifié en 1892, lorsque l'un d'eux s'échoua près de Douala. Le professeur Busnel aura été ainsi le premier spécialiste à en voir un vivant.

## *Serviables ou affamés ?*

La gratitude que les Imragen témoignent aux dauphins n'est pas entièrement justifiée. Il est peu probable que les animaux cherchent à « collaborer » avec l'homme et à l'aider vraiment à pêcher. S'ils poussent le banc de mulets vers la côte, c'est qu'ils peuvent ainsi plus aisément les capturer.

Et cependant il serait bien difficile de convaincre les Imragen que les dauphins, animaux sacrés, ne leur marquent pas une bienveillance particulière, en amenant le poisson jusque dans leurs filets.

On peut supposer que cette pêche, pratiquée depuis des millénaires à un endroit favorable, attire traditionnellement les dauphins, tout comme elle retient les hommes au milieu de ces sables hostiles. Hommes et dauphins n'ont-ils pas fini par s'habituer les uns aux autres ? Qui osera le dire ? En tout cas il semble que l'attachement soit plus grand de la part de l'homme envers le dauphin que de la part du dauphin envers l'homme.

## *Collaboration*

On peut citer de par le monde d'autres collaborations du même genre. Ne serait-ce qu'en Floride, où beaucoup de pêcheurs locaux sont persuadés que les dauphins manœuvrent pour que les poissons pénètrent dans leurs filets.

Plus probants semblent être les exemples d'association entre les hommes et des dauphins d'eau douce.

En Birmanie, chaque village a son dauphin *(Orcaella fluminalis)* qui répond à l'appel de son nom et participe à la pêche.

F.B. Lamb (1) a été témoin en 1954 de l'activité d'un autre dauphin d'eau douce *(Inia geoffrensis)* en Amérique du Sud, sur la rivière Tepegos. La pêche avait lieu de nuit, à la lampe et au harpon. Le pêcheur commença par taper sur son canot avec sa pagaie, puis il se mit à siffler d'une façon particulière. Le dauphin apparut. Tandis que le bateau avançait, effrayant les poissons qui gagnaient le fond, le dauphin les pourchassait et les faisait remonter à portée du pêcheur. Chacun y trouvait son compte.

Un jour peut-être le dauphin deviendra vraiment l'auxiliaire de l'homme dans la mer : il le guidera vers les bancs de poissons qu'il fera entrer consciemment et ingénieusement dans les filets. Mais nous n'en sommes pas encore tout à fait là.

(1) Professeur Busnel, *Symbiotic relationship between man and dolphins.* Proceeding of the New York Academy of Sciences, 1973.

Les pêcheurs interviennent toujours par équipe de deux, et ils entrent dans la mer les uns après les autres.

Les filets sont installés tout au long de la plage de Nouamghar. On aperçoit à gauche les dauphins qui poussent les mulets vers les pêcheurs.

# 11

# ils ont droit au respect

LA PÊCHE AU THON — PRIS AU PIÈGE — LE “ BACKING DOWN ”
PROTECTION — LES MALHEURS DU BÉLUGA
UN PENSIONNAIRE DE MARINELAND — MANGEURS DE SEICHES

Pendant longtemps, en tout cas durant toute l'Antiquité, les hommes ont respecté et même honoré les dauphins. Une véritable alliance avait été conclue entre eux et les pêcheurs et les marins. Les poètes les avaient chantés. On ne tuait pas les dauphins, autant en raison des services qu'ils rendaient qu'à cause des craintes superstitieuses que leur mort inspirait.

Au cours des temps modernes, la sensibilité s'est émoussée et le respect à l'égard des mammifères marins a fait place à un massacre organisé, effectué avec des armes meurtrières.

Un phénomène psychologique a encore aggravé le sort des cétacés et des pinnipèdes : les pêcheurs européens, disposant de bateaux de plus en plus grands, ont vu au cours du XXe siècle leur pêche diminuer d'une manière inquiétante. Ils ont accusé les dauphins, les bélugas et les phoques d'en être la cause et ils ont réussi à en convaincre leurs gouvernements. A tel point qu'en France par exemple, l'Inscription Maritime obligeait les pêcheurs à avoir un fusil à bord de leur bateau et leur versait une prime pour chaque queue de dauphin qu'ils ramenaient. Ce règlement est maintenant abrogé, mais la conviction que les dauphins étaient les ennemis des pêcheurs n'est pas encore tout à fait dissipée.

Il y a beaucoup de dauphins dans la mer et il a longtemps été difficile de croire que leur espèce pouvait un jour se trouver en danger. Mais il faut tenir compte du fait qu'ils sont maintenant systématiquement chassés et tués par centaines de milliers à des fins industrielles. Les baleines sont protégées et eux ne le sont pas. Dans le monde entier, ils sont tués en vue de la fabrication des aliments pour chiens et chats, les déchets de viande étant de plus en plus coûteux. Les Japonais massacrent environ 700 000 dauphins chaque année.

## *La pêche au thon**

Un danger encore plus grave pèse actuellement sur les dauphins : c'est celui que leur fait courir la pêche au thon telle qu'elle est pratiquée industriellement depuis une vingtaine d'années dans le Pacifique principalement. C'est un danger nouveau et grave.

Les pêcheurs savent depuis bien longtemps que les bancs de dauphins et les bancs de thons se déplacent ensemble. Les uns sont en surface et les autres nagent au-dessous d'eux à la même vitesse. Les dauphins sont bien visibles et les pêcheurs qui les aperçoivent ont des chances de trouver ainsi le poisson.

La pêche au thon a pendant trente ans été effectuée principalement à la ligne avec un hameçon et un appât vivant.

Dans les années 40, les pêcheurs ont commencé à utiliser un filet en fibres de coton, matériau qui a l'inconvénient de se déchirer facilement et les attaques de requins aidant à leur détérioration, de nombreux thons s'échappaient. Cependant la pratique du filet s'est généralisée rapidement.

C'est entre 1956 et 1961 que la flotte américaine de thoniers se modernisa entièrement, utilisant des filets en nylon et de nouvelles techniques de pêche, accroissant ainsi considérablement les rendements.

En 1966, 62 % des thons pris au filet dans la zone tropicale américaine du Pacifique ont été pêchés grâce aux dauphins.

Nous-mêmes, au cours de nos rencontres avec les dauphins, lorsque nous plongions avec eux, nous constations fréquemment qu'ils étaient accompagnés par un banc de thons qui les suivaient en profondeur.

Les raisons de cette association entre les dauphins et les thons sont mal connues. On a supposé d'abord que les uns et les autres s'associaient dans la recherche d'une même nourriture. Mais les observations faites récemment n'ont pas confirmé cette hypothèse.

Une autre explication a été avancée : les thons se placeraient sous la protection des dauphins pour éviter les attaques des requins. En ce cas leur sécurité serait bien précaire car l'on a vu souvent des requins traverser des bancs de dauphins sans être attaqués ni même inquiétés.

Enfin troisième hypothèse : les thons se groupent volontiers dans la mer au voisinage des objets flottants. Le bureau des pêches de La Jolla en Californie , à la suite de nombreuses études expérimentales, en arrive à la conclusion que les thons se laisseraient guider par les dauphins qui, eux, s'orientent parfaitement dans la mer et peuvent se repérer en surface.

## *Pris au piège*

Les raisons de cette association restent donc assez mal définies mais il est certain que les poissons paraissent suivre les dauphins de très près. C'est même sur cette particularité que repose la technique actuelle de la pêche aux thons pratiquée au large de la Californie et aussi un peu partout sur les côtes du Brésil, du Pérou, du Canada, par de gros bateaux de 1 000 à 1 500 tonnes disposant de vastes installations frigorifiques.

Lorsque les dauphins sont repérés, le navire stoppe et des embarcations sont mises à la mer. Elles vont s'employer à rassembler et à diriger les dauphins tandis qu'un puissant canot automobile tire un lourd filet destiné à les encercler : on appelle cet engin de capture une seine* tournante.

Le but de la manœuvre est de réunir les dauphins en un cercle étroit ou, si ce rassemblement s'avère impossible, de les placer en rangs serrés dans le sens du vent. On peut être assuré que sous les dauphins, les thons suivent docilement le mouvement. Si les dauphins nagent contre le vent, les thons les précèdent et sont plus difficiles à pêcher. Le filet est alors fermé, capturant ensemble les dauphins et les thons. A l'origine de cette nouvelle méthode de pêche, les hommes ne savaient pas comment se débarrasser des dauphins pris dans le filet. Ils les ramenaient à bord avec les thons et les rejetaient à la mer, morts ou blessés. Une telle opération prenait beaucoup de temps et entraînait un travail supplémentaire épuisant. Manier un dauphin mort ou vivant qui pèse 150 ou 200 kg n'est pas une mince besogne. En avril 1968, pour 312 tonnes de thons on a compté 1 697 dauphins sacrifiés.

Le gouvernement américain a informé les flottes de pêche de la côte du Pacifique qu'elles ne seraient plus autorisées à pêcher si elles n'employaient pas une méthode qui permette aux dauphins de s'échapper sans dommage.

## *Le « backing down »*

C'est au cours des dernières années que la plupart des flottes de pêche ont mis au point une tactique plus efficace et moins cruelle. C'est le

« backing down ». La moitié du filet est hissée à bord. A ce moment les thons se trouvent à l'extrémité avant du filet et les dauphins à l'extrémité arrière, le plus loin possible du bateau. Sur un ordre du capitaine, qui se tient dans un nid de pie, le bateau recule, ce qui fait plonger l'arrière du filet d'où les dauphins peuvent s'échapper. La manœuvre n'est pas si simple. Les thons, eux aussi, peuvent regagner la mer par l'arrière en suivant les dauphins. Le capitaine doit alors commander la manœuvre inverse. Le bateau en marche avant relève le filet. Parfois, il faut recommencer l'opération, ce qui exige une parfaite connaissance de la situation et une longue expérience de ce genre de pêche.

Toutes ces manœuvres sont dangereuses. Les dauphins se prennent dans les mailles et meurent noyés. Il y a presque toujours des victimes parmi eux. Les pêcheurs, qui essayent d'intervenir pour les sauver et les libérer, prennent eux-mêmes de grands risques.

Parmi les dauphins qui jouent un si grand rôle dans la pêche tropicale du thon, les spécialistes distinguent au moins trois espèces : *Stenella graffmani, Stenella longirostris,* et une troisième espèce non identifiée.

Les pêcheurs appellent le premier « spotted » en raison de ses taches et le deuxième « spinner », ce qui évoque le fuseau et la fileuse. En effet, ce dauphin bondit hors de l'eau et pivote dans l'air plusieurs fois sur lui-même. S'agit-il d'une simple exubérance, d'une démonstration amoureuse ou d'un signal d'alarme ? On n'en sait rien.

Des dresseurs sont parvenus à obtenir des performances analogues des *Tursiops truncatus,* mais il s'agit d'un résultat obtenu par un entraînement spécial. Aucun dauphin libre, en dehors du « spinner », ne se livre à cette acrobatie spontanément.

### *Protection*

Chaque année sur la côte ouest des Etats-Unis, les navires modernes pêchent 45 000 tonnes de thon. On estimait en 1971 que ce résultat coûtait la vie chaque saison à 250 000 dauphins. Or cette estimation ne concerne que la flotte de pêche des Etats-Unis, celles des autres pays doivent se montrer au moins aussi meurtrières. C'est donc un chiffre considérable de morts que provoque parmi les dauphins la pêche aux thons.

Le 21 octobre 1972, le Congrès américain a adopté le « Marine Mammal Protection Act », la loi pour la protection des mammifères marins et a chargé de son application le service national des pêches (1).

En janvier 1973, les thoniers ont quitté San Diego en emmenant à leur bord treize délégués du service des pêches. Ils avaient pour mission de

Notre camarade Louis Prézelin, plongeur de la *Calypso,* donne un poisson à Aïda, l'orque de l'Aquarium de Vancouver.

compter les dauphins tués et d'étudier tous les moyens propres à éviter ou du moins à réduire ce massacre.

En même temps des observations aériennes ont été poursuivies pour tenter d'évaluer la population totale actuelle des dauphins. Mais ces travaux n'ont pas encore permis d'arriver à un véritable recensement.

Diverses solutions ont été proposées pour épargner les dauphins au cours des pêches, notamment l'emploi d'un autre filet mieux conçu qui leur permettrait de s'échapper plus aisément.

En outre des recherches sont faites actuellement en Californie par le Dr Fish pour doter les thoniers d'émetteurs sous-marins reproduisant le cri des orques. On sait que ces mammifères s'attaquent férocement aux dauphins qui les craignent énormément. Il n'est pas impossible que le cri de guerre des orques émis au bon moment incite les dauphins à sortir plus vite du filet.

## *Les malheurs du béluga*

Au lendemain de la guerre de 1914-1918 une véritable croisade, aussi absurde qu'injustifiée, a été menée contre le béluga, accusé de s'attaquer aux poissons et aux engins des pêcheurs. Il s'agissait surtout d'une psychose collective et d'un vocabulaire erroné. En effet, le véritable béluga ne fréquente que très rarement nos côtes. On n'en a jamais signalé qu'un seul échoué à l'embouchure de la Loire. Le mot de béluga a servi dans le langage populaire à désigner tous les animaux marins soupçonnés de nuire à la pêche. La Marine Nationale a même reçu mission pendant plusieurs années de les détruire à coups de canons.

En réalité le béluga est un animal qui vit dans les régions polaires et qui quitte très exceptionnellement les eaux des régions arctiques. « En 140 ans, dit le professeur Budker, on ne compte que 112 bélugas échoués sur les côtes anglaises, surtout dans le nord. »

Béluga signifie blanc en russe et ce cétacé odontocète est souvent qualifié de « dauphin blanc » ou de « marsouin blanc ». Il mesure de 3 m 50 à 4 mètres de long et peut même atteindre 5 m 40. Il n'a pas d'aileron dorsal, mais il est parmi les rares delphinidés qui présentent, en arrière de la tête, une apparence de cou. Il se nourrit de poissons, de mollusques et de crustacés. On le chasse sur les côtes du Canada et de l'Alaska, dans la mer Blanche et la mer d'Okhotsk. Sa chair et son huile sont recherchées. Mais sa peau est également appréciée car c'est un des très rares cétacés d'où l'on puisse tirer un cuir utilisable. Le béluga n'est pas blanc à la naissance,

(1) Voir appendice IV, législation.

mais gris foncé. Ces teintes exceptionnelles et assez belles lui ont valu d'être pourchassé.

Cette chasse a été assez meurtrière pour que le Canada s'en alarme et prenne des mesures pour limiter l'attaque des troupeaux de bélugas.

## *Un pensionnaire de Marineland*

Le globicéphale est, lui aussi, un dauphin, mais de grande taille puisqu'il peut mesurer 6 ou 7 mètres de long alors que le dauphin ne dépasse guère 2 mètres à 2 mètres 50.

*Globicephala melaena* est noir. Les Américains l'appellent « Black fish » ou mieux « pilot whale ». Mais il porte sur le ventre une large tache blanche. Sa tête est très différente de celle du dauphin : elle ne comporte pas de rostre, elle est au contraire ronde comme un ballon et aussi peu expressive que possible, comparée à celle du dauphin.

Le globicéphale est cependant doué de grandes facultés d'adaptation et de compréhension qui en font pour les Marinelands un pensionnaire aussi précieux que le dauphin et beaucoup plus impressionnant par la taille. Il supporte bien la captivité et les individus assez nombreux que possèdent les zoos marins d'Amérique sont capables de faire à peu près tous les numéros qu'exécutent les dauphins : attraper une balle, faire sonner une cloche, répondre à l'appel de leur nom. Ce comportement est d'autant plus surprenant que l'animal est « sans visage » et, contrairement au dauphin, paraît dénué de toute compréhension. A l'origine, son apprivoisement et son dressage ont été dus principalement aux efforts d'un établissement océanographique de la côte ouest des Etats-Unis, le Marineland du Pacifique. Les résultats déjà obtenus sont riches de promesses et permettent d'espérer qu'on fera de lui plus qu'un animal de cirque. La Marine américaine l'utilise avec succès pour récupérer les torpilles d'exercice.

En liberté, les globicéphales vivent en bandes comptant parfois plusieurs centaines d'individus. Leurs déplacements paraissent commandés par un seul d'entre eux, placé à leur tête.

Au cours des croisières de la *Calypso,* nous avons eu plusieurs fois l'occasion de rencontrer des globicéphales, mais ils se sont généralement montrés encore plus farouches que les dauphins.

En 1948, avec l'*Elie Monnier,* nous avions accompagné le professeur Piccard pour l'aider à faire plonger son bathyscaphe FNRS II. J'ai raconté ailleurs cette expérience, au cours de laquelle nous avons réussi à faire descendre pour la première fois à 1 800 mètres de fond un engin dont le

Le béluga de l'Aquarium de Vancouver regarde les visiteurs à travers son hublot. Photo Vancouver Aquarium.

A droite, un orque photographié par Louis Prézelin.

seul défaut était de n'être pas assez « marin », car il fut endommagé en surface par une mer houleuse. Nous avons tout de même fait la preuve que l'appareil pouvait remonter par ses propres moyens. Et c'est à la suite de cette plongée que tous les autres bathyscaphes ont pu être réalisés.

A notre retour, en franchissant de nouveau Gibraltar, par beau temps,

Un globicéphale que Philippe Cousteau a rencontré au large de l'île Catalina et qu'il a réussi à photographier.

nous avons rencontré des bancs de globicéphales. Je voulais absolument essayer de les filmer. Frédéric Dumas et moi, nous sommes montés dans un you-you avec un matelot aux avirons. Chaque fois que nous approchions des globicéphales, ils plongeaient et disparaissaient, pour surgir à une certaine distance, quelques minutes plus tard. Ce jeu a duré plusieurs heures. Nous essayions de prévoir l'endroit où ils allaient refaire surface, mais nous nous trompions toujours. Jusqu'au moment où nous avons si bien deviné le lieu probable de leur apparition que, tout à coup, les globicéphales ont surgi tout autour de nous. L'un d'eux s'est dressé tout à côté du you-you. Il a eu tellement peur qu'il a tout envoyé en l'air d'un coup de queue : le matelot, Dumas, moi et la caméra. Tout était à l'eau tandis que les globicéphales s'enfuyaient affolés. L'*Elie Monnier* est venu nous repêcher.

### *Mangeurs de seiches*

Peu de temps auparavant, au cours de cette même mission de 1948, nous avions connu une autre expérience intéressante avec les globicéphales.

Au large des îles du Cap-Vert nous faisions des sondages en eau profonde. Il y avait 4 000 mètres de fond. Pour la première fois j'enregistrais des échos de la DSL, la couche diffusante profonde*. Cette couche était particulièrement dense à 400 mètres de fond. Elle apparaissait d'un noir caractéristique : on aurait pu supposer qu'il s'agissait du fond de la mer, mais c'était bien une couche diffusante constituée par des animaux, car, à certains endroits, elle paraissait dense et à d'autres clairsemée.

Tandis que nous étions occupés par ces sondages, nous avons aperçu à proximité du bateau des globicéphales. Ils étaient bien une vingtaine et ils semblaient particulièrement lents. Ils ne paraissaient pas faire route. Ils nageaient un peu sur place, puis ils plongeaient.

Nous n'avions pas à cette époque les scrupules que nous éprouvons maintenant : pour comprendre les raisons de leur comportement étrange, nous avons harponné l'un d'eux et le médecin qui était à bord l'a disséqué. A l'intérieur de son estomac, il a trouvé les restes de plusieurs centaines de seiches. Constatation doublement intéressante : c'était la preuve que les globicéphales allaient chercher leur nourriture à 400 mètres dans cette couche diffusante composée de céphalopodes. C'était aussi la preuve que les seiches ne vivent pas uniquement au bord des côtes, mais que ce sont des animaux pélagiques qui descendent en masse à une assez grande profondeur.

Nous avons été stupéfaits de la quantité énorme de becs de seiches

Deux bélugas dans leur bassin à l'Aquarium de Vancouver.

non digérés que contenait l'estomac du globicéphale. Lui et ses congénères étaient gavés et tout occupés à digérer, ils ne se déplaçaient qu'avec lenteur et pour une fois ne se montraient plus farouches.

### *De prétendus suicides*

On a beaucoup parlé du « suicide » des globicéphales. Il est vrai qu'ils s'échouent parfois en grand nombre sur les plages du nord de l'Angleterre. Il arrive que ces accidents mortels soient provoqués par les pêcheurs des Féroé ou des Shetland. Lorsqu'ils poussent vers la côte un ou deux individus, le reste du troupeau les suit. D'autres échouages se sont produits sur les côtes françaises : à l'île d'Yeu et à Saint-Vaast-la-Hougue.

En 1973, une trentaine de globicéphales se sont mis au sec près de Charleston, aux Etats-Unis. Ils ont pu être rapidement remorqués au large, mais un petit nombre d'entre eux seulement ont regagné la pleine mer. Les autres sont revenus à la côte. De nouveau enlevés au rivage et tirés en eau libre, ils sont tous revenus s'échouer. Une persévérance si étrange donne à réfléchir.

Des délégués du Smithsonian Institute sont venus spécialement prélever les viscères des globicéphales pour essayer de connaître la raison de ces prétendus suicides. Ils ont supposé qu'ils pouvaient avoir une cause physiologique. Il aurait pu s'agir d'une épidémie. Mais tous les animaux paraissaient sains.

Ces échouages se produisent presque toujours sur les mêmes portions de côtes. On a émis l'hypothèse que la configuration du terrain provoquait un brouillage des signaux d'écholocation. Mais en ce cas les animaux ramenés au large, loin de la côte, ne pouvaient plus être victimes de la géographie locale. Nous avons eu, hélas, la preuve que des dauphins captifs pouvaient se laisser mourir ou même chercher la mort, mais on ne comprend pas pourquoi des globicéphales libres rechercheraient le suicide en masse.

Les enquêteurs du Smithsonian Institute ont fait, sur le lieu de ce fait divers, une découverte intéressante. Ils ont mis au jour une quantité d'ossements fossiles de globicéphales vieux de plusieurs millions d'années. Le phénomène n'est donc pas récent et il est même antérieur à l'homme. On ne peut l'attribuer ni aux conséquences de la pêche ni à celles de la pollution.

Comme les dauphins, les globicéphales sont des sentimentaux. On n'en connaît pas encore qui, comme Dolly ou Nina, se soient attachés aux

A l'Aquarium de Vancouver, l'orque qui ne peut pas " sourire " comme un dauphin, montre les dents.

hommes, mais, dans un cas au moins, un globicéphale a éprouvé une amitié passionnée pour un dauphin. Tous deux vivaient dans le même bassin d'un Marineland américain. Ils jouaient ensemble, restaient sans cesse côte à côte. Au bout de quelques années, le dauphin est mort d'une infection. Pendant des jours, le globicéphale, complètement désespéré, a soutenu le cadavre à la surface, ne laissant personne s'en saisir. On est parvenu enfin à le lui enlever par surprise. Le globicéphale a alors refusé de manger. Il a fait la grève de la faim, maigrissant, dépérissant. La direction du Marineland a décidé de le relâcher en pleine mer pour lui sauver la vie. Mais dans l'océan même, il a été très difficile de se séparer de lui. Il restait collé au canot et fixait les hommes avec ce regard éperdu des animaux qui souffrent sans comprendre ce qui leur arrive. Revendication sentimentale, réquisitoire muet et pathétique contre l'injustice.

### *Le narval*

Parmi les cétacés odontocètes, le narval est l'un des plus étranges. Il porte une « défense », qui est en réalité une dent supérieure gauche démesurément allongée. C'est un animal qui mesure exceptionnellement 6 mètres et plus généralement 4 m 50 ou 5 mètres. Cette dent peut atteindre une longueur de 2 m 50 à 3 mètres et elle est parcourue par une spirale tournant de droite à gauche. Il peut arriver que le narval porte une deuxième défense sur le côté droit.

Seuls les mâles sont pourvus de cette dent géante qui ne leur sert pas à chercher leur nourriture, car les femelles qui en sont démunies s'alimentent très normalement. Ce n'est pas non plus une arme, le narval étant très peu agressif. Selon certains spécialistes, il s'agirait de ce qu'on appelle un « caractère sexuel secondaire ».

Les narvals vivent dans l'Arctique, par groupes d'une dizaine. Ils sont recherchés par les Eskimos surtout pour leur défense d'un très bel ivoire et qui se vend un bon prix. Il n'existerait pas dans le monde plus de 10 000 narvals, selon les estimations les plus optimistes.

Tel est ce groupe de petits cétacés dont tous les membres montrent des qualités attachantes, des facultés d'adaptation exceptionnelles ou quelque attribut très précieux comme la « défense » du narval. Il faut souhaiter que la sympathie qui peu à peu s'éveille à leur égard se traduise par le respect que méritent leur intelligence et leur caractère parfaitement inoffensif. Il semble désormais que le temps des massacres absurdes est définitivement révolu.

# 12

# une très vieille amitié

THÉSÉE PLONGEUR — UN RÔLE FUNÉRAIRE — SYMBOLE
MÉLOMANES — EN OCCIDENT

Les liens entre l'homme et le dauphin sont très anciens, peut-être même aussi anciens que ceux de l'homme et du chien. Ils remontent en tout cas à la préhistoire, bien qu'ils soient encore difficiles à dater exactement.

Des gravures rupestres, découvertes récemment en Afrique du Sud montrent des silhouettes de dauphins. On peut même distinguer un homme qui nage parmi eux (1).

L'admirable civilisation minoenne nous a laissé des images plus précises et plus belles des dauphins. Dans le palais de Cnossos, la salle de bains de la reine était décorée d'une frise de dauphins.

Il est bien certain que la Crète* entretenait avec les animaux marins une familiarité dont l'Occident devait perdre le souvenir jusqu'au XXe siècle. D'innombrables vases au poulpe attestent la sympathie que les Egéens* éprouvaient aussi pour cet animal décrié et que nous avons tenté de réhabiliter. Mais les dauphins furent-ils plus que des images, plus que des thèmes artistiques ? Certains historiens prétendent que les Crétois les avaient apprivoisés. Nous savons aujourd'hui que le fait n'est pas invraisemblable.

(1) David K. Caldwell et Melba C. Caldwell, *The World of the Bottlenosed Dolphin.* J.B. Lippincott Company, 1972.

Les bateaux crétois, dit Gustave Glotz, « qui ne s'aventuraient pas sur les flots sans un poisson lié à la proue, n'avaient pas de meilleur pilote que le dauphin » (1). Il y a mieux : les Crétois apprirent que dans les escarpements qui, au sud du Parnasse, dominent le golfe de Corinthe, existait un très ancien sanctuaire, origine d'un courant commercial vers la Grèce centrale. Guidés par leur dauphin-dieu, les Crétois débarquent sur la côte et grimpent vers le lieu qui désormais portera, à cause d'eux, le nom du dauphin : Delphes.

Delphes est le plus fameux sanctuaire de la Grèce : il a été considéré comme le centre du monde. C'est là que la pythie rendait ses oracles. Mais c'était surtout le sanctuaire d'Apollon, dieu de lumière, qui, selon une légende postérieure à celle des Minoens* et rapportée par les hymmes homériques (2), appela ces lieux sacrés Delphes, parce qu'il y était venu sous les apparences d'un dauphin. Et c'est pourquoi les dauphins étaient honorés comme des dieux dans la Crète préhellénique.

Les dauphins étaient certainement plus nombreux en Méditerranée au IIe millénaire qu'à notre époque et ils avaient déjà cette propension à fraterniser avec l'homme que nous leur connaissons. Les Minoens et les Mycéniens*, vivant de la mer, sur la mer et dans la mer, ont dû répondre à leurs avances. Il faudra attendre 1950 pour que l'homme se rapproche du dauphin et renoue avec lui une amitié oubliée.

## *Thésée plongeur*

Phéniciens et Grecs se sont partagés l'héritage maritime de l'Egée qui ne comprenait pas seulement des secrets de navigation et d'architecture navale, mais aussi le respect du dauphin et la croyance à son rôle protecteur. Pendant des siècles, toute la Méditerranée sera persuadée que sa présence autour d'un navire est de bon augure et que sa brusque disparition annonce la tempête. Il suffit de le suivre : il conduira les égarés au port.

S'il arrive aux pêcheurs de le prendre dans leurs filets, ils le relâchent aussitôt.

Les Grecs multiplient sur leurs céramiques l'image du dauphin. Tantôt ils entourent Thésée de leur ronde, tantôt ils servent de montures aux guer-

(1) G. Glotz, *La Civilisation égéenne.*
(2) On a appelé « Hymnes homériques » 34 fragments épiques (VIe-IIIe siècles av. J.-C.) qu'on ne peut plus aujourd'hui rattacher à Homère.

Portrait de Snoopy, l'un des dauphins du Marineland d'Antibes. Photo José Dupont, Marineland d'Antibes.

riers. Sur la célèbre coupe d'Euphronios (Ve siècle) du musée du Louvre, c'est, entouré par des dauphins, que Thésée, au fond de la mer, reçoit d'Amphitrite une couronne d'or, récompense du premier plongeur. Les guerriers helléniques ornent leur bouclier d'une silhouette de dauphin.

Les Etrusques, ces excellents marins venus de Lydie, ont fréquemment représenté des dauphins dans leurs fresques funéraires, notamment dans une tombe de Tarquinia du VIe siècle av. J.-C., où l'un d'eux bondit au-dessus de l'eau devant une barque de pêche.

C'est la monnaie, instrument essentiel du commerce maritime, qui reproduit à satiété l'image du dauphin. Sur les belles pièces d'argent de Syracuse, la déesse Aréthuse apparaît environnée par la ronde des dauphins.

Le dauphin de Tarente, monture marine du héros éponyme Taras, n'a pas seulement un sens religieux, commercial, maritime, il rappelle un genre de sauvetage que nous ne jugeons plus invraisemblable. Taras, fils de Neptune, aurait fondé la ville de Tarente sur le rivage où un dauphin l'avait porté. Lointain souvenir d'un naufragé secouru par l'animal marin ?

Au total quarante cités grecques ont pris le dauphin pour signe de leur monnaie. Sa silhouette plus ou moins stylisée se retrouve gravée sur les ancres ou sert de marque commerciale aux puissants armateurs grecs et romains, les Naviculaires. Selon un modèle qui remonte probablement au IXe ou VIIIe siècle av. J.-C., en Phénicie, le corps du dauphin est alors tordu autour d'une ancre ou d'un trident.

C'est l'emblème dont les célèbres imprimeurs vénitiens, les Alde Manuce, ont marqué au XVIe siècle leurs belles éditions d'auteurs grecs et latins.

Cette ancre et ce trident qui sont aussi les attributs de Poséidon indiquent que le dauphin est le maître de la navigation. Il le doit à sa nage puissante et très rapide, mais aussi à sa sagesse et à sa prudence.

A l'époque romaine, sur une mosaïque du portique des corporations à Ostie, où est représentée toute une flotte de navires de commerce, les dauphins sont là, évoluant entre les coques des cargos, bienveillants et vaguement hilares. Ils attestent que la marine, dite romaine, était surtout vivifiée par les croyances et les traditions grecques. Du part de Cnossos au port de Rome, les dauphins ont suivi les navires des hommes.

### *Un rôle funéraire*

Il serait faux de penser que ces dauphins dont les Egéens, les Etrusques, les Grecs, les Romains ont orné leurs murs, leurs boucliers, leurs vases, leurs

Décadrachme d'argent de Syracuse représentant la déesse Aréthuse entourée de quatre dauphins.

Fresque de dauphins dans la chambre de la Reine à l'intérieur du Palais de Cnossos, environ 1600 avant J.-C. Musée Archéologique d'Héraklion, Candie.

Petit askos orné d'un dauphin ; céramique grecque du IVe siècle avant J.-C. Musée du Louvre.

Pêcheurs accompagnés d'un dauphin. On remarquera que la barque elle-même a la forme d'un dauphin. Fresque de la tombe de la chasse et de la pêche à Tarquinia. Art étrusque 520-510 avant J.-C. Photo Giraudon.

coupes, leurs monnaies ont été reproduits parce que leur forme s'y prêtait et que leur valeur décorative était évidente. C'est là une idée moderne. Ces images avaient un sens et... peut-être même plusieurs. On a vite fait de parler de symboles, mais lesquels ? Nous ne faisons que le soupçonner. Nous sommes mieux renseignés sur le rôle protecteur (apotropaïque) de la tête de gorgone gravée sur des jas d'ancre en plomb. Mieux vaut avouer que, faute de texte ou d'inscription précise, nous entrevoyons le sens au moins funéraire de ces images sans vraiment le connaître.

Il est possible que, comme beaucoup de symboles liés à la mer et à l'eau, le dauphin ait joué le rôle de guide dans l'au-delà. Nous en avons au moins un témoignage : sur une mosaïque du musée d'Antioche, ce sont des dauphins qui emportent vers les îles Fortunées les âmes des Bienheureux. Il semble bien qu'il y ait là un héritage égéen : déjà les Crétois pensaient que les dauphins veillaient sur les morts.

Comme on aimerait en savoir davantage sur la symbolique du dauphin qui, pendant 4 000 ans, a fait le tour de la Méditerranée. Ce n'est pas cette sorte de renseignements que nous apportent les textes grecs et latins que nous possédons, mais à peu près uniquement des anecdotes et des témoignages qui s'efforcent de mettre en évidence la bienveillance des dauphins envers les hommes.

Selon les Grecs, cette bienveillance s'expliquait par le fait qu'ils étaient des hommes métamorphosés en animaux marins. Voici dans quelles circonstances :

« Dionysos, ayant emprunté un navire pour aller à Naxos, s'aperçut que les marins se dirigeaient vers l'Asie, pour le vendre sans doute comme esclave. Alors il transforma leurs avirons en serpents, remplit le navire de lierre et fit jouer des flûtes invisibles. Il paralysa le navire dans des guirlandes de vigne, si bien que les pirates, devenus fous, se précipitèrent dans la mer, où ils furent transformés en dauphins. C'est ce qui explique que les dauphins soient les amis des hommes : ce sont des pirates repentis. » (1)

La littérature classique, depuis Homère, abonde en récits de ce genre. Ils ont été généralement considérés comme des fables ou des histoires mythologiques. Nous avons le droit de les juger un peu différemment aujourd'hui, où nous connaissons mieux le comportement des mammifères marins.

Citons quelques-unes de ces « légendes » très connues et qui prennent maintenant un air de vraisemblance.

Télémaque, fils d'Ulysse, étant enfant tomba à l'eau et fut secouru par des dauphins qui le ramenèrent au rivage. C'est pourquoi Ulysse portait une bague où était gravé un dauphin.

(1) Grimal, *Dictionnaire de la mythologie grecque et romaine*. Paris, 1963.

Skyphos représentant six guerriers sur des dauphins. Période attique à figures noires. Photo Museum of Fine Arts, Boston.

Dans l'Iliade, c'est montées sur des dauphins, que les Néréides apportent à Achille le bouclier forgé par Vulcain.

Aristote, au IVe siècle avant notre ère, a fait une description très correcte de l'anatomie et du comportement des dauphins. Il a bien vu qu'il s'agissait de mammifères qui ne pouvaient pas être rangés parmi les poissons. Il s'est émerveillé de la grande variété de sons émis par les dauphins et de l'affection qu'ils se portent.

Pline l'Ancien écrit dans son *Histoire Naturelle :*

« Ils sont tous solidaires. Un dauphin fut capturé par un roi de Carie et mis à l'attache dans un port ; les autres s'assemblèrent en foule, cherchant par une affliction réelle, dont on pouvait se rendre compte, à gagner la pitié, jusqu'au moment où le roi ordonna de relâcher le prisonnier. De plus, les jeunes sont toujours accompagnés par un plus grand, qui leur sert de gardien,

Coupe italiote représentant Apollon sur son char (IVe siècle avant J.-C.). On remarquera à gauche le dauphin, animal sacré d'Apollon. Musée du Louvre.

Couple de dauphins en pleine mer.

et l'on a vu aussi le cadavre d'un dauphin porté par ses semblables, pour qu'il ne fût pas dépecé par les monstres marins. »

Combien de lecteurs ont pendant des siècles haussé les épaules et accusé Pline de naïveté pour avoir cru ces histoires.

## *Symbole*

Citons encore ces lignes que tout ce que nous savons sur les dauphins confirme :

« Le dauphin, dit Pline, n'est pas seulement familier avec l'homme, mais la musique le charme, l'harmonie des instruments et particulièrement le son de l'orgue hydraulique. L'homme ne l'effraie pas comme un être

Plat représentant Thetis et les dauphins. Période attique à figures rouges. Museum of Fine Arts, Boston.

hostile. Il vient au-devant des navires, bondit autour par jeu, lutte même de vitesse avec eux et si gonflées que soient les voiles, les devance. »

Avant lui, Hérodote avait raconté qu'Arion, poète et joueur de cithare, célèbre au VIIe siècle avant notre ère, étant menacé d'être jeté à la mer par l'équipage d'un navire, qui voulait le voler, demanda une dernière faveur : celle de chanter son plus beau poème, Orthion. Un dauphin fut attiré par ce chant et lorsqu'Arion se jeta à la mer, il le prit sur son dos et le transporta au cap Tenare, aujourd'hui le cap Matapan.

Tout ce récit est riche de symboles faciles à interpréter. Arion, plongé dans la mer, aspire à être sauvé par l'entremise des dauphins. Il devient ainsi le favori des dieux. Après avoir échappé à la méchanceté des hommes, il est lavé de ses souillures dans la mer. C'est un conte métaphysique.

Petite coupe ornée de trois dauphins. Céramique grecque d'époque hellénistique. Musée du Louvre.

## *Mélomanes*

Nous savons que les dauphins sont sensibles à la musique et à bord de la *Calypso* il est arrivé plusieurs fois que nos deux joueurs de guitare Prezelin et le Dr Millet les attirent.

C'est encore Pline qui parle d'un dauphin qui vivait dans le lac Lucrin. Le fils d'un pauvre homme de Baïes, près de Naples, avait pris l'habitude de venir lui donner à manger. Le jeune garçon s'en fit un ami, si bien que le dauphin l'emmenait à travers le lac jusqu'à l'école de Pouzzoles et le ramenait chaque soir, lui évitant ainsi un long détour à pied. Mais l'enfant

Double page suivante:
Pendant sa nage régulière, le dauphin passe alternativement au-dessus et au-dessous de la surface. En haut, à droite: Falco capturant un dauphin à l'étrave de la *Calypso* (photo prise au "fish eye").

mourut. Le dauphin revint l'attendre à l'endroit habituel et, ne le revoyant pas, il se serait laissé mourir de chagrin.

Le neveu de Pline, Pline le Jeune, dans sa lettre à Caninius Rufus, a relaté comment un jeune garçon de Hippone avait été sauvé de la noyade par un dauphin qui devint son ami. Il le promenait sur son dos, jouait, sautait, plongeait autour de lui, tandis que toute la ville se pressait sur le rivage pour admirer la scène. D'autres enfants et des adultes purent approcher et caresser l'animal. C'est exactement ce qui s'est passé à La Corogne avec Nina ou en Nouvelle-Zélande avec Opo, 1850 ans plus tard.

## *En Occident*

Symbole millénaire, crétois, étrusque, grec, romain, le dauphin fut, comme bien d'autres emblèmes, repris par le bestiaire chrétien et l'art héraldique d'Occident. Il est devenu le symbole de la résurgence. Il est l'intercesseur qui conduit et soutient l'homme dans l'eau et lui permet de renaître lavé de ses souillures, comme Arion. Il est aussi le guide qui mène le naufragé au port, au salut. Il ne faut pas s'étonner dès lors que le Christ Sauveur ait été, comme Apollon, représenté sous la forme d'un dauphin.

Mais une énigme se pose : d'où vient le nom de la province du Dauphiné ? Comment se fait-il qu'une région de France aussi éloignée de la mer se soit mise sous l'évocation d'un animal aussi typiquement marin ? En fait, il existe en France deux dauphins héraldiques : celui du Viennois ou du Dauphiné et le dauphin d'Auvergne. Le premier « d'azur, est allumé, lorré et peautré de gueules », ce qui signifie que son œil, ses nageoires et sa queue sont de couleur rouge. Le dauphin d'Auvergne est simplement « pamé » d'un seul émail.

Le professeur Budker a publié sur l'origine des armes du Dauphiné les explications de M. Meurgey de Tupigny, président de la Société française d'héraldique et de sigillographie. Selon cet érudit, Delphin ou Dauphin était probablement un prénom porté par les premiers comtes souverains d'Albon et de Vienne. Les dauphins de Vienne auraient donné leur nom au Dauphiné.

Après la cession du Dauphiné à la France en 1349, le fils aîné du roi porta le titre qui s'appliquait plus particulièrement au prince placé à la tête de la province viennoise.

On voit la place considérable qu'a tenue au cours de l'histoire un animal marin que l'homme honorait déjà avant d'avoir pu lier amitié avec lui... grâce au scaphandre autonome.

Pendant longtemps on a traité de légendes les récits selon lesquels les dauphins transportaient des humains sur leur dos, on peut voir ci-dessus un dauphin du Marineland d'Antibes sur lequel est monté une jeune fille (Photo Gilbert Pressenda), et ci-dessous une néréide sur un dauphin. Vase grec du Ve siècle avant J.-C. Musée du Louvre.

# 13

# une grande promesse

Que va-t-il advenir des dauphins ?

Dans vingt ans, dans cinquante ans, si la bienveillance et la curiosité qu'on leur témoigne continuent de se développer, ils vivront de plus en plus au contact des hommes.

La plongée représentera alors une part considérable de l'activité scientifique, industrielle et sociale de l'humanité. Les rencontres se multiplieront au fond de l'eau entre les mammifères marins et les plongeurs. Chez un animal physiologiquement aussi bien équipé que le dauphin, ces rencontres ne peuvent pas être sans conséquence : elles les éduqueront, elles modifieront leur comportement. C'est ce qui s'est passé pour tous les animaux qui vivent dans nos villes : les rats connaissent l'heure de sortie des poubelles, et les mésanges, en Angleterre, ont appris à percer le carton qui ferme les bouteilles de lait déposées sur le seuil des portes. Que découvriront les dauphins, les orques, les bélugas, les otaries qui tenteront de comprendre les

Ces deux dauphins sont en train de " parler ". On remarquera les bulles au-dessus de l'évent de l'un d'eux.

interventions de l'homme dans la mer et d'en tirer profit ? Leurs trouvailles seront d'une tout autre envergure.

D'autant plus que le nombre des animaux entraînés à des missions dans la mer se sera sans doute beaucoup accru. Ils serviront de guides et d'initiateurs à leurs congénères errant par groupes dans les profondeurs. Sans doute engageront-ils avec eux un dialogue qui, pour être moins élaboré qu'on ne l'a cru, n'en sera pas moins significatif.

Enfin, il faut songer à ce qui se passe et surtout à ce qui va se passer dans les Marinelands, dont le nombre se sera certainement multiplié. C'est en captivité que les espèces peuvent se modifier. Les animaux domestiques ne sont pas des animaux sauvages, enfermés et élevés par l'homme. Ce sont des animaux nouveaux, transformés, tels qu'il n'en existe pas de semblables dans la nature. En Mésopotamie, dans la vallée de l'Indus, en Egypte, il y a 5 000 ou 6 000 ans, l'homme a créé ainsi des porcs, des chèvres, des bovidés, totalement différents des animaux sauvages. Quant au chien, il a fallu 60 000 ans pour en faire ce qu'il est. Le dauphin connaîtra-t-il une évolution analogue ?

### *Biologie expérimentale*

Ce qui a fait du chien, dont les origines remontent à celles de l'homme et qui semble lié à lui, l'éternel compagnon bon à tout, c'est un polymorphisme extrême, une variabilité favorable à toutes les métamorphoses. Les accidents, les mutations, les croisements ont permis de changer sa taille, sa forme, sa couleur, son comportement. Il s'est révélé génétiquement malléable, beaucoup plus encore que le blé, la betterave à sucre ou le dahlia.

Les cétacés le sont-ils au même degré ? Il est beaucoup trop tôt pour le dire. Il s'est produit en tout cas un fait capital auquel on n'a pas assez prêté attention : pour la première fois un croisement s'est produit en captivité entre un *Steno* et un *Tursiops*. L'hybridation est l'arme essentielle des éleveurs : croiser des familles, des variétés, c'est le moyen de développer certaines qualités de l'animal et d'éliminer des défauts. C'est le biais par lequel l'homme agit sur la vie et réalise cette grande mainmise sur les animaux qui constitue le chapitre le plus important de son histoire et qu'on a appelé une « vaste entreprise de biologie expérimentale ».

L'œuvre sera-t-elle menée systématiquement par des zoologistes et à quoi aboutira-t-elle ? A nous doter d'un précieux compagnon qui intervien-

Omer et Falco fixent une caméra sous-marine à la nageoire dorsale d'un dauphin.

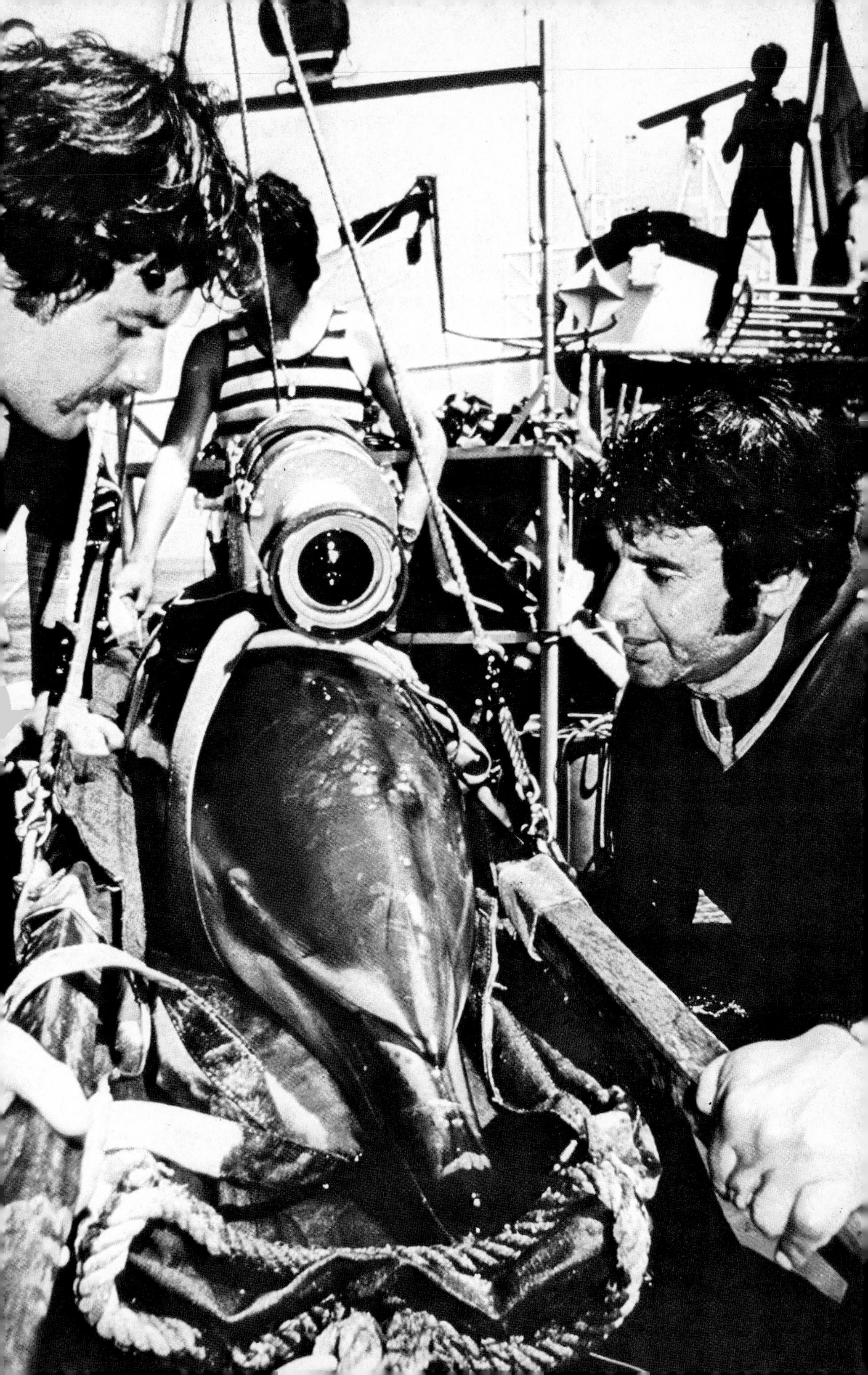

dra dans l'eau à notre place ou avec nous ? Sans doute. C'est déjà presque chose faite. Nous ne sommes pas doués pour localiser des objets dans l'eau trouble ou pour situer la source d'un bruit. Nos sens, en immersion, sont très peu efficaces. Ceux du dauphin sont merveilleusement développés et leur aide peut nous rendre d'inappréciables services. L'homme pourra sans doute en faire le grand auxiliaire de sa vie marine, l'équivalent du cheval sur terre au IIe millénaire avant notre ère.

## *La montée vers l'homme*

Mais le cerveau du dauphin, son développement, ses structures, posent un grand problème. Que vont faire de cet organe cinquante, cent ans de vie commune avec l'homme ? Ce cerveau est capable de mémoire, d'associations d'idées, peut-être peut-il comme celui des primates, parvenir un jour jusqu'au langage. C'est une question d'entraînement. Dès lors, le cas des mammifères marins devient pour l'avenir passionnant et redoutable.

Au risque de décevoir le lecteur, nous nous sommes gardés, tout au long de ce livre, d'exagérer les possibilités psychiques du dauphin. Nous avons au contraire voulu démythifier leur histoire souvent trop belle et qui relève du folklore. Mais ce qui n'est pas vrai aujourd'hui peut le devenir un jour. Rien ne dit qu'au contact de l'homme, le dauphin ne sortira pas de son animalité. Quelle promesse, mais quelle responsabilité !

Mosaïque décorant un bassin à Utique (Afrique du Nord) IVe siècle après J.-C.

# *remerciements*

Nous tenons à exprimer ici notre vive gratitude aux personnalités scientifiques qui ont bien voulu nous conseiller et nous aider dans l'élaboration de ce livre et particulièrement à :

M. le Professeur Paul Budker, directeur du Laboratoire de biologie des cétacés et autres mammifères marins à l'Ecole pratique des hautes études.

M. le Professeur René-Guy Busnel, directeur du Laboratoire de physiologie acoustique, C.N.R.Z., Jouy-en-Josas.

M. Charles Roux, sous-directeur du Laboratoire des reptiles et poissons au Muséum National d'Histoire Naturelle.

M. Albin Dziedzic, du Laboratoire de physiologie acoustique, C.R.N.Z., Jouy-en-Josas.

# appendices et glossaire

De haut en bas : *Delphinus delphis, Tursiops truncatus, Phocoena, Cephalorhynchus.*

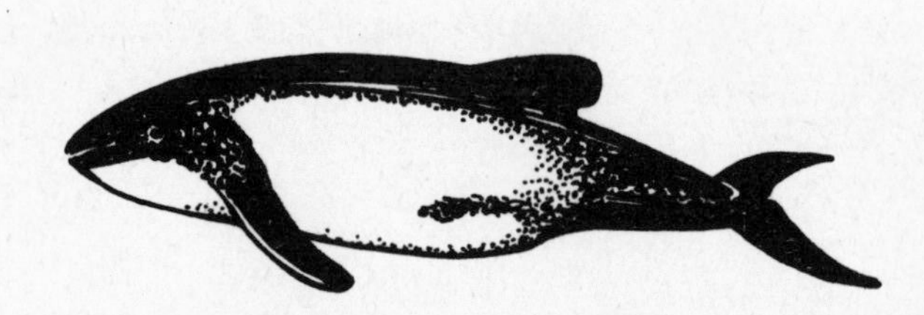

# appendice I

## LES DELPHINIDÉS

Tout au long de ce livre, nous avons été amenés à parler des dauphins en général ou au contraire à citer les noms de certains d'entre eux qui sont beaucoup moins connus du public tels que le *Tursiops* ou le dauphin commun.

Il peut en résulter une certaine confusion dans l'esprit du lecteur et il n'est pas surprenant qu'il éprouve quelque mal à distinguer des animaux marins pourtant si dissemblables quant à la taille et quant à la forme. Aussi voudrions-nous lui apporter des précisions plus grandes.

Ici, comme pour les noms des poissons, la confusion du langage est extrême. L'anglais et le français diffèrent.

Les Anglais se servent du mot « whale » qui ne signifie pas baleine, comme on le croit trop, mais cétacé. Cette dénomination s'applique non seulement aux mysticètes, mais aux odontocètes de plus de 5 mètres de long. « Pour les auteurs de langue anglaise, tout odontocète de moins de 5 mètres est un dauphin s'il est muni d'un rostre et un marsouin (« porpoise ») s'il présente un museau arrondi » (1). Pour compliquer un peu plus le problème, il faut ajouter que les Américains appellent « porpoise » (marsouin) le plus typique et le plus célèbre des dauphins : le *Tursiops,* tandis que les Anglais

(1) Paul Budker.

réservent ce terme à l'authentique marsouin *(Phocoena phocoena)*. Enfin, un autre nom commun du *Tursiops* est « Bottlenosed dolphin » alors que l'hyperoodon est appelé « Bottlenosed whale ».

La difficulté tient aussi au fait que les delphinidés constituent la plus nombreuse famille de l'ordre des cétacés : 48 espèces. « Il n'existe pas un dauphin, mais des dauphins », dit le professeur Budker.

Le plus grand des delphinidés est l'orque (killer whale) ou épaulard, qui atteint 8 à 9 mètres de long et pèse environ une tonne. On sait qu'il a une tête ronde, une très grande dorsale et des taches blanches caractéristiques. C'est le grand ennemi des baleines et des dauphins. Sa férocité proverbiale ne s'exerce pas à l'encontre de l'homme. Il s'apprivoise aisément et devient un excellent pensionnaire de Marineland. Son « intelligence » est remarquable, sans doute supérieure à celle du *Tursiops*.

Les *Tursiops* peuvent atteindre une longueur de 3,75 m. Ils sont nombreux dans l'Atlantique. Ils représentent pour le grand public le dauphin typique, reconnaissable à son rostre et à son rictus qui lui donne l'air de sourire.

Le dauphin commun *(Delphinus delphis)* est un peu plus petit. Il vit dans toutes les mers chaudes et tempérées, en Méditerranée et en mer Noire. C'est surtout lui qu'ont connu et représenté les Anciens.

La couleur du dauphin est très variable selon les genres. Il existe des dauphins tachetés comme le *Stenella,* des dauphins à flancs blancs, *Lagenorhynchus acutus* et des dauphins à bec blanc, *Lagenorhynchus albirostris.*

Le genre *Cephalorhynchus* est de petite taille avec un bec peu accusé et sa peau est blanche et noire. On le trouve surtout dans les mers du Sud, où il se nourrit de crustacés.

Enfin, il faut mettre à part les dauphins d'estuaires et de rivières, platanistes *(platanistidae)* au museau long et étroit, sténidés d'Amérique du Sud et un delphinidé du Mékong : *Orcaella.* Beaucoup de ces dauphins d'eau douce sont aveugles. Nous leur consacrons l'Appendice III.

Et le marsouin ? dira-t-on. Ce nom commun ne désigne pas en français un dauphin proprement dit. Il appartient à un genre différent : les phocoenidés, cétacés d'assez petite taille, à la nageoire dorsale peu développée et au museau court. Le marsouin commun *(Phocoena phocoena)* mesure 1,60 à 2 mètres et il est très cosmopolite.

Les bélugas et les narvals ne sont pas classiquement des delphinidés mais des monodontidés. Le béluga *(Delphinapterus leucas),* habitant des mers froides, peut atteindre 3,50 m à 4,50 m. Il est blanc avec un cou assez marqué, aussi l'appelle-t-on tantôt « dauphin blanc », tantôt « marsouin blanc ». Le narval *(Monodon monoceros)* de 4 à 6 mètres de long, se nourrit d'échinodermes, de seiches et de poissons. Chez le mâle une dent antérieure du côté gauche de la mâchoire inférieure prend un grand développement, jusqu'à mesurer 2 mètres.

L'hyperoodon *(hyperoodon rostratus,* en anglais « Northern bottlenosed whale ») appartient à la famille des ziphiidés ou « baleines à bec ». Le géant des ziphiidés est *Berardius* dont certains individus mesurent 12 mètres de long.

Quant aux globicéphales (« Pilot whale » en anglais) (famille des delphinidés), ils peuvent peser 3 tonnes pour une longueur de 6 à 7 mètres. Ce sont des animaux qui vivent dans tous les océans, en groupes qui peuvent atteindre plusieurs centaines d'individus sous la conduite d'un leader. Ils sont noirs mais portent sur la face ventrale une tache blanche caractéristique. Ils supportent la captivité et plusieurs ont été dressés avec succès.

Le sous-comité sur les petits cétacés de la Commission baleinière internationale réunie à Montréal du 1er au 10 avril 1974, a conclu que le nombre des espèces de delphinidés admis jusqu'à présent devait être revu. Un certain nombre de ces espèces ne doivent plus être considérées que comme des variétés géographiques.

On trouvera dans l'Appendice II une classification générale des cétacés.

De haut en bas : hyperoodon, orque, béluga.

# appendice II

## LES CÉTACÉS

Les cétacés (1), ordre auquel appartiennent les dauphins, sont des mammifères marins à sang chaud dont Aristote savait déjà qu'ils respiraient avec des poumons. La fécondation et la gestation sont internes. Les femelles allaitent leurs petits. Ils possèdent un cœur à quatre cavités et des nageoires dont le squelette est comparable à celui d'une main.

Leurs rapports avec les mammifères terrestres sont évidents, bien qu'ils en diffèrent par certaines particularités anatomiques qui leur assurent une parfaite adaptation à la vie marine.

Les restes fossiles de leurs ancêtres terrestres n'ont pas encore été retrouvés. Des pièces osseuses incluses dans les muscles des cétacés sont les vestiges d'une ceinture pelvienne et parfois représentent un fémur et un tibia rudimentaires.

En revanche, la nageoire dorsale qui les caractérise, sauf chez les cachalots, semble s'être formée à une époque relativement récente et elle est sans rapport avec le squelette.

Tous les cétacés ont une nageoire caudale qui, contrairement à celle

(1) Cet appendice a été rédigé à partir des ouvrages de Kenneth S. Norris, du Dr Harrisson Matthews, du Dr F.C. Fraser, de David K. Caldwell et Melba C. Caldwell, d'Ernest P. Walker et de la classification de la Commission baleinière internationale.

des poissons, est étalée horizontalement et se meut dans le sens vertical. Tous possèdent également sur le sommet de la tête un évent d'où jaillit le « souffle », dont l'aspect diffère selon les espèces.

Cet ordre qui comprend plus d'une centaine d'espèces est divisé en deux sous-ordres : les odontocètes ou cétacés à dents et les mysticètes ou cétacés à fanons.

### *Les odontocètes*

Le nombre de leurs dents varie : de deux chez la « baleine » de Cuvier à 260 chez certains dauphins. Tous sont carnivores. On a cru à tort que des dauphins d'eau douce d'Amérique se nourrissaient de plantes aquatiques.

Les odontocètes sont divisés en cinq familles qui groupent le plus grand nombre d'espèces de cétacés.

1) Les *delphinidés* qui comptent dix-neuf genres : *Delphinus* avec *Delphinus delphis* ou dauphin commun, *Tursiops, Grampus, Lagenorhynchus, Feresa, Cephalorhynchus, Orcaella, Lissodelphis, Lagenodelphis, Steno, Sousa, Sotalia, Stenella, Phocoena* (marsouin), Phocoenoïdes (marsouin du Pacifique), *Neomeris* (marsouin du Sud-Est asiatique), *Pseudorca, Orcinus* (orque) et *Globicephala.*

La durée de la gestation est en moyenne d'un an pour les *Tursiops* et les orques, de onze mois pour le dauphin commun, et de 13 à 16 mois pour le globicéphale.

2) Les *Platanistidae* sont les dauphins qui vivent uniquement ou partiellement en eau douce, fréquemment dans les estuaires des grands fleuves. Ils comprennent les genres : *Platanista* du Gange, *Inia* d'Amérique du Sud, *Stenodelphis* du Rio de la Plata et *Lipotes* de la Chine.

3) Les *Monodontidae* qui ne comportent que deux genres :

— *Delphinapterus* (le béluga) qui fréquente surtout les régions arctiques de l'Amérique du Nord. La durée de la gestation du béluga est d'un an.

— *Monodon monoceros* (le narval).

4) Les *Ziphiidae,* caractérisés par leur museau en forme de bec. On en distingue cinq genres :

— *Ziphius*

— *Mesoplodon*

— *Tasmacetus*

— *Berardius*

— *Hyperoodon.*

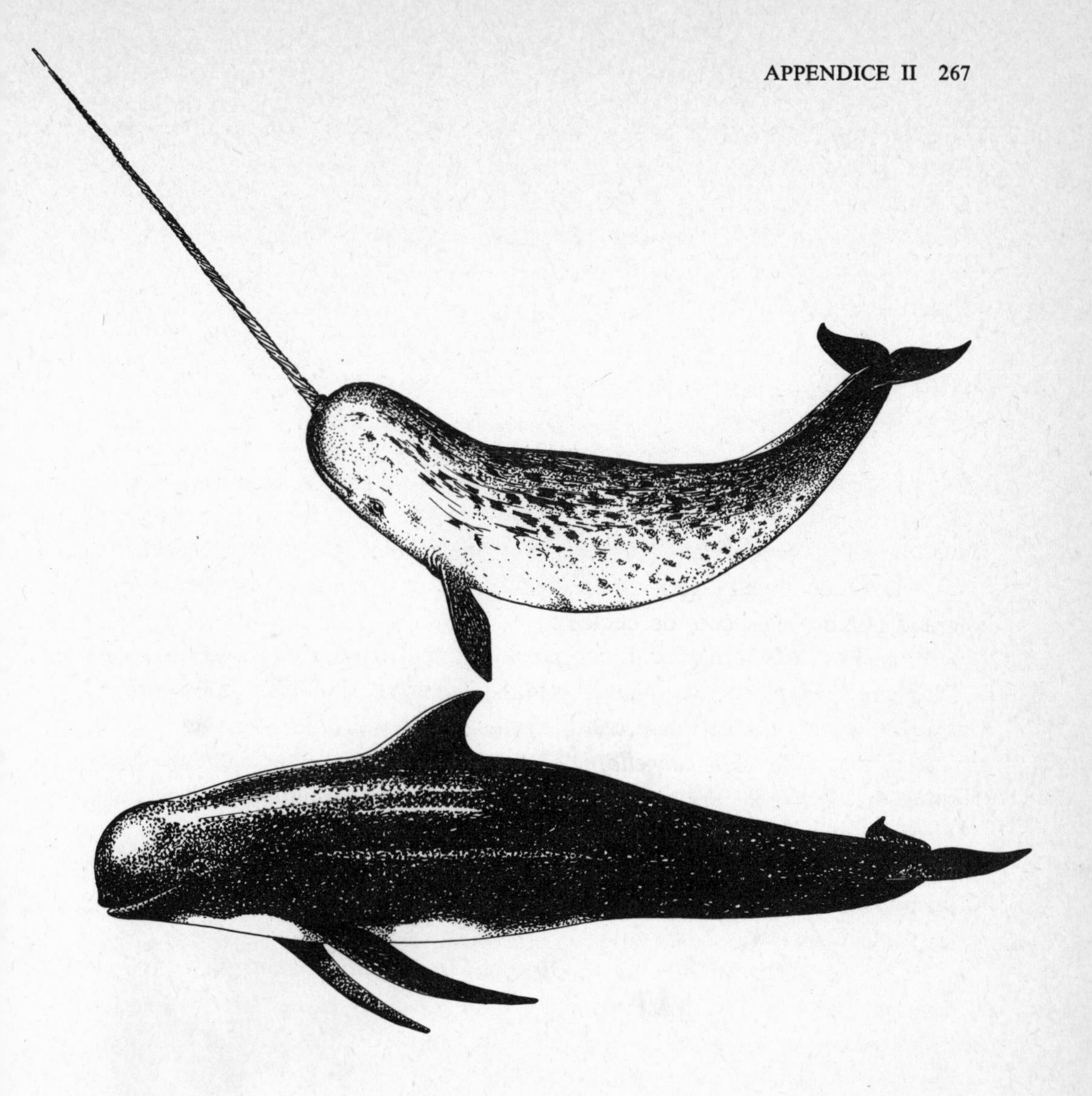

En haut le narval. En dessous le globicéphale.

La gestation du gigantesque *Berardius* n'est que de dix mois.

5) Les *Physeteridae* groupent les cachalots (Sperm whale) divisé en deux genres : *Physeter* et *Kogia* (Pygmy sperm whale).

Parmi tous les odontocètes, le cachalot se reconnaît à son souffle unique et oblique. En effet, l'évent gauche est le seul qui fonctionne. Mais le cachalot est surtout caractérisé par sa tête énorme, carrée de l'avant et qui atteint le tiers de son corps. Seule la mâchoire inférieure est pourvue de dents, des dents redoutables : plus de 25 centimètres de long et elles peuvent peser près d'un kilo.

Le cachalot n'a pas de nageoire dorsale, mais une sorte de « crête ».

Le cachalot n'a pas de nageoire dorsale, mais une " crête ".

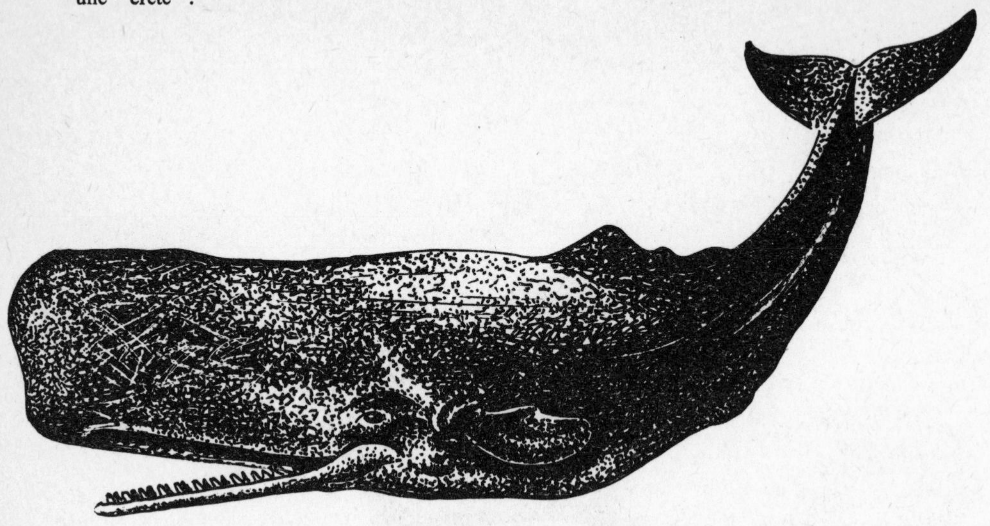

Il est généralement d'une couleur sombre avec quelques taches et s'éclaircit en vieillissant. Un cachalot blanc est célèbre en littérature : c'est Moby Dick, héros principal du livre de Herman Melville. On n'a signalé de cachalot albinos qu'une seule fois, en 1951. Il mesurait 16 mètres de long.

Les plus grands cachalots — toujours des mâles — atteindraient 18 mètres au maximum. Leur poids est de 35 à 50 tonnes. Ils se nourrissent notamment de calmars qu'ils vont attaquer dans les grands fonds. La gestation dure seize mois, la lactation douze mois. Il ne naît qu'un petit tous les trois ans. Les cachalots constituent des harems de vingt à cinquante individus.

## *Les mysticètes*

Les mysticètes, qui seuls méritent le nom de « baleine », ont des fanons fixés à la mâchoire supérieure. Ce sont des lames cornées, garnies de filaments, qui filtrent la nourriture. Leur écartement varie selon les espèces.

Le groupe des mysticètes comporte trois familles :

1) *Balaenidae*.

On distingue trois genres :

a) *Balaena*, qui ne comporte qu'une espèce : *B. mysticetus* ou baleine franche ou baleine boréale.

Elle mesure entre 15 et 18 mètres. Elle est noire. La gorge et le menton sont de couleur crème. La bouche occupe le tiers de la longueur du

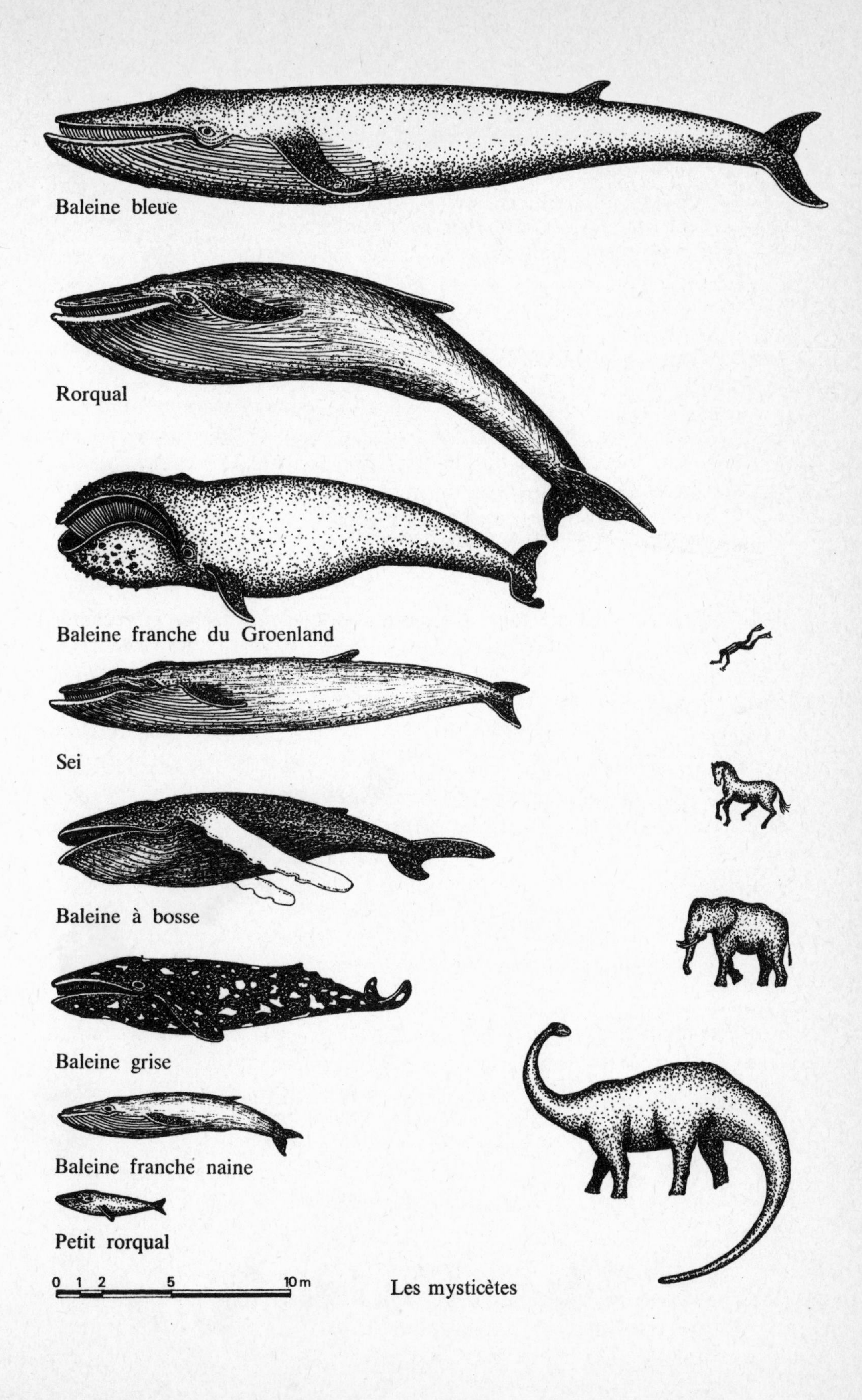


Les mysticètes

corps. Cette baleine n'a pas de nageoire dorsale. Elle peut rester en apnée de dix à trente minutes. La gestation dure de neuf à dix mois. Sa nourriture est surtout le krill.

Au début du XIXe siècle, elle était encore abondante dans l'Arctique. L'extermination a été presque totale au XXe siècle. La baleine franche est aujourd'hui interdite à la chasse.

b) *Eubalaena* dont l'aspect extérieur est le même que celui des *Balaena,* sauf la bouche qui n'occupe que le quart de la longueur totale du corps.

Ce genre comprend :

*Eubalaena glacialis* qui vit dans l'Atlantique nord et qui, en raison de sa taille plus petite (13 à 16 mètres), était chassée par les Basques à partir du IXe siècle. C'est une des plus rares du monde, mais elle survit. Elle est protégée depuis trente-cinq ans.

*Eubalaena australis* qui vit dans l'Antarctique. Il y a cinquante ans, il en existait des centaines de milliers... Elle a été exagérément chassée mais, après trente-cinq ans de protection absolue, on recommence à en observer des troupeaux dans l'Atlantique sud, au voisinage du cap de Bonne-Espérance et de la Georgie du Sud.

c) *Caperea* qui ne comporte qu'une seule espèce, *Caperea marginata* ou baleine franche naine, qui possède un aileron dorsal.

2) *Eschrichtidae,* qui comprend un seul genre, *Eschrichtius gibbosus,* c'est la baleine grise de Basse-Californie. On la trouve dans le Pacifique, près des côtes de l'Amérique et de Corée. Elle n'a pas d'aileron dorsal. Elle mesure entre 10 et 15 mètres de long et pèse entre 24 et 37 tonnes. Elle est noire ou de couleur ardoise. Ce sont les cicatrices des blessures de parasites qui lui donnent une teinte grisâtre.

La maturité sexuelle se situe à quatre ans et demi. La gestation dure onze à douze mois. Il naît un seul petit tous les deux ans.

3) *Balaenopteridae.* On distingue deux genres :

a) *Balaenoptera,* dans lesquels on note :

— *B. borealis* (Sei whale), *B. acutorostrata* (Lesser rorqual), *B. edeni* ((Bryde's whale), *B. physalus* ou rorqual commun ou fin whale. Le rorqual commun mesure de 18 à 24 mètres de long et pèse environ 50 tonnes. Le dos est grisâtre. Le rorqual a un aileron dorsal bien visible, assez haut, triangulaire. Il se déplace par groupes de vingt à cent individus. Il se nourrit de plancton, de crustacés et de petits poissons. L'accouplement a lieu en hiver. La période de gestation dure de dix à douze mois. La maturité sexuelle se situe vers cinq ans pour le mâle, et entre trois et huit ans pour la femelle. La maturité physique n'est atteinte qu'à quinze ans. Les grands rorquals peuvent rester en apnée de vingt à cinquante minutes. C'est la victime des baleiniers : plus de 90 % de leur tableau de chasse. En 1955. on évaluait encore leur nombre à cent dix mille dans l'Atlantique, il n'y en aurait plus qu'une trentaine de mille maintenant.

— *B. musculus* ou baleine bleue est le plus grand des cétacés et aussi le plus grand des animaux existant sur terre. Elle mesure de 21 à 30 mètres et le plus gros spécimen jamais observé pesait 120 tonnes. Elle vit en été dans les eaux polaires et l'hiver au voisinage des latitudes tropicales. La couleur de la peau est bleu ardoise. La baleine bleue est une solitaire. Elle peut rester en apnée de dix à vingt minutes. Elle se nourrit essentiellement de krill. Elle s'accouple entre mai et juin. La gestation dure onze mois. Un petit naît tous les deux ans. La maturité sexuelle intervient à quatre ans et demi. C'était la baleine la plus recherchée pour la chasse parce qu'elle fournit la plus grande quantité de graisse. En 1930, on estimait qu'il existait trente à quarante mille baleines bleues dans l'Antarctique. L'évaluation la plus optimiste aujourd'hui est environ de deux mille, peut-être moins. La « bleue » est maintenant totalement protégée.

b) *Megaptera.* On ne compte qu'une seule espèce : *Megaptera novaeangliae* ou jubarte, « la baleine à bosse ». Avec les baleines grises, c'est la seule espèce qui vit près des côtes.

Elle mesure de 8 à 13 mètres en moyenne et pèse environ 30 tonnes. La partie supérieure du corps est noire et la gorge et la poitrine sont blanches. Elle est reconnaissable à ses grandes nageoires pectorales blanches qui mesurent le tiers de son corps. Sa nourriture se compose surtout de crustacés. La gestation dure dix mois. La maturité sexuelle intervient environ à trois ans et la maturité physique à dix ans. Un petit naît tous les deux ans. Au cours des années 1930, l'effectif dans l'Antarctique était évalué à vingt-deux mille têtes. Il ne serait plus aujourd'hui que de trois mille. Mais il existerait encore cinq mille baleines à bosse dans le Pacifique nord. La chasse est désormais totalement interdite.

De haut en bas : *Inia geoffrensis*, plataniste du Gange, *Sotalia fluviatilis*.

# appendice III

## LES DAUPHINS D'EAU DOUCE

Certains dauphins vivent complètement ou partiellement en eau douce. Ce sont les *Platanistidae,* trois genres de delphinidés, *Sousa, Sotalia* et *Orcaella* du Mékong qui est à la fois fluviatile et côtier.

Les *Platanistes,* qu'on trouve dans le Gange, le Brahmapoutre et l'Indus, sont remarquables par leur long bec garni de nombreuses dents et par leur cou nettement marqué. Ils se nourrissent de crevettes et de poissons fouisseurs qu'ils cherchent dans la vase. Ils ne dépassent pas la limite des marées.

Ils sont aveugles. Leur œil est dépourvu de cristallin et d'épithélium pigmenté. Le nerf optique est très réduit. Pourtant, grâce à leur équipement acoustique, ils trouvent aisément leurs proies dans l'eau et dans la vase et sont particulièrement difficiles à capturer dans des filets.

Ces dauphins pêchent parfois dans moins de 20 centimètres d'eau en nageant sur le côté. Ils vivent en petits groupes à proximité des installations humaines.

Parmi les *Platanistidae,* l'*Inia geoffrensis* ou « bouto », de l'Amazone et de l'Orénoque, est un dauphin à peau rose, aux petits yeux, au long bec et au dos bossu. M. et D. Caldwell ont écrit de lui qu'il était « le plus laid des dauphins ». Il lui arrive, à l'époque des hautes eaux, de quitter le lit du fleuve et de s'aventurer dans la forêt inondée. A la différence d'autres dauphins d'eau douce, les « boutos » vivent en bancs de 12 à 20 individus et témoignent d'une grande solidarité les uns à l'égard des autres.

Un delphinidé, *Sotalia fluviatilis,* est proche parent du *Tursiops.* Sa longueur ne dépasse pas 1,50 m à 1,80 m. Il vit dans le bassin de l'Amazone et de l'Orénoque, du Brésil au Venezuela. Il est considéré comme sacré par certaines populations locales.

Quant au dauphin du Rio de la Plata, *Stenodelphis,* il se nourrit de crevettes et de calmars aussi bien que de poissons. Il quitte pendant l'hiver les eaux douces des estuaires pour gagner les eaux marines côtières. Il est de petite taille et de couleur grise. En Uruguay, on lui a donné le nom de « Franciscana ».

Le *Sousa* se rencontre en Asie méridionale, sur les côtes ouest et est d'Afrique, au Sénégal, au Cameroun et à Zanzibar.

Le dauphin chinois, *Lipotes* ou pei c'hi, vit dans le lac Tungt'in. Il ne possède que des yeux atrophiés et semble à peu près complètement aveugle. Il se nourrit de silures anguilliformes enfouis dans la vase du lac ; cette espèce est pratiquement inconnue.

# appendice IV

## LÉGISLATION

*En France*

Voici le texte de l'arrêté interdisant la capture ou la mise à mort des dauphins :

« Le ministre des Transports,

Vu le décret-loi du 9 janvier 1852 sur la pêche maritime, et notamment son article 3 ;

Vu l'ordonnance du 3 juin 1944 portant réorganisation des pêches maritimes, et notamment son article 4 ;

Considérant la contribution des delphinidés à l'équilibre écologique des océans et leur utilisation dans le domaine de la recherche scientifique et technique,

Arrête :

Art. 1er. — Il est interdit de détruire, de poursuivre ou de capturer, par quelque procédé que ce soit même sans intention de les tuer, les mammifères marins de la famille des delphinidés (dauphins et marsouins).

Art. 2. — Les dispositions ci-dessus ne s'appliquent pas aux opérations menées uniquement dans un but de recherche scientifique.

Art. 3. — Les directeurs des affaires maritimes au Havre, Saint-Servan,

Nantes, Bordeaux et Marseille sont chargés, chacun en ce qui le concerne, de l'exécution du présent arrêté, qui sera publié au Journal officiel de la République française et inséré au Bulletin officiel de la marine marchande.

Fait à Paris, le 20 octobre 1970.

Pour le ministre et par délégation :
*Le directeur des pêches maritimes,*
*Jean TOUYA.* »

## *Aux Etats-Unis*

Un acte pour la protection des mammifères marins a été voté par le Congrès le 21 octobre 1972 pour prendre effet le 21 décembre 1972.

Le ministère du Commerce et le ministère de l'Intérieur sont chargés de son exécution.

Aux termes de cette nouvelle législation il est interdit de capturer ou d'importer des mammifères marins aux U.S.A. ou des produits fabriqués à partir de mammifères marins.

Pour les expériences scientifiques ou les démonstrations publiques une autorisation spéciale est désormais exigée.

Par exception, les phoques à fourrure des îles Pribiloff, qui font l'objet d'une exploitation systématique, ne sont pas protégés.

D'autre part les Eskimos et les Indiens qui chassent les cétacés pour leur subsistance sont autorisés à continuer à le faire.

En outre un programme de recherches a été mis en œuvre pour réduire au minimum le nombre de dauphins tués occasionnellement au cours de la pêche au thon.

Des recherches sont également entreprises pour recenser le nombre d'individus appartenant à 62 espèces de mammifères marins d'un intérêt primordial pour les Etats-Unis.

# appendice V

## LES DAUPHINS AU CIRQUE ET EN LABORATOIRE

Parmi les établissements qui élèvent, dressent ou étudient en captivité les dauphins, nous avons distingué ceux qui ont un caractère commercial et montent des spectacles d'animaux dressés et les centres de recherches scientifiques. Il arrive d'ailleurs que certains Marinelands pratiquent en même temps ces deux genres d'activité. En ce cas ils figurent sur chacune des listes ci-dessous. (Voir la carte pages 278 et 279.)

### *MARINELANDS ET AQUARIUMS*

*Aux Etats-Unis*

1. - Steinhart Aquarium, San Francisco, Californie.
2. - ABC Marine World, Redwood City, Californie.
3. - Marineland of the Pacific, Californie.
4. - Sea World, San Diego, Californie.
5. - Marineland of Florida, Floride.
6. - Ocean World, Ft. Lauderdale, Floride.
7. - Miami Seaquarium, Miami, Floride.

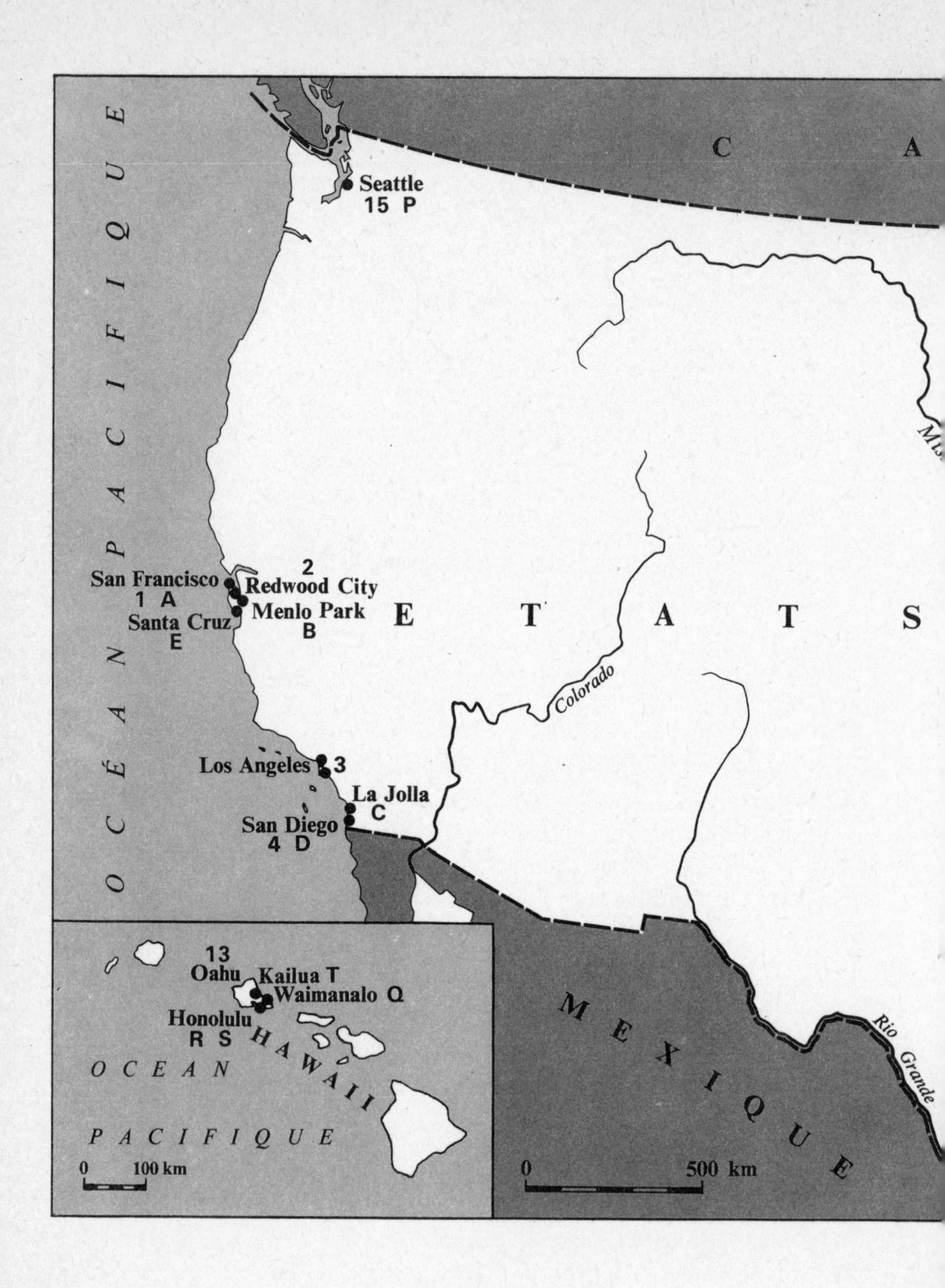
OCÉAN PACIFIQUE
C A
Seattle
15 P
San Francisco
1 A
2
Redwood City
Menlo Park
B
Santa Cruz
E
E T A T S
Colorado
Los Angeles
3
La Jolla
C
San Diego
4 D
MEXIQUE
Rio Grande
13
Oahu
Kailua T
Waimanalo Q
Honolulu
R S
HAWAII
OCEAN
PACIFIQUE
0 100 km
0 500 km

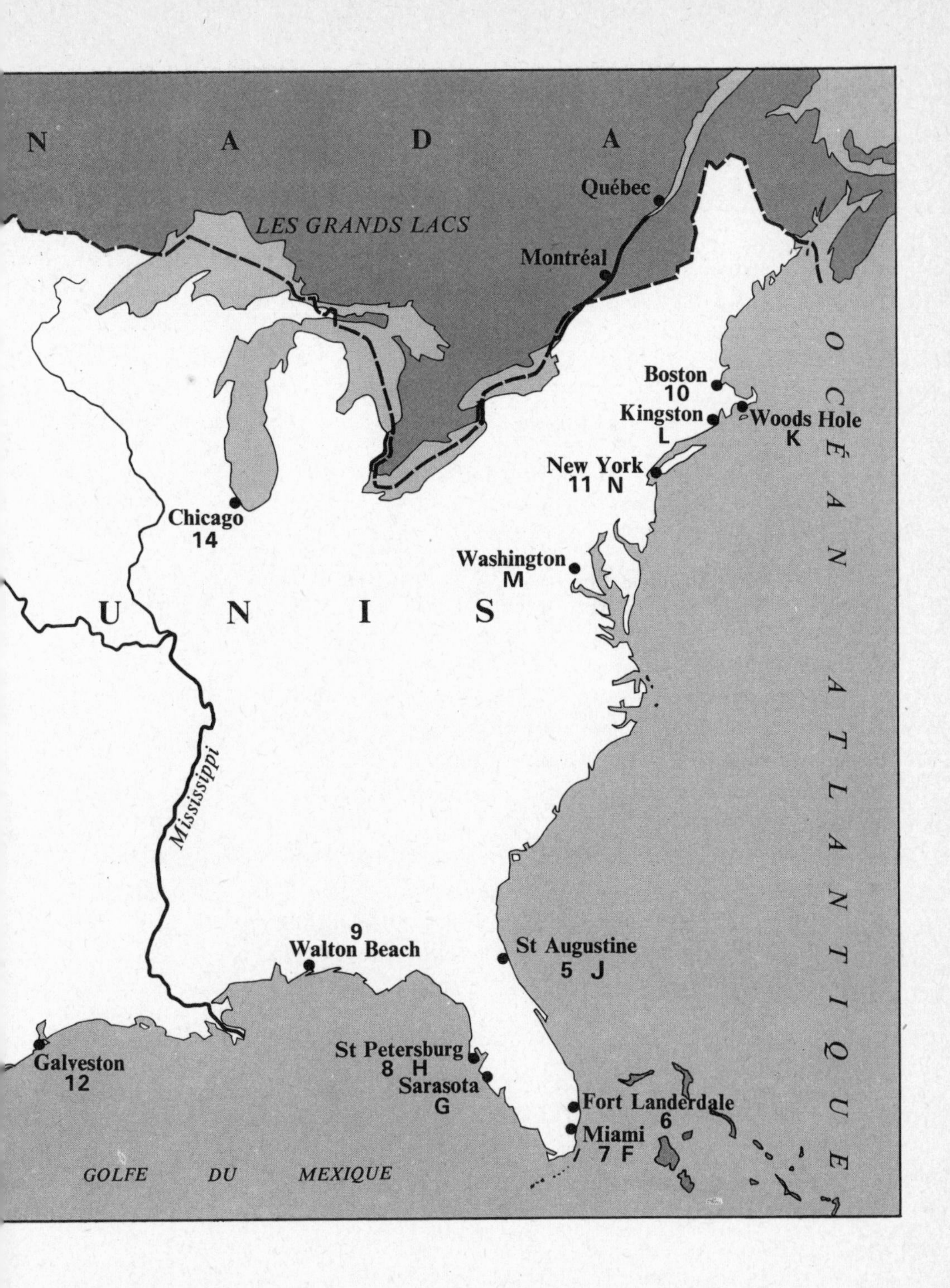


Carte des établissements qui, aux Etats-Unis, conservent des dauphins en captivité. Les Marinelands sont désignés par des chiffres et les Centres de Recherches par des lettres.

8. - Aquarium de St. Petersburg Beach, Floride.
9. - Florida's Gulfarium, Walton Beach, Floride.
10. - New England Aquarium, Boston, Mass.
11. - New York Aquarium, Coney Island, N.Y.
12. - Sea-Arama Marineworld, Galveston, Texas.
13. - Sea Life Park, Oahu, Hawaii.
14. - Sea World, Chicago, Illinois.
15. - Seattle Marine Aquarium and Namu Inc., Seattle, Washington.

*Dans le monde*

France : Marineland d'Antibes.
Afrique du Sud : Durban Aquarium.
The Oceanarium, Port Elizabeth.
Allemagne : Jardin zoologique de Duisburg.
Australie : Coolangatta, Queensland, Melbourne.
Belgique : Jardin zoologique d'Anvers.
Canada : Niagara Falls.
Vancouver Public Aquarium, Colombie Britannique.
Espagne : Jardin zoologique de Barcelone.
Grande-Bretagne : Flamingo-Park, Malton, Yorkshire.
Wipsnade Zoological Gardens, Bedfordshire.
Hollande : Harderwijk.
Japon : Enoshima Marineland - Ito Aquarium, Ito - Mito Aquarium, Numazu - Toba Aquarium, Toba - Iruka Jima Yvenchi, Toba - Shimonose Aquarium, Shimonoseki - Numazu Aquarium, Numazu.
Nouvelle-Zélande : Marineland of New Zealand, Napier.
Suisse : Jardin zoologique, Berne.

## LABORATOIRES
## ET CENTRES DE RECHERCHES EXPÉRIMENTALES

*Aux Etats-Unis*

A - Steinhart Aquarium, California Academy of Sciences, San Francisco, Californie.
B - Stanford Research Institute, Menlo Park, Californie.

C - Scripps Institution of Oceanography, La Jolla, Californie.
D - Naval Undersea Research and Development Center, San Diego, Californie.
E - University of California, Santa Cruz.
F - School of Marine and Atmospheric Sciences, University of Miami, Floride.
G - Mote Marine Laboratory, Sarasota, Floride.
H - Marine Research Laboratory of the Florida Department of Natural Resources, St. Petersburg, Floride.
J - Marineland Research Laboratory, St. Augustine, Floride.
K - Woods Hole Oceanographic Institution, Woods Hole, Mass.
L - Narragansett Marine Laboratory, University of Rhode Island, Kingston.
M - Smithsonian Institution, Washington D.C. (Museum's Marine Mammals Study Center).
N - Rockefeller Institute, New York.
P - Marine Mammal Biological Laboratory of the U.S. Department of Commerce, Seattle, Washington.
Q - Makapuu Oceanic Center, Waimanalo, Hawaii.
R - U.S. Navy Marine Biosystem Division, Honolulu, Hawaii.
S - Department of Psychology, University of Hawaii, Honolulu.
T - Naval Undersea Research and Development Center, Hawaii, laboratory, Kailva, Hawaii.

*Dans le monde*

France : Centre d'Etudes des Cétacés, Muséum d'Histoire Naturelle, La Rochelle.
Laboratoire de Physiologie Acoustique, I.N.R.A. E.R.A., C.N.R.S., 78350 Jouy en Josas.

Angleterre : Department of Mammalogy, British Museum of Natural History.
Whale Research Unit, Institute of Oceanographic Sciences, British Museum of Natural History, Londres.

Australie : Arthur Rylah Institute for Environmental Research, Heidelberg, Victoria.
School of Biological Sciences, University of Sydney.

Canada : Arctic Biological Station, Fisheries Research Board of Canada, St. Anne de Bellevue, Québec.
Marine Ecology Laboratory, Fisheries Research Board of Canada, Bedfort Institute, Dartmouth, Nouvelle-Ecosse.

Department of Zoology, University of Guelph, Guelph, Ontario.
Danemark : University of Arrhus, Marsuinstation, Strib.
Hollande : Museum of Natural History, Leiden.
Zoological Museum, Institute of Taxonomic Zoology, Amsterdam.
Japon : Ocean Research Institute, Tokyo University.
Whaling Research Institute, Tokyo.
Faculty of Fisheries, Nagasaki University, Nagasaki-Ken.
Nouvelle-Zélande : Department of Zoology, Victoria University of Wellington.
Suisse : « Brain Research Institute », Berne.
U.R.S.S. : Institut de Morphologie de l'Académie des Sciences, Moscou.
Chaîne d'Activité Nerveuse Supérieure, Université de Moscou.
Faculté de Biologie, Université de Moscou.
Institut de la Biologie du Développement, Académie des Sciences, Moscou.

# glossaire

EXPLICATION
DES NOMS CITÉS
PAR
ORDRE ALPHABÉTIQUE

ACCORE

Côte escarpée dont le " tombant " descend sous les eaux à la verticale.

AILERON

Nom populaire de la nageoire pectorale des requins, des dauphins, des baleines.

AJUTAGE

Dispositif s'adaptant à l'orifice d'une canalisation et permettant de régler l'écoulement d'un fluide.

APNÉE

Suspension plus ou moins prolongée de la respiration.

ARTIODACTYLES

Sous-ordre de mammifères ongulés qui reposent sur le sol par un nombre pair de doigts. Ce sont les ruminants et les porcins.

AUSSIÈRE

Cordage composé de plusieurs filins dont on se sert lors des manœuvres d'amarrage.

AZIMUT

L'azimut d'un navire en mer est l'angle que fait sa direction avec le Nord.

BABORD

Ce mot est utilisé dans le vocabulaire maritime pour désigner le côté gauche d'un navire par rapport à son axe quand on regarde vers l'avant.

BATHYSCAPHE

Auguste Piccard a conçu et réalisé le premier bathyscaphe, le *F.N.R.S. 2* qui, le 31 octobre 1948, descendit à vide à 1 380 mètres au large de Dakar.

En octobre 1950, une convention passée entre la Marine française et le Fonds national de la Recherche scientifique belge permit d'entreprendre la construction d'un nouveau flotteur et d'une autre coque autour de la sphère en acier du premier bathyscaphe. Cet engin, appelé *F.N.R.S.3*, descendit, avec le commandant Houot et l'ingénieur du Génie maritime Willm à son bord, à 4 050 mètres devant Dakar le 15 février 1954. Puis de 1954 à 1958, il effectua des plongées profondes en Méditerranée, en Atlantique et dans les mers du Japon. Après sa 94e plongée, le *F.N.R.S. 3* fut mis en réserve.

Auguste et Jacques Piccard avaient, de leur côté, construit un autre bathyscaphe, le *Trieste* qui, le 30 septembre 1953, était descendu à 3 150 mètres.

Le *Trieste*, acquis par l'U.S. Navy, atteignit le 23 janvier 1960 la plus grande profondeur connue dans les mers : 10 916 mètres, au large de l'île de Guam.

La Marine Nationale française décida de construire un nouveau bathyscaphe amélioré, avec la participation du Centre National de la Recherche Scientifique et du Fonds National de la Recherche Belge. Baptisé *Archimède*, il fut mis à flot à l'arsenal de Toulon le 28 juillet 1961. Il effectua dans la fosse des Kouriles six plongées à plus de 9 000 mètres en juillet 1962. Par la suite, il transporta dans les grandes profondeurs de nombreux chercheurs et savants, tant à Porto-Rico qu'au large de Madère.

## BOGUE

Poisson de la famille des sparidés, abondant en Méditerranée et dont la chair est peu appréciée.

## CALMAR LOLIGO

Céphalopode de la famille des Loliginidae, sous-ordre des Myopsida, ordre des Teuthoidea, sous-classe des Coleoidea.

*Loligo vulgaris* est le calmar commun ou encornet dont le corps en forme de cigare se termine en pointe. Les calmars possèdent une paire de nageoires latérales triangulaires et un élément corné interne, dur, mais transparent, " la plume ". On les trouve dans l'Atlantique, la mer du Nord, la Méditerranée et la mer Rouge. La majorité des *Loligo vulgaris*, en Atlantique comme en Méditerranée, atteignent probablement un âge variant entre deux ans et trente mois. La longueur du corps du mâle comme celui de la femelle atteint une vingtaine de centimètres, mais les bras du mâle sont plus longs.

*Loligo opalescens* a fait le sujet d'un film tourné au large de la Californie par l'équipe Cousteau.

Il existe des calmars géants d'autres genres.

## LA " CALYPSO "

C'est un ancien dragueur de mines de 350 tonnes construit aux États-Unis en 1942 pour le compte des Anglais. La *Calypso* a une double coque en bois et elle est équipée de deux moteurs qui lui donnent une vitesse maximale de 10 nœuds.

J.-Y. Cousteau la découvrit à la fin de la guerre dans des surplus à Malte et put l'acquérir grâce à un mécène anglais, Loël Guinness.

Étant donné sa grande maniabilité et son faible tirant d'eau, elle peut naviguer par très petits fonds et au milieu des récifs de coraux.

Plusieurs modifications y ont été apportées pour en faire un navire de recherches océanographiques : une chambre d'observation sous-marine, " le faux nez ", a été placée devant l'étrave sous la ligne de flottaison. Une mâture double formant portique a été installée sur l'avant pour guider la marche du navire dans les dédales de coraux et suivre les évolutions des animaux marins.

## CARÉNAGE

Le mot latin *carena* désigne la quille et par extension la coque d'un navire.

Le carénage consiste à mettre le navire au sec pour gratter la coque couverte d'algues et de coquillages, à en vérifier le bon état et à la repeindre.

"CALYPSO"

*La Calypso* : 43 m de long; 2,50 m de tirant d'eau; 2 moteurs de 500 ch; vitesse de croisière : 10 nœuds, déplacement 800 t; 29 hommes à bord.

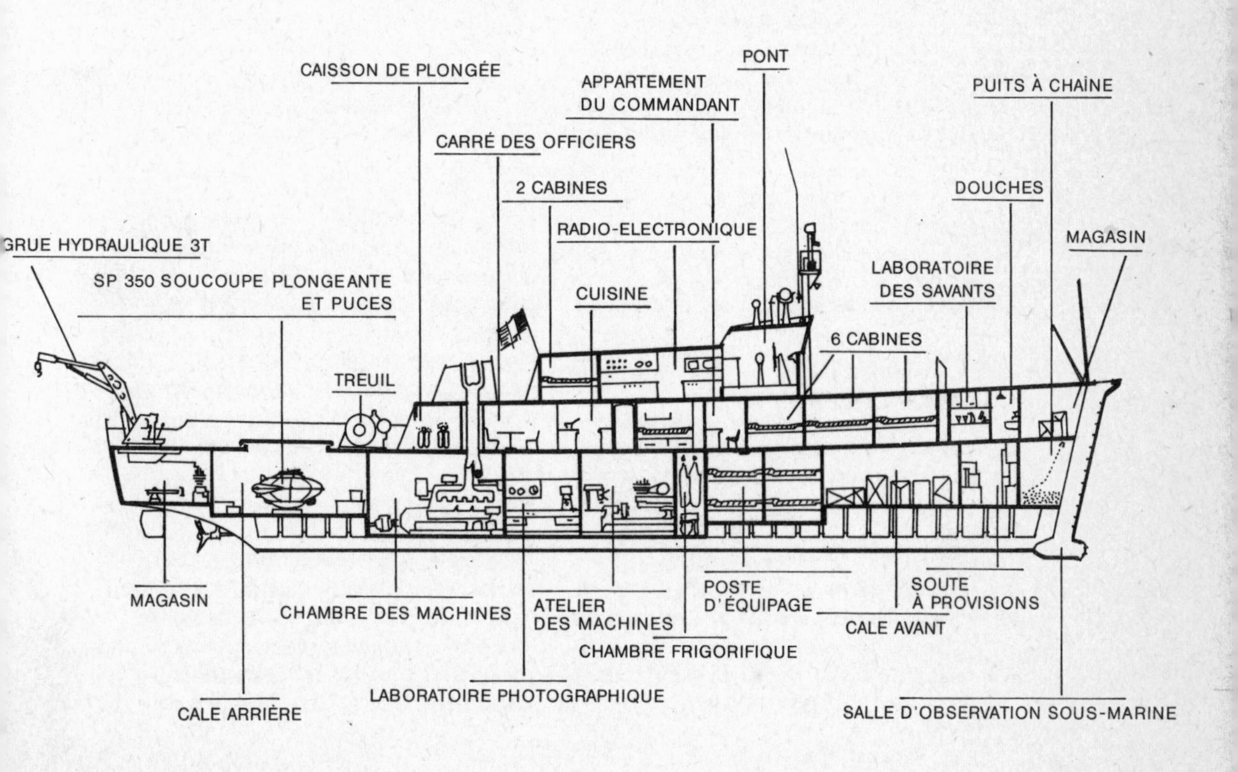

On distingue « le petit carénage » et « le grand carénage ».

CATAMARAN

Embarcation à voile faite de deux coques accouplées.

CORTEX CÉRÉBRAL

D'un mot latin qui signifie *écorce.* C'est la couche la plus superficielle des hémisphères cérébraux.

CRÈTE

Ile de la Méditerranée orientale de 8 331 km² et de 140 km de long. Sa civilisation est à l'origine de toutes les grandes civilisations de la Méditerranée. Elle a été détruite au IIe millénaire par l'invasion dorienne.

COUCHE DIFFUSANTE PROFONDE OU D.S.L.

Pendant la Deuxième Guerre mondiale, on a nommé D.S.L. « Deep Scattering Layers », c'est-à-dire couches diffusantes profondes, des couches énigmatiques détectées par les sonars à des profondeurs et dans des régions extrêmement diverses des océans.

Des observations ont révélé que ces couches montent vers la surface durant la nuit et redescendent à la lumière du jour. Il est apparu qu'elles étaient constituées par des animaux marins que le professeur H.E. Edgerton du Massachusetts Institute of Technology a pu photographier depuis la *Calypso* grâce à des flashs électroniques.

Cette couche vivante est principalement composée de copépodes, de méduses, de siphonophores, d'œufs et de larves.

CURARE

Poison extrait de diverses plantes de l'Amérique du Sud du genre strychnos. Il détermine la mort par la destruction de tous les nerfs moteurs.

ÉCHOLOCATION

Mode d'orientation de plusieurs animaux, aussi bien des chauves-souris et des oiseaux que des cétacés, qui se guident d'après l'écho des ultrasons qu'ils émettent.

ÉGÉEN

Nom donné aux civilisations préhelléniques qui, entre 2600 et 1200 avant J.-C., se sont développées dans les îles et sur les côtes de la mer Égée, particulièrement en Crète et dans le Péloponnèse.

ERRE

Vieux mot français qui n'est plus employé que dans la langue maritime et qui signifiait vitesse. Actuellement on désigne par erre la vitesse d'un navire en avant ou en arrière, uniquement lorsqu'elle résulte de l'inertie.

ÉTRAVE

C'est la pièce particulièrement résistante qui termine le bordé du navire sur l'avant.

ÉVENT

Valve située sur le sommet de la tête et sous laquelle débouchent les deux narines des cétacés. Chez le cachalot, il en existe deux, mais une seule est fonctionnelle. Cet organe est sans communication avec les voies alimentaires et présente une assez grande complication anatomique.

A l'intérieur de l'évent, dont l'ouverture est commandée par un muscle puissant, il existe de part et d'autre de l'orifice, des poches à air dilatables. Deux « lèvres » intérieures contrôlent la sortie de l'air et peuvent contribuer à la modulation des sons. En outre, une lamelle charnue en forme de « bouchon » permet au cétacé de clore plus ou moins hermétiquement l'évent.

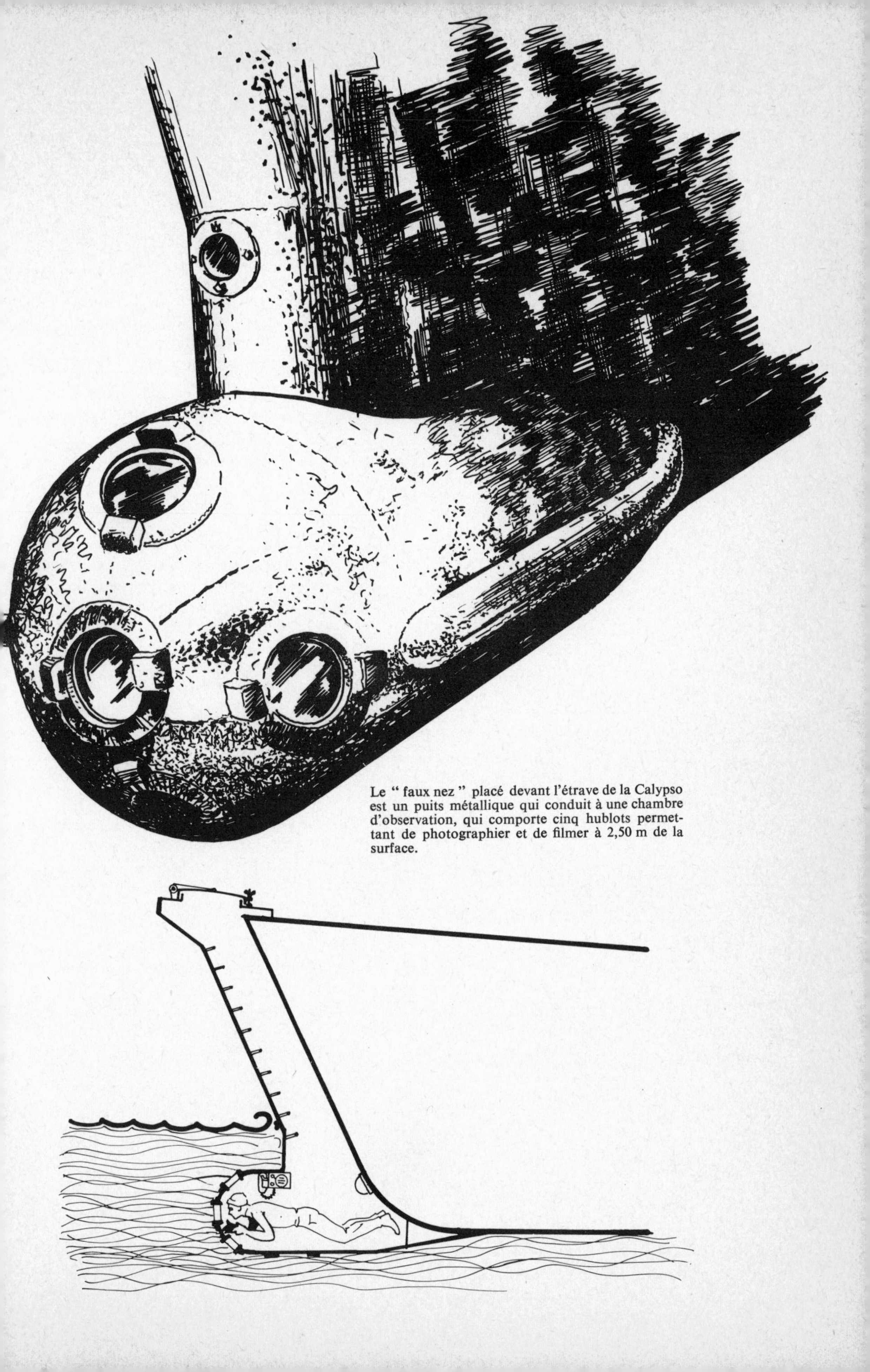
Le " faux nez " placé devant l'étrave de la Calypso est un puits métallique qui conduit à une chambre d'observation, qui comporte cinq hublots permettant de photographier et de filmer à 2,50 m de la surface.

## FAUX NEZ

La *Calypso*, ancien dragueur de mines, a été considérablement transformée pour être adaptée à la recherche scientifique sous-marine.

Un " faux nez " notamment a été placé devant l'étrave. C'est un puits métallique qui descend à 2,50 mètres sous la flottaison et qui se termine par une chambre d'observation. Cinq hublots permettent de voir et de filmer ce qui se passe dans l'eau, même pendant la marche du navire.

## FLUORESCÉINE

Matière colorante à base de phtaléine dont les solutions sont fluorescentes.

## HARPON

Cette arme utilisée dès la préhistoire pour la pêche et la chasse était en bois de renne ou en os, avec un ou deux rangs de barbelures.

La harpé — mot grec du sémitique " Hereb " — figure sur des monuments du IIIe millénaire avant J.-C.

En basque, le mot arpoi signifie " prendre vivement ".

Le harpon est attesté en français par un texte datant de 1474. Le modèle de harpon à tête basculante a représenté un perfectionnement important : dans une arme de ce type, un élément, pivotant dans la tête du harpon, se place en travers de la plaie, et s'oppose à ce que l'animal en se débattant réussisse à se décrocher.

## HAUBANNÉ

On appelle haubans des cordages ou des fils d'acier qui relient la tête des mâts à la coque, latéralement, pour les étayer. Par extension haubanner c'est assurer par des filins tendus la solidité d'un espar.

## HYDROPHONE

Type de microphone destiné à l'enregistrement des sons en milieu liquide.

## LAMPARO

Mot provençal qui signifie "lampe". Il s'agit du phare utilisé par les pêcheurs — surtout en Méditerranée — pour attirer le poisson.

## LIMAÇON

Conduit en spirale qui constitue une partie de l'oreille interne.

## LINGUET

Mot d'origine provençale qui désigne une courte barre métallique mobile autour d'un axe.

## MAISON SOUS LA MER

La première expérience de " maison sous la mer " eut lieu au large de Marseille en 1962 : deux plongeurs ont séjourné pendant huit jours à dix mètres de fond.

La deuxième expérience, Précontinent II, fut organisée en mer Rouge en 1963, à Shab Rumi, au large des côtes du Soudan : deux océanautes ont vécu pendant une semaine à moins vingt-six mètres et huit autres pendant un mois à moins onze mètres.

Une troisième expérience en 1965, Précontinent III, a permis de faire vivre pendant trois semaines six plongeurs à cent mètres de fond dans une autre " maison sous la mer ", au large du cap Ferrat.

## " LA MÉDUSE "

Le 17 juin 1816 la frégate *La Méduse* quittait l'île d'Aix avec trois autres bâtiments pour la colonie du Sénégal et elle s'échouait le 2 juillet suivant sur le Banc d'Arguin. Pendant cinq jours les naufragés tentèrent en vain de remettre le navire à flot. Ils finirent par construire à la hâte un radeau de 20 mètres de long et de 7 mètres de large où s'entassèrent 149 personnes. Le reste de l'équipage prit place dans cinq canots remorqués par le radeau, tandis que 17 hommes ivres étaient abandonnés sur l'épave qui ne tarda pas à sombrer. Le radeau où se déroulaient des scènes d'horreur erra pendant douze jours sans eau et sans vivres. Seuls, quinze agonisants furent recueillis, les autres avaient été dévorés par les requins ou... par les survivants.

*Le radeau de la Méduse*, tableau célèbre de Géricault, figura au Salon de 1819; il est aujourd'hui au Louvre.

## LE MELON

Partie antérieure de la tête du dauphin et de certains autres odontocètes qui contient une matière huileuse, assez voisine de la cire, le spermaceti, dont la fonction biologique n'est pas clairement établie.

Cet organe, chez les cachalots, donne jusqu'à 5 tonnes de matière grasse d'une qualité supérieure à l'huile de baleine.

## MÉROU

Poisson sédentaire qui vit dans une grotte ou une anfractuosité du corail, de préférence à fond de sable et à des profondeurs très diverses. Il guette sa proie et se jette sur elle avec une extraordinaire rapidité. Il lui arrive même de l'" aspirer " à distance.

Jadis très fréquent sur les côtes méditerranéennes où il a été beaucoup trop chassé, il est abondant aussi bien sur les rivages d'Afrique que sur les bords de l'Amérique du Nord et du Sud.

Il existe dans les mers chaudes un très grand nombre d'espèces de mérou de différentes couleurs. Ce sont des serranidés qui comprennent beaucoup de poissons : *Ephinephelus*, *Cephalopholis*, etc., et surtout ceux qui appartiennent au genre *Stereolepis* ou *Promicrops*, ce dernier, qui peut atteindre 3 mètres à l'âge adulte, est notamment désigné sous le nom de mérou au large des côtes occidentales d'Afrique. C'est également le " Jew Fish " des Américains. Tandis que " Grouper " est en anglais un terme général pour tous les poissons de la famille des serranidés.

## MINOEN

Période de l'histoire de la Crète allant du III^e millénaire jusque vers 1100 avant J.-C. On distingue le Minoen Ancien (2400 à 2000), le Minoen Moyen (1900 à 1600), le Minoen récent (1550 à 1100).

## MULET

Ou muge. Appartient à la famille des mugilidés. Acanthoptérygien. Poisson côtier très répandu dans les mers tempérées. Peut atteindre 60 centimètres de long et 5 kilos. La ligne latérale est peu visible, le ventre est blanc et fragile, le dessus de la tête plat et large. Pas de dents ou faibles. De grosses écailles luisantes et bien détachées. Les mulets vivent en groupe.

## MYCÉNIEN

A l'âge du bronze, la domination mycénienne, qui succède à la civilisation minoenne, s'exerce sur une grande partie de la Grèce, puis sur les Cyclades et l'Asie Mineure. Les Mycéniens allèrent chercher l'ambre et l'étain en mer du Nord et en Baltique et contrôlèrent la Méditerranée orientale. Leur empire, dont l'apogée se situe vers 1400 avant notre ère, semble s'être effondré brusquement vers 1100 avant J.-C. C'est à cette dernière date que la citadelle de Mycènes est définitivement détruite.

## NAGEOIRE DES CÉTACÉS

Les nageoires pectorales des cétacés donnent à penser que les ancêtres de ceux-ci étaient primitivement des mammifères terrestres.

A la radiographie, on peut voir les os des cinq " doigts " (sauf pour les rorquals), d'un " poignet " et d'un " bras ".

## NEURONE

Cellule nerveuse formée d'un corps cellulaire à prolongement protoplasmique et munie d'un cylindraxe ou axone, formant la fibre nerveuse.

## PALIERS

Les accidents de décompression au cours de la remontée d'un plongeur en scaphandre autonome qui respire de l'air comprimé sont dus au fait que les gaz dissous dans l'organisme par suite de la pression, se libèrent pendant le retour vers la surface. Ils peuvent alors donner naissance à des bulles d'autant plus importantes que la remontée est plus rapide et que le séjour a été plus long et profond. Ces bulles entravent la circulation sanguine et peuvent provoquer " l'embolie gazeuse ".

On a donc reconnu la nécessité de ralentir la remontée afin de laisser aux gaz dissous le temps de se libérer. Des tables ont été établies qui indiquent le nombre et la durée des arrêts à effectuer en fonction de la profondeur atteinte et du temps passé à cette profondeur. Ce sont les " paliers ".

## PELVIS

Terme d'anatomie désignant les os du bassin auquel les membres postérieurs sont attachés. Chez l'homme et chez les autres mammifères terrestres, c'est une partie de la structure presque rigide comprenant la colonne vertébrale; chez les dauphins la dimension en est très réduite.

## PINNIPÈDE

L'ordre des pinnipèdes compte trois familles :
— les otaridés (les lions de mer, les otaries à fourrure);
— les odobénidés (les morses);
— les phocidés (les phoques et les éléphants de mer).

Ce sont des mammifères qui mènent une existence amphibie. Ils se nourrissent de poissons et de crustacés. On en trouve dans toutes les mers sauf dans l'océan Indien, avec une concentration plus forte dans les mers polaires.

## PLATIER

A faible profondeur, les coraux forment dans les mers tropicales un plateau plus ou moins long et plus ou moins continu, qui s'étend le long du rivage ou au sommet d'un récif en pleine mer : c'est le platier.

## POULPE

Mollusque céphalopode à huit bras *(Octopus)* égaux munis de ventouses. C'est un mollusque à coquille rudimentaire ou absente.

Il existe de très nombreuses espèces généralement sédentaires dans toutes les mers. Les plus grands spécimens peuvent dépasser 2 mètres. Chez certaines espèces les glandes salivaires sécrètent un poison violent. La morsure d'une espèce australienne est mortelle pour l'homme.

Le troisième bras droit, chez les mâles, possède une gouttière le long de laquelle cheminent les " spermatophores ". C'est le bras " hectocotyle " qui sert à la fécondation en introduisant les spermatozoïdes dans la cavité palléale de la femelle.

## REQUINS OU SQUALES

Le nom de requins s'applique à de nombreuses espèces de poissons du groupe des élasmobranches ou sélaciens.

En raison de leur squelette cartilagineux et de l'absence de tissu osseux véritable, on les qualifie volontiers d'" animaux primitifs ". Pourtant leur système nerveux est remarquablement développé et on note dans le groupe une grande variété de modes de reproduction dont certains sont particulièrement perfectionnés.

Chez les sélaciens, la fécondation est interne. Il y a accouplement.

Le professeur P. Budker, spécialiste des requins, écrit : " On ne peut guère qu'émettre des hypothèses sur la façon dont s'effectue l'accouplement des grandes espèces de requins pélagiques : ce n'est d'une observation ni aisée ni fréquente ". On sait du moins ce qui se passe chez les espèces de petite taille. Chez le chien de mer, par exemple, le mâle s'enroule étroitement autour de la femelle qui reste simplement allongée et immobile.

Pour les carcharinidés notamment, la viviparité est de règle. Le fœtus, dans le ventre de la mère, est relié à l'utérus par une sorte de placenta. Le nombre des fœtus peut aller de 4 à 40.

Le corps et la tête des squales sont largement pourvus d'organes sensoriels qui leur permettent de percevoir avec beaucoup de précision les variations du milieu ambiant : ampoules de Lorenzini, " cryptes sensorielles " ou " pit organs " voisins de la ligne latérale, décrits en 1938 par le professeur Paul Budker. Des travaux sont en cours pour déterminer le rôle des différents organes des sens dont est pourvu le requin et qui lui permettent probablement de mesurer la pression hydrostatique, de percevoir les sons et les ultra-sons, d'apprécier la composition chimique de l'eau, etc. Il semble acquis que c'est grâce à des bourgeons gustatifs qu'il perçoit même à grande distance la présence du sang dans la mer. Disposant ainsi de sens dont l'homme est dépourvu, le requin est beaucoup mieux armé que le plongeur, particulièrement la nuit.

L'œil est peu capable de distinguer les détails et les couleurs d'un objet fixe, en revanche, il permet au requin d'apercevoir et de reconnaître tout ce qui est mobile. Le champ de vision reste constant, quelles que soient les brusques évolutions de l'animal.

On trouvera d'autres renseignements et le récit d'importantes expériences sur le comportement du requin dans le livre de J.-Y. Cousteau et Philippe Cousteau, " Les Requins ", Flammarion, éditeur.

## RORQUAL

Cétacé à fanons, baleinoptère à la nageoire dorsale très développée, tête aplatie et large. La mâchoire supérieure est en retrait par rapport à la mandibule. Nombreux sillons parallèles sur le ventre.

Le rorqual bleu, *Baloenoptera musculus*, peut atteindre 28 à 30 mètres de long et peser 50 à 100 tonnes. Le maximum connu est de 100 pieds. " Le rorqual bleu, dit le professeur Budker, détient un record qui, dans le présent et dans le passé, n'est et n'a jamais été battu : c'est l'être le plus grand, le plus volumineux, le plus lourd qui ait jamais existé sur terre et dans les mers. "
(Voir Appendice II, Les Cétacés.)

## ROSTRE

Partie saillante et pointue placée en avant de la tête de certains animaux.

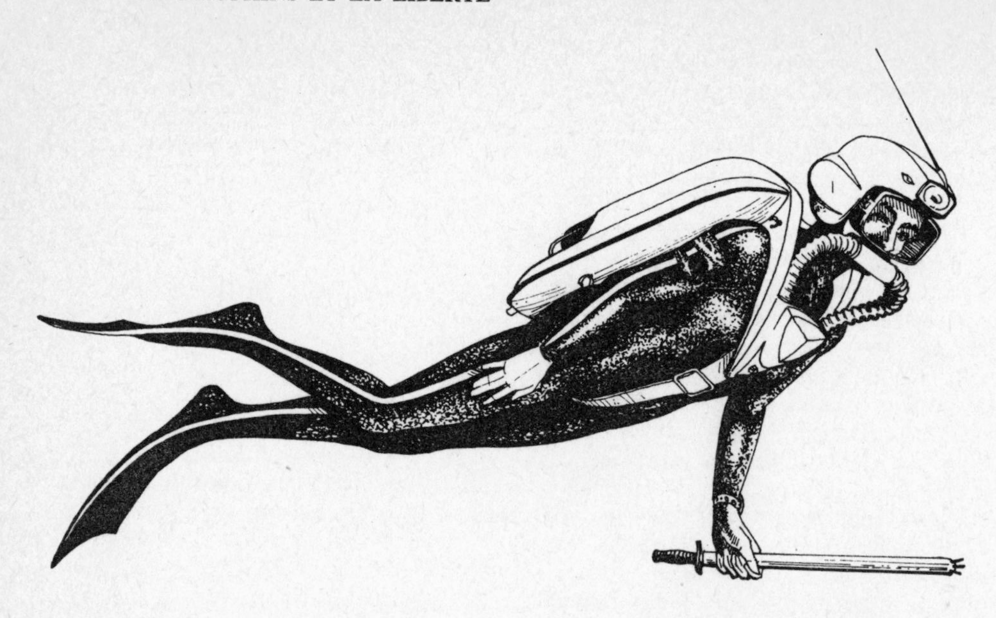

## ROUGET

Mulet rouge ou rouget barbet *(Mullus barbatus)*, remarquable par ses vives couleurs rouge et jaune irisées et ses deux " barbillons ", organes fouisseurs et tactiles.

## LE SCAPHANDRE AUTONOME

Le scaphandre autonome actuel, conçu en 1943 par le commandant Cousteau et l'ingénieur Émile Gagnan, est un appareil respiratoire dit " à circuit ouvert ", car l'air vicié de la respiration est évacué directement dans l'eau. C'est également un appareil dans lequel l'air est débité " à la demande ", à chaque aspiration, et non pas d'une façon continue.

Il comporte une ou plusieurs bouteilles d'air comprimé à haute pression, fixées sur le dos du plongeur. Un " détendeur " délivre l'air, à chaque aspiration, à une pression toujours égale à celle de l'eau ambiante. L'évacuation de l'air vicié se fait sous le capot même du " détendeur " par un " bec de canard ". Un embout buccal est relié au détendeur par deux tuyaux souples, l'un destiné à l'inspiration et l'autre à l'expiration.

C'est cet appareil simple et sûr, entièrement automatique, d'un apprentissage facile, qui a rendu la plongée accessible à un très vaste public et a permis l'exploration sous-marine. Son invention marque une étape décisive dans l'histoire de la pénétration de l'homme dans l'eau et même dans l'évolution de la condition humaine.

Le scaphandre autonome Cousteau-Gagnan constitue une véritable révolution par rapport au scaphandre à casque et à tuyau, d'un emploi compliqué, d'un maniement pénible et dangereux, d'un apprentissage difficile et qui limite le champ d'action du scaphandrier à une faible portion du fond.

Si, au cours des vingt-cinq années qui viennent de s'écouler, la mer s'est véritablement ouverte aux hommes, c'est grâce au scaphandre autonome qui constitue un instrument d'exploration et de recherche scientifique plus encore qu'un engin de sport. Les accessoires indispensables à cet appareil sont : les palmes de propulsion dues au commandant de Corlieu, le masque, et une ceinture lestée de quelques kilos de plomb pour annuler la flottabilité du corps humain.

L'homme a donc acquis son autonomie dans la masse des eaux, mais il doit compter avec les deux dangers qui menaçaient déjà les scaphandriers à casque : l'ivresse des grands fonds, et les accidents de décompression à la remontée.

## SCROTUM

Enveloppe cutanée des testicules.

## SEICHE

Céphalopode de la famille des Sepiidae, ordre des Sepioidea, sous-classe des Coleoidea.

Elle vit dans les zones littorales, dans les herbiers et sur les fonds sableux où elle trouve les crevettes dont elle se nourrit. Il en existe environ quatre-vingts espèces, dont la majorité fréquente les eaux tropicales et subtropicales de l'Indo-Pacifique. Il existe peu d'espèces atlantiques. Elles sont abondantes dans l'ouest du Pacifique et dans l'océan Indien. Elles ne se trouvent pas dans les eaux américaines. Les seiches ont un corps ovale en forme de bouclier. Le bord du manteau constitue une nageoire rubannée tout autour du corps. Autour de la tête sont disposés huit bras et deux tentacules qui servent à capturer les proies. Normalement, ces deux tentacules sont rétractés dans deux poches sous les yeux. Le corps est renforcé par une coquille interne, « l'os de seiche ». Cet « os » comporte des chambres emplies de gaz et sert d'appareil hydrostatique à l'animal pour nager et flotter.

La plus connue des espèces est la seiche commune : *Sepia officinalis*, qui a été observée et décrite par Aristote, il y a plus de vingt-trois siècles. Elle habite les étages infra- et circa-littoraux de la Méditerranée. Tous les auteurs s'accordent à voir dans *Sepia officinalis* une espèce strictement côtière, ne descendant qu'exceptionnellement au-delà de 150 mètres. Seule une partie de la population atteint l'âge de trois ou même quatre ans. La durée de vie moyenne doit être de deux ans à trente mois. La longueur du manteau ne dépasse pas quarante à cinquante centimètres. La plus petite des seiches est *Hemisepius typicus* qui mesure sept centimètres et la plus grande *Sepia latimanus* qui atteint 1,75 mètre. Les seiches se reproduisent au printemps et en été.

## SEINE

On écrit aussi senne. La seine est constituée par des filets de 100 à 150 mètres de longueur et d'une vingtaine de mètres de chute. Les deux extrémités sont halées de manière à refermer progressivement soit le filet tout entier soit une poche où le poisson se rassemble.

## SÉMANTIQUE

Dans le langage, ce qui est signifié par le signe (mot). Son étude fait l'objet d'une partie de la linguistique.

## SONAR

« Sound Navigation Ranging », équipement de détection et de communications sous-marines analogues au radar et basé sur la réflection des ondes sonores ou supersoniques.

## SONDER

Se dit des cétacés lorsqu'ils piquent vers le fond.

## SOUCOUPES PLONGEANTES

Plusieurs types de soucoupes plongeantes, conçues par le commandant Cousteau, ont été réalisées par le Centre d'Études marines avancées de Marseille.

— La *S.P. 350* capable d'emmener deux passagers. Elle est munie d'une caméra cinématographique, d'un appareil photo, d'une pince à prélèvement hydraulique et d'un panier de stockage. Elle a effectué plus de 600 plongées. Une *S.P. 350* peut être garée dans la cale arrière de la *Calypso*.

— La *S.P. 1000* ou puce de mer. Monoplace, elle est destinée à effectuer des plongées en duo. Elle comporte deux caméras extérieures de 16 ou 35 mm, télécommandées, des magnétophones pour l'enregistrement des bruits sous-marins. Elle a effectué plus de 100 plongées. Deux *S.P. 1000* peuvent être embarquées sur la *Calypso*.

— La *S.P. 4000* ou Deepstar, capable de descendre à 1 200 mètres, construite pour le compte de la compagnie américaine Westinghouse et lancée en 1966. Elle peut emmener deux passagers et se déplace à une vitesse de 3 nœuds. Elle a effectué plus de 500 plongées.

— La *S.P. 3000* construite pour le compte du C.N.E.X.O. Elle se déplace à la vitesse de 3 nœuds et peut emmener trois passagers.

## SOUFFLE

Lorsqu'un cétacé fait surface pour respirer, il émet à travers un ou deux évents, un " souffle " visible de loin. C'est une buée blanchâtre, qui ne peut être attribuée à la condensation de la vapeur d'eau dans l'air froid. Même sous les tropiques, le souffle est bien visible.

Un cétacé ne peut pas chasser de l'eau par les évents : il n'existe aucune communication entre sa bouche et ses poumons.

Le biologiste français Paul Portier a émis l'hypothèse que la détente, dans l'atmosphère, de l'air fortement comprimé dans le thorax des cétacés, entraînerait la condensation de la vapeur d'eau contenue dans le souffle.

F.C. Fraser et P.E. Purves ont reconnu la présence, dans les poumons des cétacés, de très fines gouttes d'huile et de mucus qui pourraient expliquer la visibilité du souffle. Cette émulsion d'huile dans les voies respiratoires jouerait un rôle dans l'absorption de l'azote.

Chaque espèce de cétacés montre une forme particulière de souffle. Chez la baleine bleue et le rorqual commun, c'est un seul panache qui monte jusqu'à 8 ou 15 mètres de haut. Le souffle de la baleine franche est double, tandis que celui du cachalot est unique, incliné de 45 degrés sur la gauche de l'animal.

Le souffle du dauphin est à peine perceptible dans l'air. En revanche on peut en entendre le bruit. L'animal vide brusquement ses poumons. Aussitôt après il les remplit en émettant une sorte de halètement. Toute l'opération dure moins d'une seconde. Si l'on pose la main sur l'évent, on sent un souffle chaud et humide.

En nage normale, le dos du dauphin émerge à intervalles réguliers pour lui permettre de respirer. C'est ce qui donne à sa progression dans l'eau une allure si caractéristique.

## SPHINCTER

Muscle de forme circulaire placé autour d'un orifice naturel qu'il peut fermer en se contractant.

## THON

Il existe deux variétés commerciales dont nous citerons : le thon blanc ou germon, *Thunnus* (*Germo*) *alalunga* et le thon rouge ou thon véritable, *Thunnus thynnus*.

Tous deux appartiennent à la famille des thunnidés.

Les thons géants de la Nouvelle-Écosse peuvent atteindre 4 mètres de long et peser 700 kilos.

## TRIBORD

La partie droite d'un navire quand on regarde vers l'avant.

# bibliographie

Antony Alpers
DOLPHINS, THE MYTH AND THE MAMMAL
Riverside Press, Cambridge (Massachusetts), 1960-1961.

Raphaëlle Anthonioz
LES IMRAGEN, PÊCHEURS NOMADES DE MAURITANIE
Bulletin de l'I.F.A.N., T. XXIX Sér. B, nº 3-4, 1967; T. XXX Sér. B, nº 2, 1968.

Paul Budker
DAUPHIN
La mer, Encyclopédie ALPHA, Éditions de la Grange Batelière, Paris, 1973.

René-Guy Busnel, A. Moles et M. Gilbert
UN CAS DE LANGUE SIFFLÉE UTILISÉE DANS LES PYRÉNÉES FRANÇAISES
Logos, vol. 5, nº 2, octobre 1962.

René-Guy Busnel
LE DAUPHIN, NOUVEL ANIMAL DE LABORATOIRE
" Sciences et Techniques ", nº 3, 1966.

René-Guy Busnel
SYMBIOTIC RELATIONSHIP BETWEEN MAN AND DOLPHINS
Meeting of the Section of Psychology, New York Academy of Sciences, 1973.

David K. Caldwell et Melba C. Caldwell
SOUNDS AND BEHAVIOR OF CAPTIVE AMAZON FRESHWATER DOLPHINS
Sciences nº 108, 1966.

Melba C. et David K. Caldwell
THE UGLY DOLPHIN
Marineland Research Laboratory, St. Augustine (Floride).

David K. Caldwell et Melba C. Caldwell
THE WORLD OF THE BOTTLENOSED DOLPHIN
J.B. Lippincott Company, Philadelphie et New York, 1972.

André Classe
L'ÉTRANGE LANGAGE SIFFLÉ DES ILES CANARIES
Courrier de l'UNESCO, novembre 1957, nº 11.

F.C. Fraser
BRITISH WHALES, DOLPHINS
AND PORPOISES
The British Museum of Natural History,
Londres 1966.

R.E. Green, W.F. Perrin, B.P. Patrick
THE AMERICAN TUNA PURE SEINE
FISHERY
Modern Fishing Gear of the World : 3,
Fishing News Books Ltd., Londres.

Earl S. Herald
FIELD AND AQUARIUM STUDY OF
THE BLIND RIVER DOLPHIN
Naval Undersea Research Development
Center, juillet 1969.

Ph. Hershkovitz
CATALOG OF LIVING WHALES
Smith Institute, U.S. National Museum,
Washington D.C., 1966.

Blair Irvine
CONDITIONING MARINE MAMMALS
TO WORK IN THE SEA
M.T.S. Journal, vol. 4, nº 3, mai-juin 1970.

A. Jonsgard et P.B. Lyshoel
A CONTRIBUTION TO THE
KNOWLEDGE OF KILLER WHALE
Nouv. Jour. Zool., 1970.

W.N. Kellogg
PORPOISES AND SONAR
Phœnix Sc. Ser., 1961.

John Cunningham Lilly, M.D.
MAN AND DOLPHIN
Doubleday, New York, 1961.
THE MIND OF THE DOLPHIN
A non-human intelligence,
Doubleday, New York, 1967.

L.H. Matthews
THE WHALE
Londres, 1968.

Richard L. McNeely,
THE PURE SEINE REVOLUTION
IN TUNA FISHING
Pacific Fisherman, juin 1961.

Kenneth S. Norris
TRAINED PORPOISE RELEASED
IN THE OPEN SEA
Science 147 (3661), 1048-1050.

Kenneth S. Norris
THE PORPOISE WATCHER
W.W. Norton Inc, New York, 1974

Ouvrage collectif sous la direction de
Kenneth S. Norris
WHALES, DOLPHINS AND
PORPOISES
University of California Press,
Berkeley et Los Angeles, 1966.

Ouvrage collectif sous la direction de
René-Guy Busnel
LES SYSTÈMES SONARS ANIMAUX
Laboratoire de Physiologie Acoustique,
Jouy-en-Josas, 1967.

William F. Perrin
USING PORPOISE TO CATCH TUNA
World Fishing, vol. 18, nº 16, 1969.

G. Pilleri,
OBSERVATIONS ON THE BEHAVIOUR
OF *PLATANISTA GANGETICA*
IN THE INDUS
AND BRAHMAPUTRA RIVERS
Publication de l'Institut d'Anatomie de
Berne, 1970.

D.W. Rice et V.B. Scheffer
A LIST OF THE MARINE MAMMALS
OF THE WORLD
U.S. Fish and Wildlife Serv., nº 579,
Washington D.C., 1968.
RECENT MAMMALS OF THE WORLD,
A synopsis of families. Cetaceans.
Ronald Press Co., New York, 1967.

Sarah R. Riedman et Elton T. Gustafson
HOME IS THE SEA FOR WHALES
Rand McNally & Company, 1966.

E.J. Slijper
WHALES
Londres, 1962.

Les photographies publiées dans ce livre sont de Henri Alliet, Ron Church, Jan et Philippe Cousteau, François Dorado, Marie-Noëlle Favier, Ivan Giacoletto, André Laban, Edmond Laffont, Jean-Jacques Languepin, Yves Omer, Louis Prezelin, André Ragiot, Jacques Renoir, Jean-Clair Riant.

Quelques-unes des photos prises à la surface ont été choisies dans les collections personnelles des membres de l'équipe.

Les dessins des appendices et du glossaire sont de Jean-Charles Roux.

Iconographie : Marie-Noëlle Favier.

Dépôt légal 1er trimestre 1975 – Flammarion, éditeur, N° 9054
Imprimé en Allemagne, Mohndruck Gütersloh